2018 개정판

해부·병태생리로 이해하는

SIM 통합내과학

연세대학교 의과대학
교수 **정 남 식** 편저

STEPS TO INTERNAL MEDICINE

3 Cardiology 순환기

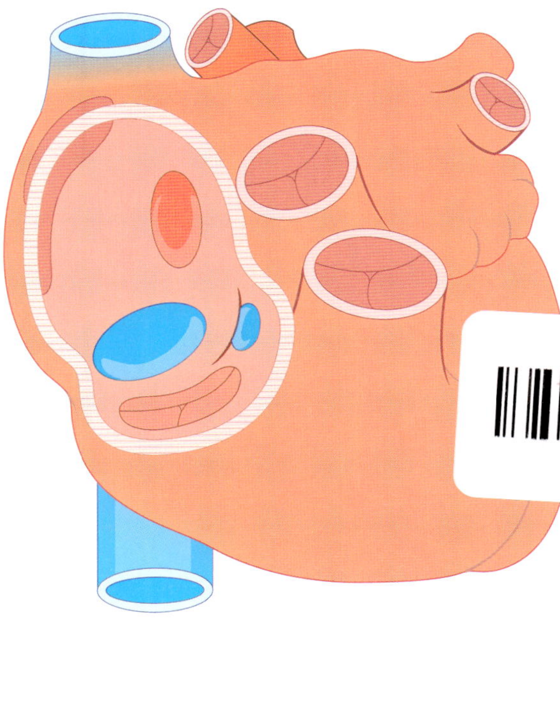

도서출판 정담

해부·병태생리로 이해하는

SIM 통합내과학 3 순환기

1판 발행 / 2008년 4월 20일
2판 발행 / 2013년 3월 21일
3판 발행 / 2018년 1월 30일

발행인 김정찬
편집기획 손지현
편집디자인 최민수

발행처 도서출판 정담
주소 서울특별시 송파구 송이로17길 50-27
(가락동 13-10) 2층
전화 02-443-2791
팩스 02-430-7370
홈페이지 www.jdb.co.kr
등록 제 22-135호

정가 30,000원
ISBN 978-89-8085-827-9
978-89-8085-823-1(set)

머리글

의학이라는 험산준령에서도 그 본령을 이루는 것이 내과학이라고 할 수 있다.

내과학은 거대한 퍼즐이다. 양적으로나 내용적으로도 결코 만만치 않은 분야이다. 여러분들이 그동안 배워온 해부학, 조직학, 생리학, 생화학, 약리학, 병리학 등의 각종 기초학 지식들을 머릿속에서 퍼즐처럼 맞추어 임상현장에서 적용하기 위해서는 암기보다 질환에 대한 이해가 우선시되어야 한다.

결국 임상현장에서의 적용은 단순한 암기만으로 도달할 수 있는 경지가 아니다. 인체와 질병에 대한 기초의학에서 배웠던 모든 지식을 임상적인 지식에 접목시키고 그것을 다시 환자에 적용시킬 수 있는 수준으로 끌어올리기 위해서는 질병을 종합적으로 이해해야만 한다.

의과대학 본과생들 가운데는 참고서의 모든 것을 달달 외우려 했던 학생들도 더러 있었다. 그러나 아무리 기억력이 우수하다고 해도 암기만으로는 모든 내용을 기억할 수도 없으며, 아무런 연관성도 없는 의학용어의 나열만 암기한다고 해서 그 노력만큼 성적이 따라주지도 않았다.

이렇게 된 가장 큰 원인은 그들이 기초의학을 제대로 이해하지 못하였고 이를 임상의학과도 융합시키지 못했기 때문이다. 정상적인 인체의 구조, 생리, 병리에 대해서 잘 알지 못하면 각종 질환이 어떻게 초래되는지도 이해하기 힘들기 때문에 결국에는 책 속의 모든 내용을 외우려고 하는 악순환에 빠져버리는 것이다.

그렇다면 어떻게 해야 할까?

현실적으로 학교에서 임상의학을 공부하면서 다시 기초의학을 처음부터 공부한다는 것은 너무 어려운 일이다. 그렇기 때문에 기본으로 돌아가 그동안 공부했던 기초의학인 해부생리와 병태생리를 질환과 연계하여 다시 정리할 수 있도록 공부해야 한다.

이 책은 그동안 공부해왔던 인체의 해부학, 조직학, 생리학, 병리학 등의 각종 지식들을 리뷰할 수 있도록 간결하면서도 꼼꼼하게 서술하고 있다.

인체의 어떤 부위에서 어떠한 원인과 기전에 의해 질환이 발생하는지 이해하기 쉽도록, 또한 다양한 질환의 진단·증상·검사·치료 등에 대한 각각의 핵심내용을 명확하게 파악할 수 있도록 그림과 사진을 적절하게 활용하여 요점을 간결하게 서술하였다.

그렇기 때문에 이 책으로 공부하면 질환에 따른 병태생리와 증상, 치료 및 간호 모든 부분이 저절로 퍼즐이 맞춰지듯이 이해될 것이며, 따라서 자연스레 암기할 내용도 확연히 줄어들 것이다. 그리고 당연히 임상실습과 국시에도 반드시 필요한 지침서가 될 것이다.

2018년 편저자 일동

편저자 (가나다순)

김 세 규
연세대학교 의과대학 호흡기내과

고 윤 웅
연세대학교 의과대학 혈액내과

김 준 명
연세대학교 의과대학 감염내과

차 봉 수
연세대학교 의과대학 내분비내과

문 영 명
연세대학교 의과대학 소화기내과

최 규 헌
연세대학교 의과대학 신장내과

이 꽃 실
관동대학교 의과대학 감염내과

최 일 생
연세대학교 의과대학 신경내과

이 수 곤
연세대학교 의과대학 결합조직내과

홍 천 수
연세대학교 의과대학 면역·알레르기내과

정 남 식
연세대학교 의과대학 심장내과

일러두기

공부를 시작하기 전에 우선 이 책이 어떤 방식으로 구성되어 있는지 알아보도록 하자.

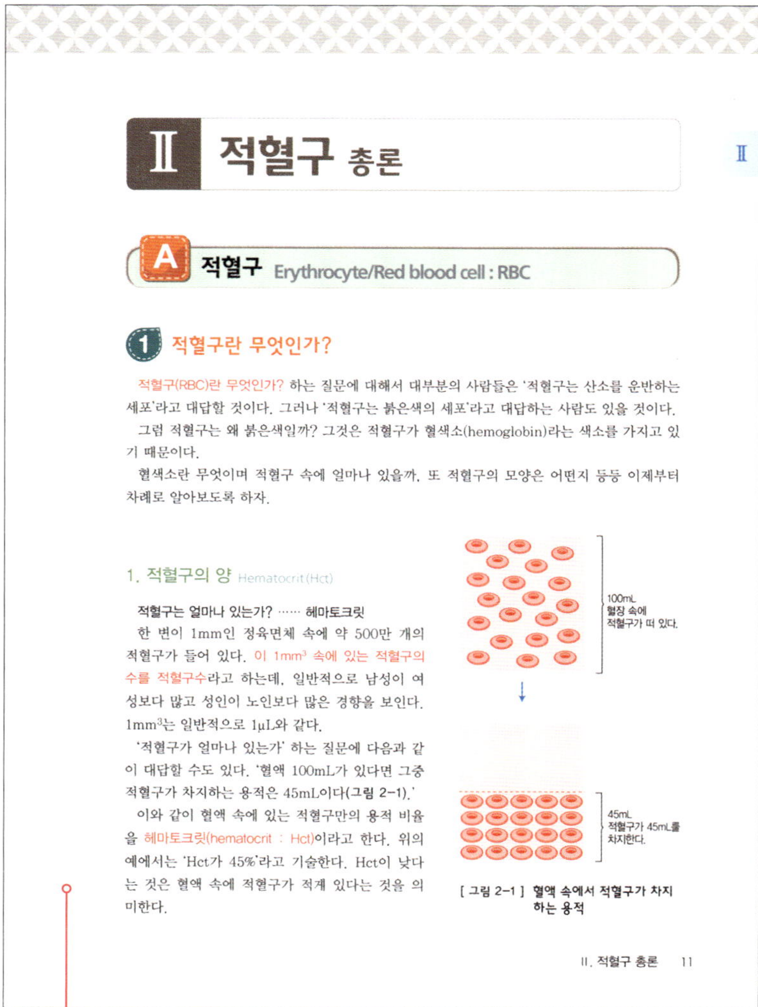

Ⅱ 적혈구 총론

A 적혈구 Erythrocyte/Red blood cell : RBC

1 적혈구란 무엇인가?

적혈구(RBC)란 무엇인가? 하는 질문에 대해서 대부분의 사람들은 '적혈구는 산소를 운반하는 세포'라고 대답할 것이다. 그러나 '적혈구는 붉은색의 세포'라고 대답하는 사람도 있을 것이다.

그럼 적혈구는 왜 붉은색일까? 그것은 적혈구가 혈색소(hemoglobin)라는 색소를 가지고 있기 때문이다.

혈색소란 무엇이며 적혈구 속에 얼마나 있을까, 또 적혈구의 모양은 어떤지 등등 이제부터 차례로 알아보도록 하자.

1. 적혈구의 양 Hematocrit(Hct)

적혈구는 얼마나 있는가? …… 헤마토크릿

한 변이 1mm인 정육면체 속에 약 500만 개의 적혈구가 들어 있다. 이 1mm³ 속에 있는 적혈구의 수를 적혈구수라고 하는데, 일반적으로 남성이 여성보다 많고 성인이 노인보다 많은 경향을 보인다. 1mm³는 일반적으로 1μL와 같다.

'적혈구가 얼마나 있는가' 하는 질문에 다음과 같이 대답할 수도 있다. '혈액 100mL가 있다면 그중 적혈구가 차지하는 용적은 45mL이다(그림 2-1).'

이와 같이 혈액 속에 있는 적혈구만의 용적 비율을 헤마토크릿(hematocrit : Hct)이라고 한다. 위의 예에서는 'Hct가 45%'라고 기술한다. Hct이 낮다는 것은 혈액 속에 적혈구가 적게 있다는 것을 의미한다.

[그림 2-1] 혈액 속에서 적혈구가 차지하는 용적

Ⅱ. 적혈구 총론 11

총론

각론에서 질환을 배우기 전에 그동안 기초학에서 공부했던 해부, 생리, 병리를 리뷰할 수 있도록 그림과 함께 간결하게 서술하였다. 이를 통해 각 질환의 이해가 더욱 빨라질 수 있다.

각론

총론의 해부, 생리, 병리를 토대로 각 질환의 병태생리에 대해 자세히 설명하고 있다.
질환에 대한 이해를 돕기 위해 그림과 표를 추가하여 쉽고 자세하게 설명함으로써
더욱 이해하기 쉽도록 하였다.

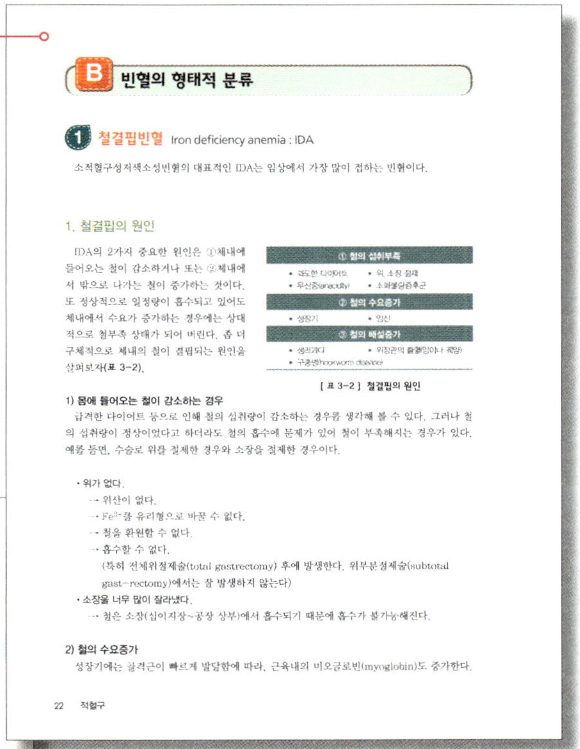

B 빈혈의 형태적 분류

1 철결핍빈혈 Iron deficiency anemia : IDA

소적혈구성저색소성빈혈의 대표적인 IDA는 임상에서 가장 많이 접하는 빈혈이다.

1. 철결핍의 원인

IDA의 2가지 중요한 원인은 ①체내에 들어오는 철이 감소하거나 또는 ②체내에서 밖으로 나가는 철이 증가하는 것이다. 또 정상적으로 일정량이 흡수되고 있어도 체내에서 수요가 증가하는 경우에는 상대적으로 철부족 상태가 되어 버린다. 좀 더 구체적으로 체내의 철이 결핍되는 원인을 살펴보자(표 3-2).

① 철의 섭취부족	
• 과도한 다이어트	• 위, 소장 절제
• 무산증(anacidity)	• 소화불량증후군
② 철의 수요증가	
• 성장기	• 임신
③ 철의 배설증가	
• 생리과다	• 위장관의 출혈(암이나 궤양)
• 구충병(hookworm disease)	

[표 3-2] 철결핍의 원인

1) 몸에 들어오는 철이 감소하는 경우

급격한 다이어트 등으로 인해 철의 섭취량이 감소하는 경우를 생각해 볼 수 있다. 그러나 철의 섭취량이 정상이었다고 하더라도 철의 흡수에 문제가 있어 철이 부족해지는 경우가 있다. 예를 들면, 수술로 위를 절제한 경우와 소장을 절제한 경우이다.

- 위가 없다.
  - → 위산이 없다.
  - → Fe^{3+}를 유리형으로 바꿀 수 없다.
  - → 철을 환원할 수 없다.
  - → 흡수할 수 없다.
    (특히 전체위절제술(total gastrectomy) 후에 발생한다. 위부분절제술(subtotal gast-rectomy)에서는 잘 발생하지 않는다)
- 소장을 너무 많이 잘라냈다.
  - → 철은 소장(십이지장~공장 상부)에서 흡수되기 때문에 흡수가 불가능해진다.

2) 철의 수요증가

성장기에는 골격근이 빠르게 발달함에 따라, 근육내의 미오글로빈(myoglobin)도 증가한다.

22 적혈구

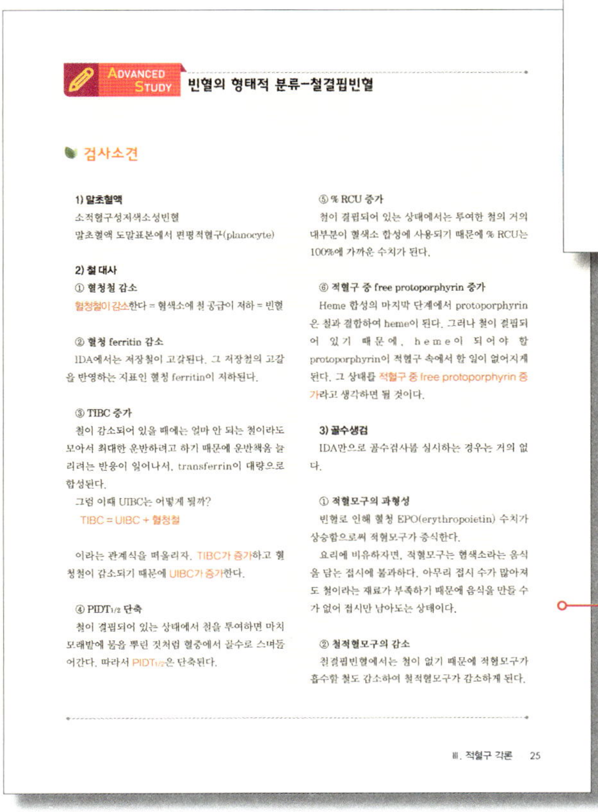

ADVANCED STUDY 빈혈의 형태적 분류-철결핍빈혈

검사소견

1) 말초혈액
소적혈구성저색소성빈혈
말초혈액 도말표본에서 편평적혈구(planocyte)

2) 철 대사
① 혈청철 감소
혈청철이 감소한다 = 혈색소에 철 공급이 저하 = 빈혈

② 혈청 ferritin 감소
IDA에서는 저장철이 고갈된다. 그 저장철의 고갈을 반영하는 지표인 혈청 ferritin이 저하된다.

③ TIBC 증가
철이 감소되어 있을 때에는 얼마 안 되는 철이라도 모아서 최대한 운반하려고 하기 때문에 운반책을 늘리려는 반응이 일어나서, transferrin이 대량으로 합성된다.
그럼 이때 UIBC는 어떻게 될까?
TIBC = UIBC + 혈청철
이라는 관계식을 떠올리자. TIBC가 증가하고 혈청철이 감소되기 때문에 UIBC가 증가한다.

④ $PIDT_{1/2}$ 단축
철이 결핍되어 있는 상태에서 철을 투여하면 마치 모래밭에 물을 뿌린 것처럼 혈중에서 골수로 스며들어간다. 따라서 $PIDT_{1/2}$은 단축된다.

⑤ % RCU 증가
철이 결핍되어 있는 상태에서는 투여한 철의 거의 대부분이 혈색소 합성에 사용되기 때문에 % RCU는 100%에 가까운 수치가 된다.

⑥ 적혈구 중 free protoporphyrin 증가
Heme 합성의 마지막 단계에서 protoporphyrin은 철과 결합하여 heme이 된다. 그러나 철이 결핍되어 있기 때문에, heme이 되어야 할 protoporphyrin이 적혈구 속에서 할 일이 없어지게 된다. 그 상태를 적혈구 중 free protoporphyrin 증가라고 생각하면 될 것이다.

3) 골수생검
IDA만으로 골수검사를 실시하는 경우는 거의 없다.

① 적혈모구의 과형성
빈혈로 인해 혈청 EPO(erythropoietin) 수치가 상승함으로써 적혈모구가 증식한다.
요리에 비유하자면, 적혈모구는 혈색소라는 음식을 담는 접시에 불과하다. 아무리 접시 수가 많아져도 철이라는 재료가 부족하기 때문에 음식을 만들 수가 없어 접시만 남아도는 상태이다.

② 철적혈모구의 감소
철결핍빈혈에서는 철이 없기 때문에 적혈모구가 흡수할 철도 감소하여 철적혈모구가 감소하게 된다.

Ⅲ. 적혈구 각론 25

Advanced Study

질환에 대한 기본적인 설명 이외에도 깊은 지식을 쌓을 수 있는 Advanced study 코너를 만들었다.
이를 통해 질환별 병태생리와 검사 및 치료법에 대해 더욱 깊게 알 수 있는 심화내용을 보충하였다.

플러스 코너와 Tip

총론 및 각론의 본문 내용과 연계되면서도 흥미롭게 읽을 수 있는 배경지식들을 선별하여 별도로 편집하였다.

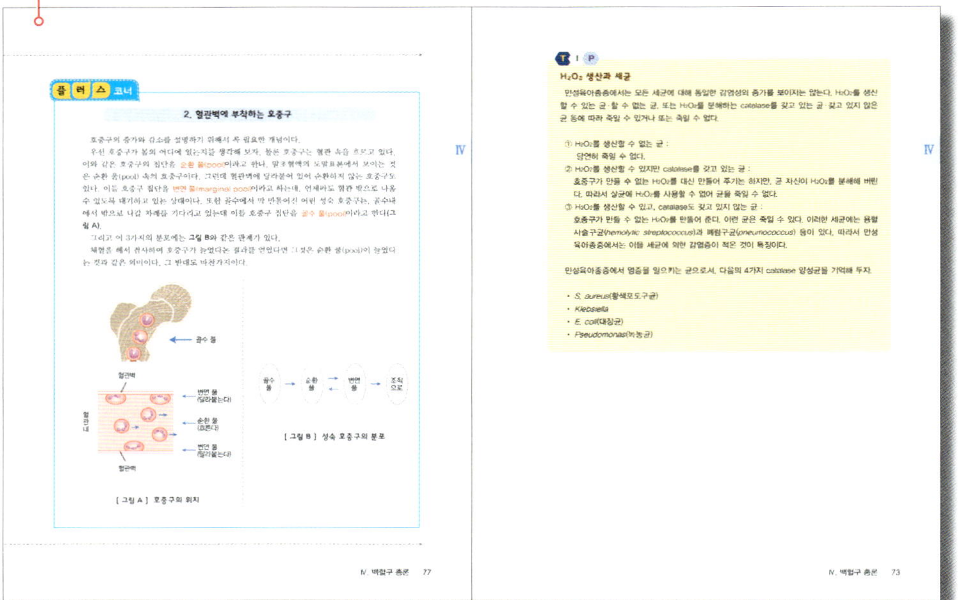

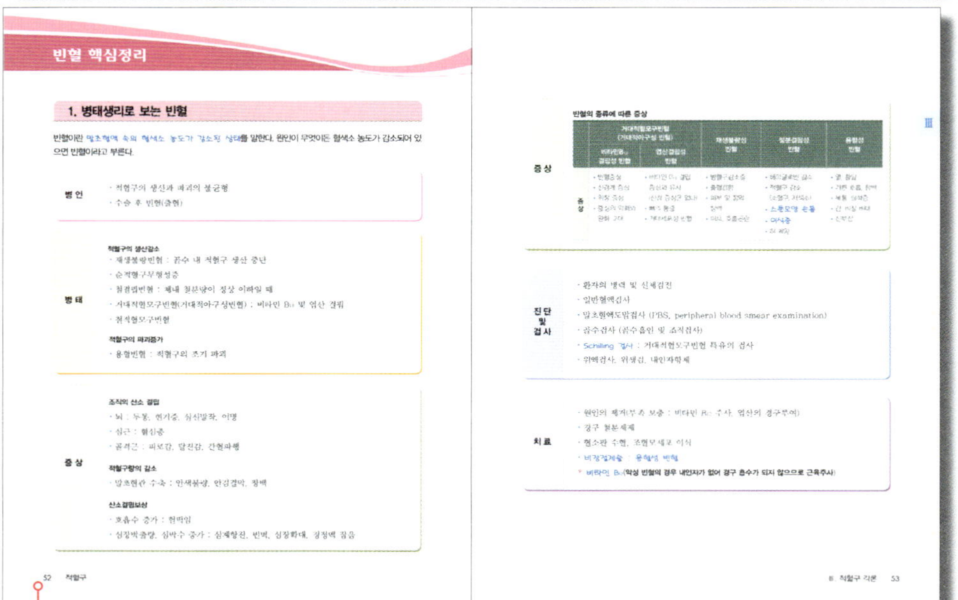

질환별 핵심정리

앞서 공부했던 질환의 핵심내용을 정리하여 한눈에 살펴볼 수 있도록 간결하게 서술하였다.

차례 순환기

총론

각론

총론

Ⅰ. 심장의 구조와 기능
Ⅱ. 증상
Ⅲ. 심전도
Ⅳ. 심장초음파

I 심장의 구조와 기능

‘심혈관질환은 도무지 잘 모르겠다’, ‘아무래도 자신이 없다’라는 소리를 자주 듣게 된다. 그러나 심혈관질환은 내과학 중에서도 실은 가장 이해하기 쉬운 부분에 속한다. 왜냐하면, 각각의 사항들이 서로 이치에 맞게 잘 연관되어 있기 때문이다. 이렇게 말하면 대다수의 독자들은 무슨 말인지 이해하지 못할 것 같아 실례를 들어 보충설명을 해보기로 한다.

[예]
① 민물게의 생식 → 폐흡충증(paragonimiasis)
② 좌심부전/왼심장기능상실 → 폐울혈/허파울혈(pulmonary congestion)

위의 예에서 ①은 ‘→’의 앞뒤 순서에는 아무런 이유가 없다. 단지 ‘민물게 생식 → 폐흡충증’이라는 순서를 무조건 외울 수밖에 없다.

그러나 ②는 ‘→’의 전후에 어떤 이유가 있다.

‘좌심부전 → 좌심실박출량감소 → 좌심방압증가 → 폐정맥압증가 → 폐울혈’

이라고 생각을 전개해 나갈 수가 있는 것이다.

오히려 ‘→’가 많아져서 더 복잡해졌다고 생각할 수도 있을 것이다.

아직 심혈관질환을 잘 모르는 사람에게는 더 복잡해졌는지도 모르지만 여기에서 불평하면 안 된다. 대개 심장학을 싫어하는 사람은 이러한 불평을 이유로 아예 처음부터 손을 떼어버린 사람이기 때문이다. ‘좌심부전 → 좌심박출량감소’라는 ‘→’의 의미는 ‘심장이 약해졌다. 그래서 혈액을 정상적으로 내보낼 수가 없어졌다’와 같이 초등학생도 알 수 있을 정도로 쉬운 내용이다. 이 정도를 이해하기 힘들어 심혈관질환을 공부하는 것이 싫어졌다면 안타까운 일이 아닐 수 없다.

이 ‘심혈관질환’에서는 ‘→’의 이유, 즉 병태생리를 철저하게, 알기 쉽게, 또한 기억하기 쉽게 쓰고자 한다. 아마 이 장을 모두 읽고 나면, 여러분은 이미 심혈관질환을 모두 마스터한 자기 자신을 발견하게 될 것이다.

A 심장은 무슨 일을 하는가?

1 혈액을 전신으로 보낸다

심장은 혈액을 전신으로 보내는 장기이다. 그럼, 어떻게 혈액을 보내는가? 그것은 혈관의 일부 근육이 크게 발달하여, 그 근육이 수축하는 힘에 의해서 혈액을 내보내고 있는 것이다.

그러나, 단지 근육이 수축만 한다면, 그곳에 있는 혈액은 혈관 양쪽으로 달아나 버릴 것이다. 따라서 한쪽 방향에 판막(valve)을 붙여 혈액이 항상 일정한 방향으로 흐를 수 있는 구조로 되어 있는 것이다**(그림 1-1)**.

판막이 있는 덕분에 심장은 수축과 이완을 반복하기만 하면 혈액을 일정한 방향으로 보낼 수가 있는 것이다.

또한, 심장은 일정한 양의 혈액을 내보낼 수가 있다. 심장이 1회의 수축으로 내보낼 수 있는 혈액량은 심장이 확장되었을 때와 수축되었을 때의 심실 용적의 차이다**(그림 1-2)**. 또, 일정한 시간내에 일정한 횟수의 수축과 이완을 반복함으로써 일정한 혈액량을 내보낼 수가 있는 것이다.

심박출량(ml/min) = 1회 박출량(ml/회)×심박수(회/min)

예를 들어, 1회 박출량 80ml, 심박수 70회/min으로 하면 심박출량은 5,600ml/분이 된다.

이와 같이, 심장은 일정량의 혈액을 일정한 방향으로 내보내는 장기인 것이다.

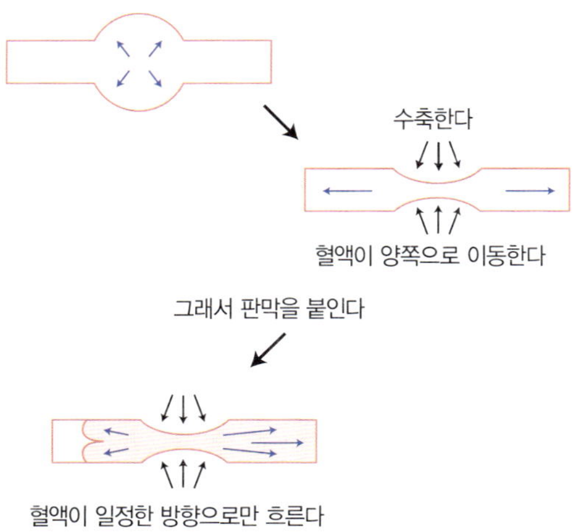

[그림 1-1] 판막과 혈류

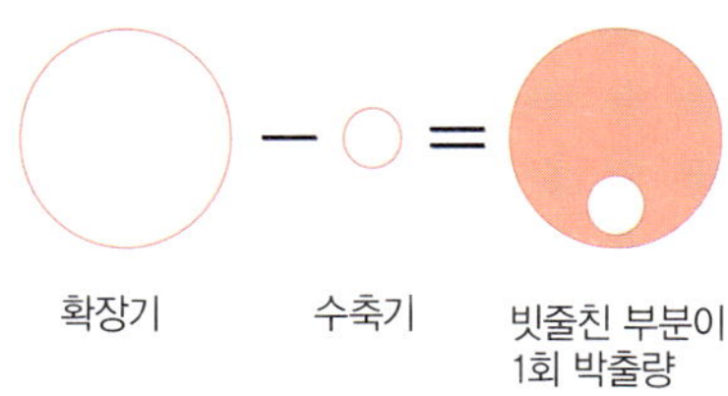

확장기 용량이 전부 박출되는 것이 아니라는 사실에 주의.
수축기에도 박출되지 않고 남은 혈액이 있다. 예를 들면 확장기 용량 120ml, 수축기 용량 40ml로 하면 1회 박출량은 80ml가 된다.

[그림 1-2] 1회 박출량

심장은 무슨 일을 하는가?

혈액을 일정한 방향으로 내보낼 수 없게 된다면?

혈액을 일정한 방향으로 보낼 수 없게 된다면 어떻게 될 것인가?

그것은 일정량을 박출할 수 없게 되는 경우를 말한다. 본래 가야할 곳으로 가지 않은 혈액이 발생하면 그 만큼 몸 전체로 가는 혈액이 적어진다.

결국, 일정한 방향으로 흐른다고 하는 것은 일정한 박출량을 유지하기 위해서도 필요한 조건이 되는 것이다.

왜 일정한 혈액량을 내보내지 않으면 안 되는가?

왜 심장은 일정한 혈액량, 약 5,000ml/min을 전신으로 보내지 않으면 안되는 것인가? 인체는 산소에 H^+와 e^-을 줌으로써 ATP를 생산하며, 그 ATP를 기본적인 에너지원으로 하여 활동하고 있다. 이 활동을 위해서 평균 약 5ml/kg · min의 산소가 소비되므로 체중 50kg인 사람이라면 250ml/min의 산소가 필요한 셈이다.

이 산소를 전신의 모든 곳에 골고루 보급하기 위해서, 인체는 혈액을 그 매체로 사용한다. 즉, 혈액중의 헤모글로빈에 산소를 부착하여 운반하게 한다. 폐에서 산소를 건네받은 헤모글로빈 모두가 산소를 운반하는 것이 아니라, 그 중의 95%가 산소를 운반한다. 또한 전신을 돌아 심장으로 돌아오는 헤모글로빈은 70%가 산소와 결합된 상태이다. 즉, 그 차이인 25%에 해당하는 산소가 헤모글로빈으로부터 전신의 조직에 전달되는 것이다.

헤모글로빈은 혈액 100ml 중에 15g이 포함되어 있는데, 1g의 헤모글로빈은 약 1.3ml의 산소를 운반할 수 있으므로, 혈액 100ml로는 산소를, 15×1.3 = 19.5(ml)를 운반할 수 있다는 계산이 나온다.

이상의 수치로 보아, 인체에 필요한 250ml/min이라는 산소량을 공급하기 위해서는 심장이 어느 정도의 혈액을 내보낼 필요가 있는가를 계산할 수가 있다. 그 양을 ml라고 한다면 아래와 같다.

$$\frac{19.5\text{ml}O_2}{\text{혈액}100\text{ml}} \times x\text{ml/min} \times 25\%$$

$$= 250\text{ml}O_2/\text{min}$$

(25%란, 실제로 조직에 전달되는 산소량)

$$X = \frac{250 \times 100}{19.5 \times 0.25}$$

$$= 5128.2(\text{ml/min})$$

$$\fallingdotseq 5(\text{l/min})$$

2 심장은 모든 장기의 하인

이와 같이 심장은 전신이 요구하는 산소량을 정확하게 보충하기 위하여, 1분에 약 5L의 혈액을 박출해야만 한다.

만약 전신의 대사가 항진하여 산소의 필요량이 증가한 경우(가령, 운동할 때, 갑상선기능항진증)는 요구되는 산소량에 따라 심장은 박출량을 증가시킨다. 산소를 운반하는 매체인 혈액과 헤모글로빈 자체가 줄어들었을 때에도 역시 그것을 보충하기 위해서 심박출량을 증가시킨다(예를 들면, 출혈, 빈혈[적혈구감소]).

이와 같이 심장은 전신에 혈액을 보내는 가장 중요한 장기의 하나이지만, 전신 장기의 산소 요구량에 따라 그 활동을 조절한다고 하는 의미에서는, 모든 조직에 봉사하는 하인과 같은 역할을 하고 있는 것이다.

3 심장은 2개 있다? – 좌심계와 우심계

지금까지 심장의 역할은 '산소를 포함한 혈액을 전신에 보내는 하인이다'라는 이야기를 했는데, 또 하나의 중요한 역할은 '전신에서 사용되어 더러워진 혈액을 폐로 보내 깨끗하게 만든다'는 것이다. 혈액을 전신으로 보내는 것은 좌심계/왼심장계통의 역할로서 체순환(대순환)이라 불린다. 한편 폐로 보내는 것은 우심계/오른심장계통의 역할로 폐순환이라 불린다. 인간의 경우, 우심계, 좌심계에 각각 심방 1개와 심실 1개가 있으므로 2심방 2심실이 된다.

4 심방수축 Atrial systole 과 심실수축

위에서 우심계/오른심장계통와 좌심계/왼심장계통에 대하여 이야기를 했는데, 심장은 좌우의 심방 · 심실 사이에서도 나뉘어진다. 우선 앞에서 언급했듯이 육안으로는 심방 · 심실 사이가 판막(valve)으로 나뉘어져 있다. 이것은 심방에서 심실로 가는 혈류만을 통과시키고 심실에서 심방으로 가는 역류를 막는 작용을 한다. 또한 심실 · 대동맥 사이(심실 · 폐동맥 사이)에도 똑같이 판막이 붙어 있다.

또 하나 심방 · 심실 사이에는 전기생리학적인 칸막이, 즉 절연체에 의한 칸막이가 있다. 여기서 심장의 자극전도계에 대하여 복습해 보자(**그림1-3**).

심장의 수축이 잘 이루어지기 위한 전기생리학적인 조건으로서는 다음의 2가지가 있다(**그림1-4**).

① 각각의 심방, 심실의 수축은 각각 동시에 일어나야 한다.

② 심방이 수축한 후, 간격(심방에서 심실로 혈액을 보낼 시간)을 충분히 두고 나서 심실수축이 시작되어야 한다.

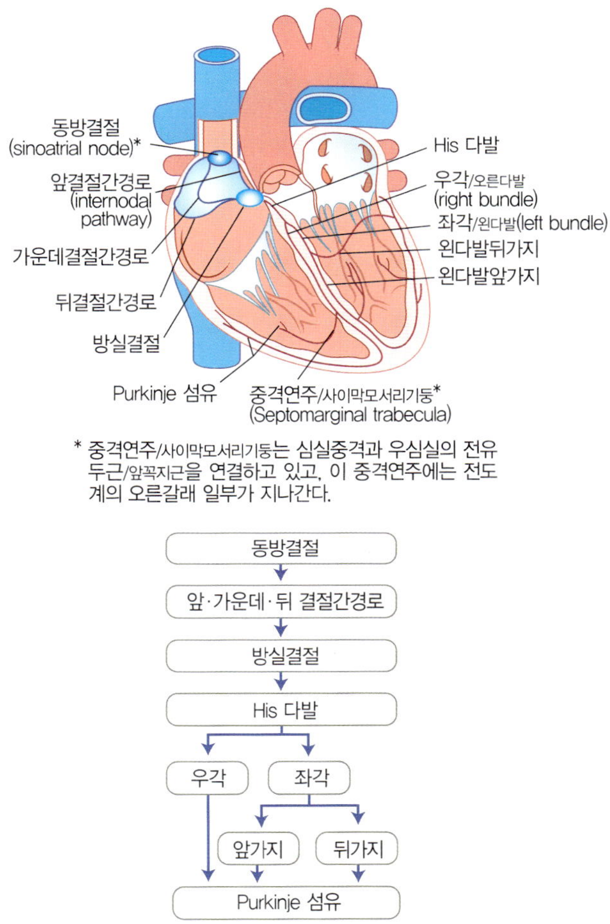

[그림 1-3] 자극전도계

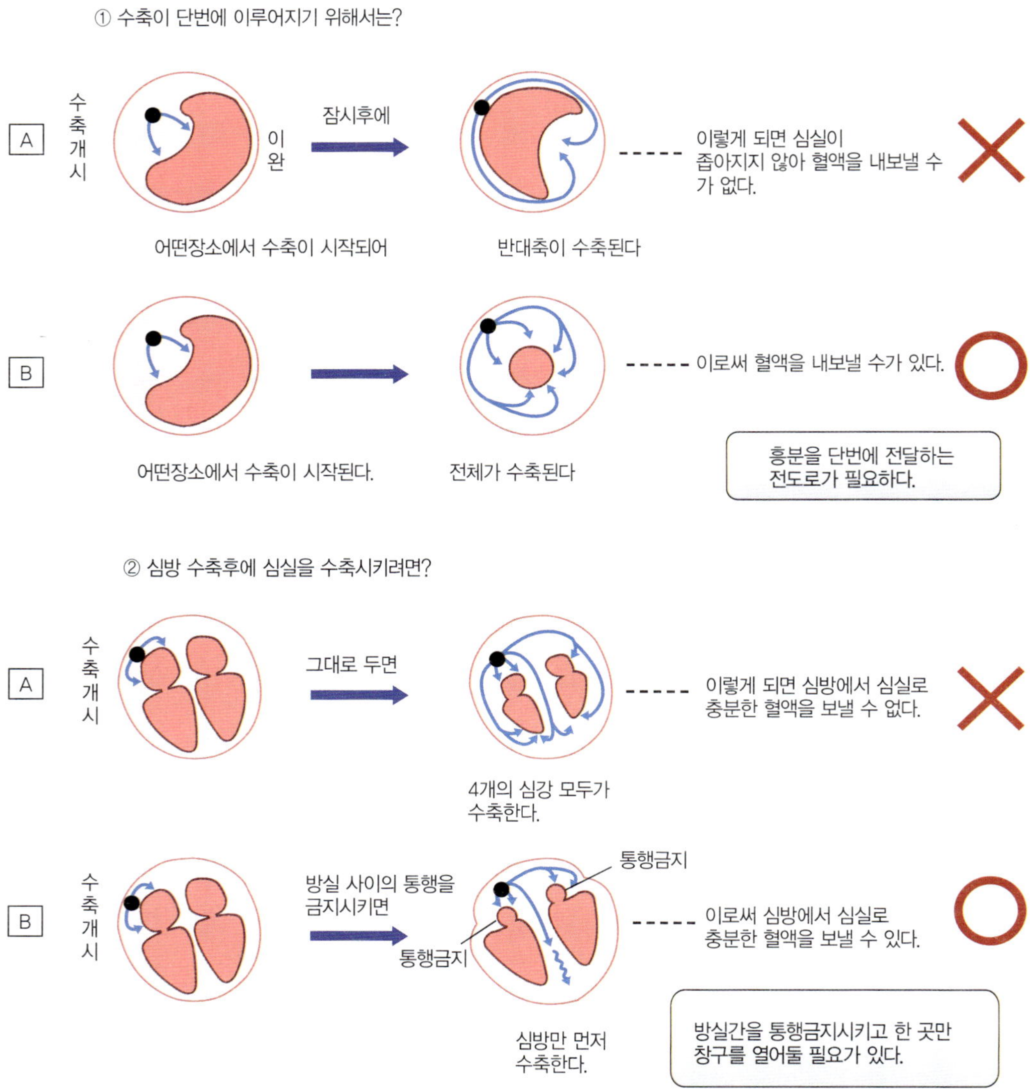

우선 ①에 대해서, 전기적인 흥분이 천천히 전도된 경우를 생각해 보자. 벽 오른쪽에서 흥분이 시작되어, 그곳이 수축했을 때 왼쪽이 아직 이완되어 있고, 벽 왼쪽에 수축의 흥분이 전해졌을 때에는 오른쪽의 수축이 끝나 이완되어 있었다고 하자. 그러면 내강은 그다지 좁아지지 않아 펌프로서의 역할이 불충분하게 된다. 그 때문에 흥분이 빨리 전해져 단번에 수축하도록, 심장에는 bundle of His와 right branch, left branch 등이 있는 것이다. 다음으로 ②에 대해서 보자. 심장의 자극전도계 외의 심방·심실 사이는 절연체로 엄밀하게 구분되어 있어 흥분이 방실결절을 따라 천천히 전해짐으로써 전도되는 시간을 지연(time lag)시켜주고 있다. 이로써 atrial systole 후에 충분한 시간을 가지고 심실수축을 일으키도록 하고 있는 것이다. 즉, time lag에 의해 심방에서 심실로 혈액이 들어갈 시간을 벌 수 있는 것이다.

[그림 1-4] 심방과 심실의 수축 모습

B 심장주기에서 일어나는 현상

1 정상 심전도에 대한 복습

우선, 전기에 관계된 이야기가 나왔으니, 정상 심전도를 읽는 방법에 대해서 간단히 복습해 보기로 하자.

P wave는 심방의 탈분극(depolarization)을 가리키며 심방이 수축하기 시작했다는 사실을 나타낸다. QRS wave는 심실의 탈분극을 가리키며 심실이 수축하기 시작했다는 사실을 나타낸다.

심실벽은 두텁고 심근의 양이 많으므로 QRS wave는 큰 wave가 된다. 또한 P wave와 QRS wave에 시간적인 공간이 있는 것은 방실결절에서의 time lag 때문이다. QRS wave 후 잠시 지나면 심실벽에 있는 심근의 재분극(repolarization)이 일어나 심근이 이완되게 된다.

이것이 바로 T wave이다(심방의 재분극은 원래 심방근의 양이 적거나, QRS wave에 겹쳐지는 등의 이유로 볼 수가 없다). 즉, P wave에서 QRS wave까지가 심방수축, QRS wave에서 T wave까지가 심실수축을 나타낸다.

ADVANCED STUDY 정상 심전도에 대한 복습

심장에서 혈액이 박출되기까지

그런데 심장에서 혈액이 1회 박출될 때, 심장에는 어떠한 일이 일어나는가? 좌심계를 예로 들어 그래프를 토대로 해서 생각해보자(그림1-5).

심장주기는 심방수축에서 심실확장까지인데, 그러프에 대한 이해를 쉽게 하기 위하여, 1회의 박출(ejec-tion)이 끝난 순간(박출기의 끝, 즉 대동맥판막[aortic valve]이 닫힌 순간)부터 설명하겠다.

여기서 심실이 확장하려고 이완하면 좌심실압이 내려간다. 이 과정은 모든 판막이 닫혀 있어 심방·심실의 용량이 변화하지 않으므로 등용량이완기(iso-volumetric diastolic phase)라고 한다. 그 상태로 잠시 압력이 내려가면 상대적으로 좌심방압이 높아진다. 그러면 승모판막/방실판막, 좌방실판막(mitral valve)이 열려 심방에서 혈액이 흘러 들어온다.

처음에는 급속하게, 나중에는 천천히 충만되기 때문에 급속충만기(rapid ventricular filling phase)·느린충만기(reducted ventricular filling phase)라고도 한다.

여기에서 다시 심방이 수축하면 심방에서 심실로 혈액을 더욱 잘 보낼 수가 있다(atrial systole, 심방수축기). 승모판막이 열려 있는 동안, 즉 rapid ventricular filling phase에서 atrial systole기까지는 심방 · 심실 사이는 내강이 연결되어 있으므로 좌심방압 · 좌심실압은 같아진다.

다음으로 심실이 수축하기 시작하면 어떤 일이 일어날까? 심실내압이 올라가기 시작하면 먼저 승모판막/좌방실판막(mitral valve)이 닫힌다. 이때의 심음이 제1심음(S1)이다. 그 후에도 심실수축은 계속되는데, 판막은 대동맥판막 · 승모판막이 함께 닫혀 있으므로 용량은 변하지 않는다.

이것을 등용량수축기(isovolumetric systolic phase)라고 한다. 그리고 좌심실압이 올라가 대동맥압을 상회하게 되면 대동맥판막이 열려 좌심실/왼심실에서 대동맥으로 혈액이 흘러나온다(rapid ejection phase 및 reducted ejection phase). 이 동안에는 대동맥판막이 열려 있으므로 좌심실과 대동맥압이 일치한다.

또한 혈액이 충분히 박출(ejection)되면 좌심실압은 내려가며 대동맥판막이 폐쇄된다. 이때의 심음이 제2심음(S2)이다. 이것으로 심장주기를 일주한 셈이 된다.

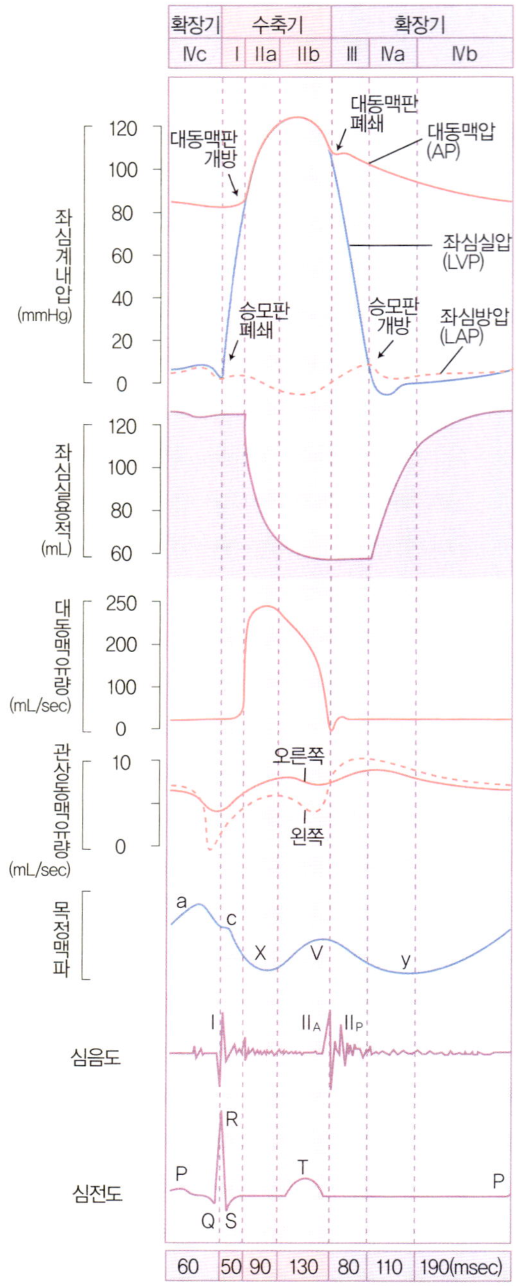

[그림 1-5] 심장주기에서 일어나는 현상

심박출량을 증가시키려면?

운동부하와 갑상선기능 항진증 등의 대사항진상태, 빈혈에 따른 산소운반장애 등에서는 심박출량을 늘려야 한다. 어떻게 하면 되는가?

심박출량(Cardiac output)(ml/min)
= 1회 박출량(ml/회)×심박수(회/min)

이므로 심박수가 증가하면 심박출량이 증가한다. 또한, 1회 박출량(stroke volume)이 증가해도 심박출량이 증가한다.

1. 심박수를 증가시킨다

심박수가 증가하면 심박출량이 증가한다. 심박수가 180/분이 될 정도까지는 심박출량은 증가한다. 그러나 이 이상으로 심박수가 증가하면,

① 급속충만기(rapid ventricular filling phase)가 짧아지기 때문에 심방에서 심실로 보내지는 혈류가 감소되는 결과, 1회 박출량은 저하된다.

② 심장에 원할한 혈액공급이 안 된다. 왜냐하면 심장에 혈액을 공급하는 동맥은 바로 관상동맥인데, 관상동맥은 여러 다른 동맥과는 달리 심장 이완기 때 혈액을 공급받는다. 그 이유는 심장이 이완되어야 혈관의 지름이 넓어지기 때문이다.

따라서 심박수가 증가하게 되면 심장이 필요로 하는 산소도 증가하는 상황에서 위와 같은 이유로 원활하게 혈액도 공급받지 못하게 된다. 이렇게 되면 심부전이 일어나게 되고 오히려 심박출량이 줄어들게 되는 것이다.

2. 1회의 박출량을 증가시킨다

심박출량을 증가시키는 또 하나의 방법은, 1회의 박출량을 증가시키는 방법이다. 1회의 박출량은 확장기 용량을 증가시키고 수축기 용량을 감소시킴으로써, 증가시킬 수 있다.

즉 이완될 때에는 많은 혈류를 심장 속으로 받아들이고, 수축될 때에는 최대한 작아져서, 내부의 혈액을 모두 밀어내면 1회의 박출량은 증가하게 되는 것이다. 이러한 심장의 펌프 기능에 대한 기본에 관해서는 Frank-Starling 법칙과 펌프기능을 규정하는 4개의 인자에 대해서 알아둘 필요가 있다. 다음으로 이것에 관하여 살펴보자.

3. Frank-Starling 법칙

심근은 고무밴드와 같다. 고무밴드를 잡아당겨 늘리면 수축하려고 하는 힘이 발생한다. 길게 늘리면 늘릴수록 수축력도 강해진다. 심근도 그것과 같아 확장기말 용량(end diastolic volume ; EDV)이 증가하면 심실강이 확대되므로 심근의 길이는 늘어난다. 심근의 길이가 길수록 심근의 수축력은 커진다. 따라서 확장기 용량이 클수록 수축력이 강하고 수축기 용량이 작으므로 심박출량은 증대하는 것이다. 이것을 Frank-Starling 법칙이라 하며, 이를 그래프로 나타낸 것을 심기능 곡선, 또는 Starling 곡선이라고 한다 (그림1-6).

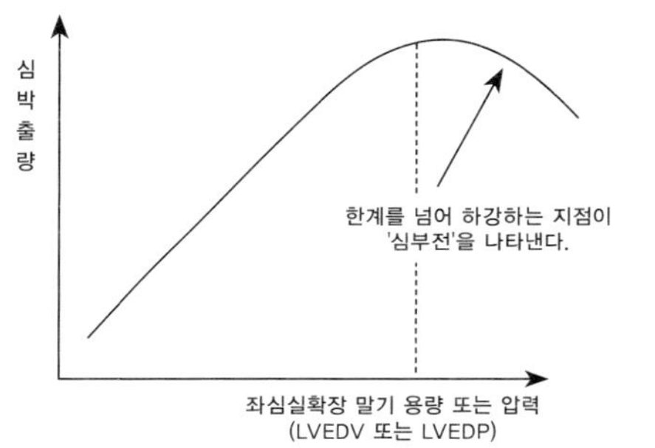

[그림 1-6] Starling 곡선(심기능 곡선)

4. 심장의 펌프기능을 규정하는 4인자

a. 심박수(heart rate)
b. 전부하/예비하중(preload)
c. 후부하(afterload)
d. 심근수축력(contractility)

심장의 펌프로서의 기능을 규정하는 이 4인자에 대해서 간단하게 살펴보자

1) 심박수 Heart rate

앞에서 설명한 바와 같이 심박수가 증가하면 심박출량도 증가한다.

2) 전부하(Preload ≒ LVEDV 혹은 LVEDP) 에관련된 인자

전부하/예비하중(preload)를 결정하는 인자는 3가지가 있다. 그 3가지에 대해서 알아보자.

① 순환혈액량

순환혈액량이 증가하면 확장기용량도 증가하므로 심장의 전부하/예비하중(preload)도 커진다.

② 체위

누운 상태에서는 확장기용량이 증가한다. 이것은 누워있는 동안에는 맥박이 감소하는 것으로 알 수 있다. 지금, 여러분들도 누워보면 맥박수가 감소하는 것을 바로 느낄 수 있을 것이다. 이것은,

눕는다 → 확장기용량↑(= preload↑)
→ Frank-Starling 법칙에서 심박출량↑
(∵ 심박출량↑=1회 박출량↑×심박수 ~,

즉 심박출량↑의 원인은 1회 박출량↑때문)
→ 1회 박출량↑는 preload↑가 계속되는 한 이어진다.

심박출량을 원래의 상태로 돌리는 데는
→ 심박수↓

1회 박출량↑×심박수↓에 의해 심박출량은 일정하게 유지된다.

③ **흉강내압**/가슴안내압

흉강내압이 음압이 될수록 심장으로 돌아오는 혈액, 즉 정맥환류는 증가한다.

예를 들어 설명하면, 흡기/들숨에 심장으로 돌아오는 혈액이 많고 호기/날숨에 심장으로 돌아오는 혈액은 적다. 이유는 바로 흉강내압 때문이다. 따라서 흉강내압이 음압이 될수록 전부하/예비하중(preload)는 증가하게 된다.

3) 후부하(Afterload)에 관련된 인자

혈관의 저항

Ohm법칙(저항 = 전압/전류)과 같은 이치로

"저항 = 혈압/심박출량"

이라고 생각하면 된다.

저항의 증대는 심박출량 감소, 또는 혈압이 상승되어 있음을 의미한다.

4) 심근수축력 Contractility

앞에서 심근을 고무밴드에 비유했는데, 이번에는 고무밴드 2개를 합쳐 당겨보자. 같은 길이로 늘였을 때, 1개보다 강한 힘이 발생한다는 것을 알 수 있을 것이다. 즉, 심근수축력이 강하면 강할수록 심박출량(cardiac output)이 증가하게 된다. Starling 곡선으로 생각해 보면, 심근수축력이 증가하면 같은 LVEDP(즉, 수축하기 전의 심근의 길이가 같음)에서도 보다 많은 심박출량을 얻게 된다. 즉, 곡선이 **그림 1-7**의 A처럼 위로 올라간다. 반대로 심근수축력이 감소하면 **그림 1-7**의 B처럼 곡선이 아래쪽으로 평평해진다. 그러면 여기서 **그림 1-7**의 A,B 양쪽을 일으키는 인자에 대해서 간단히 살펴보자.

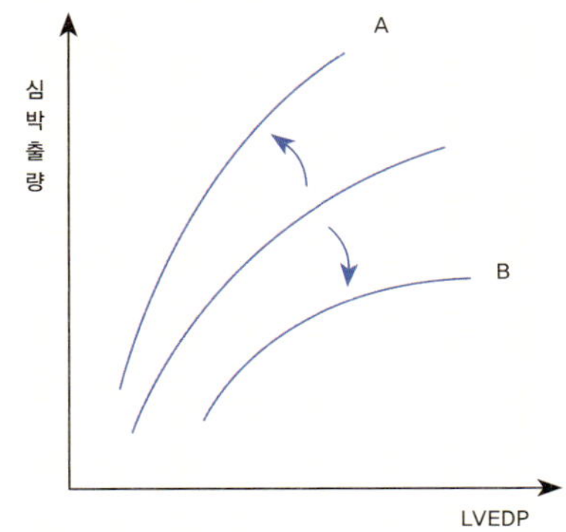

[그림 1-7] Starling 곡선으로 본 contractility의 변화

① 심근수축력을 증가시키는 인자

- 교감신경 흥분
- 순환혈액 중의 catecholamine
- digitalis

② 심근수축력을 감소시키는 인자

- 저산소 상태
- acidosis
- 고탄산가스혈증(CO_2↑ → Ph↓)
- β-blocker
- 심근의 감소

C 심부전/심장기능상실 Heart failure ; HF

1 정의

다음으로 심장이 본래의 기능을 다하지 못한 경우를 생각해보자. 심부전/심장기능상실이란, 아래와 같이 정의되는 상태로 모든 심장병의 마지막 단계다. 요컨대, 심장이 완전히 지쳐있어, 심장으로 혈류가 되돌아와 있는데도 그것을 전신으로 다시 보낼 수 없는 상태를 말한다(그림 1–8).

이 정의에서 중요한 것은 "전신조직의 대사에 필요한 충분한 혈액을 보낼 수 없다"는 부분이다. 즉, 보통 이러한 상태는 심박출량의 저하로 일어나지만, 반대로 심박출량이 정상이라도 전신의 대사가 항진될 경우에도 일어날 수 있다.

충분한 정맥환류(venous return)가 있음에도 불구하고, 심장이 전신의 조직 대사에서 필요로 하는 적당한, 또는 충분히 혈액을 내보낼 수 없는 상태

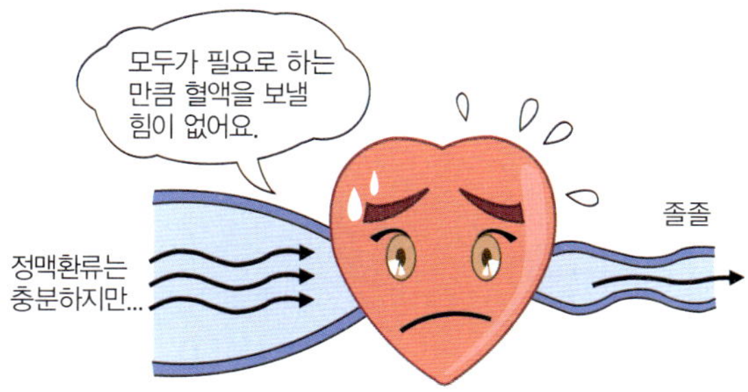

[그림 1–8] 심부전이란?

2 병태생리

심부전에는, 울혈성 심부전(congestive heart failure), 좌심부전/왼심장기능상실(left heart failure), 우심부전/오른심장기능상실(right heart failure)이 있다. 그러나 울혈성 심부전이라는 것은 좌심부전과 우심부전 2개의 병태를 합해놓은 것과 같으므로,

울혈성 심부전 = 우심부전 + 좌심부전

이 된다. 좌심부전과 우심부전은 그 임상증상이 다르다. 그것은 좌심계와 우심계에는 그 앞뒤에 있는 것이 다르기 때문이다.

즉, 우심계는 정맥에서 혈액을 받아서 폐로 내보내고, 좌심계는 폐에서 혈액을 받아 온몸으로 내보낸다. 어떻게 보면 아주 단순한 내용같지만 이런 이유로 좌심부전과 우심부전의 증상이 달리 나타나게 되는 것이다(**그림 1–9**).

좌심부전

↓ 좌심실 박출 저하

좌심박출량 ↓

↓ 수축기에 내보내지 못한 혈액이 확장기의 좌심실내에 많이 남아 있음

잔혈량 ↑

↓ 확장기에서 좌심실 확장말기 용량(LVEDV) 증가

LVEDV ↑

↓ 좌심방에서 좌심실로 혈액을 보내려고 해도 LVEDV가 커져 전부 내보낼 수 없어 좌심방압이 높아짐

좌심방압 ↑

↓ 거꾸로 폐정맥에도 압력부하 전해짐 (사이에 valve가 없으므로)

폐정맥압 ↑

↓ 폐의 모세혈관압 상승

폐모세혈관압 ↑

↓

폐울혈

↓ 울혈이 진행되어 폐의 모세혈관압이 높아지면 혈장이 누출되어 폐부종 (pulmonary edema)을 초래

폐부종

우심부전

↓ 우심실 박출 저하

우심박출량 ↓

↓ 수축기에 내보내지 못한 혈액이 확장기의 우심실내에 많이 남아 있음

잔류량 ↑

↓ 확장기에서 우심실 확장말기 용량(RVEDV)이 증가함

RVEDV ↑

↓ 우심방에서 우심실로 혈액을 보내려고 해도 RVEDV가 커 전부 내보낼 수 없어 우심방압이 높아짐

우심방압 ↑

↓ 거꾸로 체순환계의 정맥으로 압력부하(pressure loading) 전해짐

체순환계의 확장과 압력상승

↓

전신울혈

↓

전신부종(폐는 제외)
(흉강/가슴안은 폐의 밖이므로 단지, 흉수/가슴막삼출액의 저류가 나타남.)

[그림 1–9] 좌심부전과 우심부전의 진행

3 증상

1. 좌심부전의 증상과 소견

1) 폐

① 호흡곤란(exertional, 안정시, 야간 발작성 호흡곤란〈PND : paroxysmal nocturnal dyspnea〉, 기좌호흡/앉아서 숨쉬기〈orthopnea : 누워서 호흡하기 곤란하여 일어나 앉아 숨쉬는 것〉)

② 기침, 객혈, 청색증, 분홍색 거품을 띤(포말상) 객담

③ 폐영역의 수포음/거품소리(coarse crackles)(주로 습성), 흉수/가슴막삼출액(pleural effusion)

④ 흉부 X-선 사진에서 Kerley B line

2) 심장

⑤ 좌심실 확대

⑥ 분마리듬/말발굽리듬(gallop rhythm), 제Ⅲ심음〈S3〉, 제Ⅳ심음〈S4〉의 증가), 빈맥

⑦ 교대성 맥박(pulsus alterans)

⑧ 심박출량 저하로 인한 피로감, 약한 맥박지맥

2. 우심부전의 증상과 소견

한편 우심부전/오른심장기능상실의 증상과 소견은 전신 울혈에 의한 증상이 중심이 된다.

① leg의 함요부종/오목부종(pitting edema), 복수저류(ascites), 흉수저류/가슴막삼출액저류(pleural effusion)

② 간비대(hepatomegaly)

③ 경정맥/경정맥 확장(jugualr vein의 engorgement)

④ 간목정맥/간경정맥 반사(hepatojugular reflex)

⑤ 소화기 증상(liver 및 간문맥(portal vein)의 울혈로 인하여 anorexia, nausea, abdominal pain)

② 또는, 하대정맥/아래대정맥 쪽의 울혈은, 먼저 간비대(hepatomegaly)의 형태로 나타나며 심할 때는 간기능 장애로 황달(jaundice)을 초래하는 경우도 있다.
이때는 당연히 AST, ALT, ALP 등의 효소도 상승한다.

③ 경정맥 확장 : 정상인이라도 누운 상태에서는 목에 파란 혈관이 보이는데, 심부전이 있는 사람에게는 눕지 않더라도 심장으로 향하는 혈액환류가 좋지 않으므로 혈관이 두드러져 보인다.

④ 간경정맥 반사(hepatojugular reflex) : 오른쪽 상복부를 30~60초간 압박하면, 정상에서는 1~2초만에 경정맥 확장이 소실되는데, 우심부전의 경우에는 정맥압이 상승해 있으므로 경정맥 확장이 지속되는 현상이다.

⑤ 단백질 누출성 위장증(protein losing enteropathy) : 울혈이 소화관까지 영향을 미치면, 단백질 누출성 위장증을 초래하므로 저단백혈증을 야기시킨다. 쉽게 말하자면 간은, "혈액을 빨아들인 스폰지"와 같다는 것이다. 오른쪽 늑골 아래를 압박하는 것은 스폰지를 꼭 짜는 것에 비유할 수 있다. 그러면 간에서 혈액이 흘러 넘쳐 심장 쪽으로 대량으로 흘러 들어간다. 한꺼번에 대량의 혈액이 심장으로 다 흘러 들어갈 수 없기 때문에 남은 부분이 경정맥/목정맥을 확장시킨다. 이와 같이 상상해 보면 간경정맥 반사를 이해하기 쉬울 것이다.

TIP

Kussmaul's sign

경정맥 확장에서 중요한 사항은 Kussmaul sign이다. 경정맥의 확장은 정상에서는 숨을 들이쉴 때에 감소한다. 왜냐하면 흉강압(thoracic cavity)은 하강하고 심장으로 향하는 정맥환류는 증가하기 때문이다. 반대로 내쉴 때에는 확장한다.

여러분도 한번 시험해보면 알겠지만, 정상인의 경우에도 누우면 경정맥 확장이 보인다. 누운 상태에서 크게 숨을 들이쉬면 확장은 감소한다. 그러나 정상인과 반대로 들이쉴 때에 오히려 확장이 심해지는 사람이 있다. 이런 사람은 Kussmaul sign(+)에 해당한다. 이러한 현상이 일어나는 이유는, 흡기/들숨에는 흉강/가슴안의 음압이 커져, 심장으로 환류하는 혈액이 증가해야 하지만, 우심계의 확장부전 때문에 정맥환류가 저해되어, 심장으로 몰려온 혈액을 내보내지 못하므로 경정맥이 팽창되기 때문이다.

*** Kusmmaul's sign이 나타나는 질환**

① 심장압전/심장눌림증(cardiac tamponade)
(심장의 액저류로 인해 심실확장이 불가능하기 때문)

② 수축성 심막염(constrictive pericarditis)
(심막의 석회화〈특히 Tbc인 경우〉 등으로 심실확장이 안 되기 때문)

③ 중증의 우심부전

④ 상대정맥/위대정맥 증후군(SVC syndrome)
(폐암 등으로 위대정맥이 압박, 폐색되기 때문)

4 심부전의 중증도에 대한 판정

심부전의 중증도에 대한 판정은 지금까지 이야기해 온 것처럼, 환자 자신의 자각증상에 의해 이루어진다고 할 수 있다. 심부전의 중증도의 판정은 흔히 NYHA(New York Heart Association)가 사용된다.

TIP

NYHA 분류

NYHA Ⅰ도 … 평상시 신체활동에서 피로, 두근거림, 호흡곤란, 흉통/가슴통증이 없다
(심장병이 있지만 일상생활에서는 증상이 나타나지 않는다).

NYHA Ⅱ도 … 평상시 신체활동에서 피로, 심계항진, 호흡곤란, 흉통을 동반한다
(일반적으로 신체활동이 어느 정도 제한된다. 예 ; 계단을 올라가거나 뛸 때 힘들다).

NYHA Ⅲ도 … 보통 이하의 신체활동에서 고통을 호소한다
(일반적으로 신체활동이 극도로 제한된다. 예 ; 평지를 걸을 때 힘이 든다).

NYHA Ⅳ도 … 안정시에도 심한 호흡곤란이 나타난다
(안정시에서조차 심부전 증상이 나타난다. 예 ; 누워 지낸다).

심부전(심장기능상실) 핵심정리

병태생리로 보는 심부전(심장기능상실)

심부전이란 심장의 펌프기능 저하로 오는 심박출량의 감소, 조직혈류량 감소, 전신정맥계의 울혈을 초래하는 순환계의 불균형 상태를 말한다. 다시 말해, 심부전 그 자체는 질환명이 아니라 다양한 이유로 일어나는 병태를 가리키는 것이다.

병 인	• 심장질환의 펌프기능 저하 • 신체가 요구하는 심장 활동량의 증가 = 고박출성 심부전 • 좌심부전의 원인 - 고혈압, 심근경색, 판막질환, 심근증, 심장전도장애, 류마티스성 심장질환 • 우심부전의 원인 - 대부분 좌심부전 후 우심부전 발생 - 급성 호흡기능상실 - 만성 폐쇄폐질환(COPD), 폐기종
병 태	• 확장력 저하: 비대형 심근병증, 제한형 심근병증 등 • 말초혈관저항의 저하: 동정맥 단락 등 • 전부하 증가: 과혈량, 판막역류, 선천성 심장기형(심실중격결손, 심방중격결손 등) • 후부하 증가: 대동맥판막 및 폐동맥판막 협착증, 고혈압 • 심근수축력의 저하: 관상동맥 죽상경화증, 심근경색증, 확장형 심근병증, 심근염, 심낭염, 고혈압 등 • 산소수요의 증가: 발열, 빈혈, 갑상선기능항진증 등
증 상	**좌심부전 증상** • 급성 폐부종, 폐울혈 • 호흡곤란, 기좌호흡, 마른 기침, 천명음, 포말성 객담 • 전신피로, 허약감, 빈맥, 심계항진 • 청색증, 소변량 감소, 의식장애

증 상	**우심부전 증상** • 중심정맥압 상승 • 간·비장 비대, 경정맥 확장, 전신(특히 하지) 부종 • 오심, 복부팽만, 식욕부진, 체중증가, 청색증 **울혈성 심부전 증상** • 폐울혈로 인한 호흡기계의 조절기전 장애 • 호흡곤란, 기좌호흡, 기침, 경동맥 팽창
진 단 및 검 사	**좌심부전** • 청진 (습성 수포음) • 피부의 창백, 냉감, 발한의 관찰 • 흉부 X-선 검사 • 심전도 검사 **우심부전** • 흉부 X-선 검사(흉수의 저류 관찰)
치 료	**약물요법** • 이뇨제(Loop diuretics, Thiazide diuretics), 강심제(digitalis)*, 혈관확장제, ACE(angiotensin-converting enzyme) 억제제, 수액 등 * 심근 수축력을 강화시키기 위해 digitalis 제제(digoxin 등)를 투여한다. 디기탈리스는 이뇨제와 병행 투여할 때 칼륨농도가 감소한다. 혈중칼륨 수치를 관찰하여 칼륨을 보충할 수 있는 음식을 섭취할 수 있도록 한다. **보조순환 요법** • 대동맥내 풍선펌프(IABP) • 피부경유 심폐지지장치(PCPS)

Ⅱ 증상

A 부정맥은 왜 나쁜가?

1 심정지 Cardiac arrest, 서맥 Bradycardia, 빈맥 Tachycardia

심정지가 일어나면, 심박출량은 당연히 제로가 되며, 그 개체는 "죽음"에 이른다. 서맥/느린맥(bradycardia)도 심해지면 심박출량이 현저하게 떨어지므로 치명적이 된다. 반대로 빈맥/빠른맥(tachycardia)의 경우에는 어떨까?

고도의 빈맥이 되면 먼저 심근의 산소 수요가 증가하여 허혈성 심장병의 기폭제 역할을 하기도 한다.

또한 심실 확장기가 단축되므로 심방에서 심실로 혈액이 충분히 유입되지 않게 되어, 심박출량의 저하를 초래하게 된다.

B 용적부하란?

1 많은 혈액을 내보내기 위하여

용적부하(Volume loading)란 심실이 보다 많은 혈액을 내보내지 않으면 안되는 상태를 말한다. 보다 많은 혈액을 박출하기 위하여, 심장은 어떻게 대처할까? 심장의 반응은 다음과 같다.

심실은 확장기에는 넓어지려고 애쓰고, 수축기에는 애써 조여들려고 함으로써 대응한다(그림 2-1).

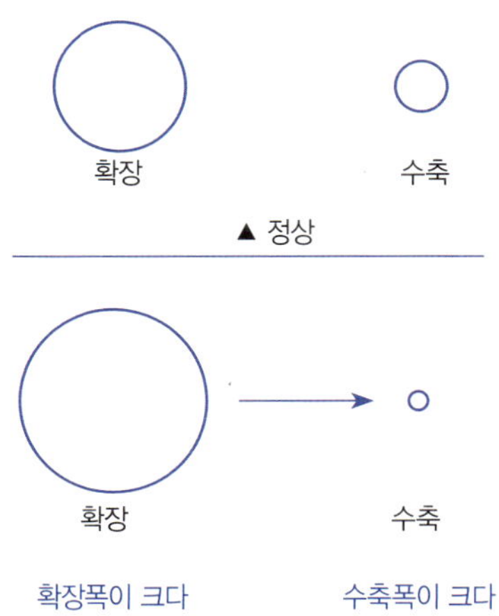

[그림 2-1] 용적부하

ADVANCED STUDY **증상-용적부하란?**

용적부하는 왜 일어나는가?

그러면 용적부하는 왜 일어나는가? 다시 말하면 어떤 경우에 용적부하가 증가하는가? 그것은 심실에서 박출된 혈액이 어딘가로 도망가 버리기 때문에, "필요량 + 도망가버린 양"만큼 심실은 혈액을 박출할 필요가 생기기 때문이다. 그러면 "어딘가로 도망가버린다"고 하면 그 "어딘가"는 도대체 어디이겠는가?

1. 판막(valve)이 파손된 경우

앞에서 한 설명을 상기해 보자. 심장이라고 하는 것은 혈관의 어느 일부분의 근육이 특별히 발달하여 생긴 것에 지나지 않지만, 판막이 있기 때문에 단지 수축과 이완을 반복하는 것만으로 일정한 방향에 혈액을 보낼 수 있는 구조로 되어 있다는 것을 설명했다.

만약 그 판막이 파손되어 버리면 어떻게 될 것인가? 심장이 수축하여도, 애써서 내보낸 혈액은 다시 심장으로 돌아와 버릴 것이다. 즉, 내보낸 혈액이 "심장으로 되돌아오는" 것이다.

2. 혈관에 구멍이 생긴 경우

또한 다음과 같은 경우도 생각할 수도 있다. 만약에 혈관에 구멍이 생기면 어떻게 되겠는가? 이러한 질문을 받게 되면, 대량 출혈로 죽어버리지 않을까 하고 생각하는 사람이 있을 것이다. 그러나 실제로 그러한 병이 있다. 단, 구멍이라고는 해도, 그 구멍은 또 다른 혈관이나 심장의 다른 방으로 연결되어 있어 혈액이 시스템 밖으로 새어나가지는 않는다. 이와 같은 상태에서는 심장이 애써 내보낸 혈액은 역시 그 구멍을 통하여 다른 혈관으로 도망가 버리기 때문에, 그 도망간 혈액량만큼 더 많이 박출해야 되는 것이다.

판막이 파손된 질환

앞의 1. 「판막이 파손된 경우」에서 설명한 판막이 파손된 병을 흔히 '판막병(valvular disease)'이라고 한다. 심방이든 심실이든 그것들이 확장했을 때, 수축시에 밀어 내보낸 혈액이 다시 심방이나 심실로 돌아와 버리는 상태를 "역류"라고 한다. 판막이 꼭 닫혀지지 않기 때문에 내보내진 혈액이 역류해 버리는 것이다.

이러한 상태가, ① 대동맥판막에 생기면, '대동맥판역류(aortic regurgitation ; AR)'라 부르고 ② 승모판막에 생기면 '승모판역류(mitral regurgitation ; MR)'이라고 부른다(그림 2-2). 마찬가지로 우심계/오른심장계통에 대해서도, ③ 폐동맥판역류(pulmonary regurgitation : PR), ④ 삼첨판역류(tricuspid regurgitation : TR)이 있다.

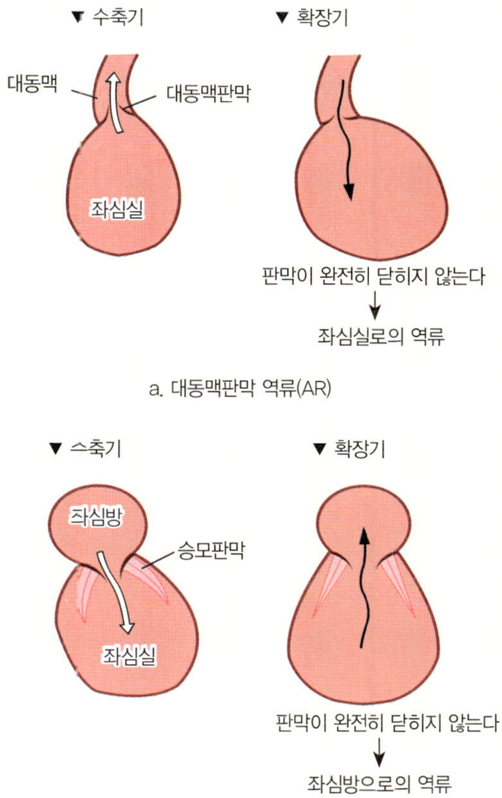

a. 대동맥판막 역류(AR)

b. 승모판막 역류(MR)

[그림 2-2] AR과 MR

'regurgitation'은 원래 '역류'라는 의미이다. 판막이 꼭 맞게 닫혀지지 않기 때문에 역류가 생긴다는 것이다. 그런데 AR은 대동맥으로 보내진 혈액이 좌심실로 역류하는 질환인데 대동맥판막을 통하지 않고 우심실로 역류하는 질환을 말하는 경우도 있다. 그것은 바로 Valsalva동 동맥류파열(ruptured aneurysm of sinus of Valsava)이라는 질환이다.

동맥류의 장소에 따라 여러 형태로 분류되는데, 가장 많은 경우는 우관상동맥동/오른관상동맥동(right coronary artery)이 파열되어 우심실로 역류를 초래하는 경우로, 확장기에 대동맥에서 파열공을 통하여 우심실로 역류한다(그림 2-3).

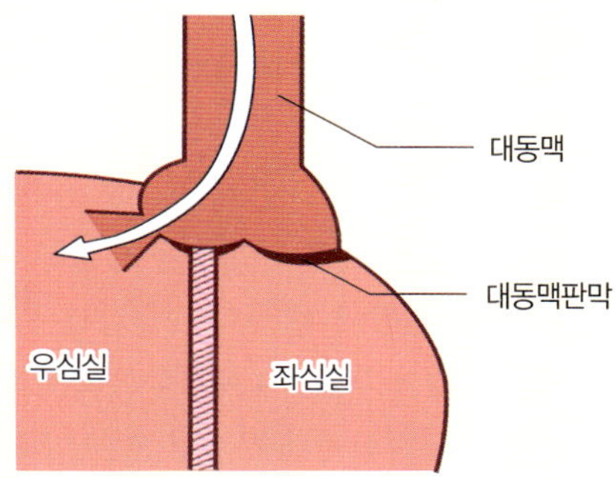

[그림 2-3] Ruptured aneurysm of sinus of Valsalva

판막 자체에는 문제가 없으므로 AR과는 전혀 다른 병이지만, 단지 역류하는 곳이 좌심실이 아니라 우심실이라는 점에서 병태생리적으로 AR과 비슷하다고 할 수 있다.

중격결손증/사이막결손증 Septal defect

한편, p.22의 2.「혈관에 구멍이 생긴 경우」에서 말한, 구멍이 있는 병은 '선천성 심장질병'에서 많이 보인다.

① 심방중격결손(atrial septal defect ; ASD)
② 심실중격결손(ventricular septal defect ; VSD)
③ 동맥관개존/동맥관열림증(patent ductus arteriosus ; PDA)

이라는 질환은 모두 구멍을 통해 혈류가 도망가버리기 때문에 심장에 용적부하가 걸리는 병이다. 정상의 순환과정을 **그림 2-4 A**와 같이 모식도로 나타내어 살펴보자. 전신에서 우심방/오른심방(RA)으로 돌아온 혈액은 우심실/오른심실(RV), 폐동맥(PA)을 통하여 폐로 흘러간다. 폐에서 깨끗하게 된 혈액은 좌심방/왼심방(LA)으로 돌아와 좌심실/왼심실(LV), 대동맥(A0)을 통하여 전신으로 운반된다.

ASD에서는 좌심방에서 우심방으로, 원래는 있을 수 없는 혈행이 생긴다(**그림 2-4의 B**).

그림의 ● 이 그 혈행의 출발점을 나타낸다. 회색선에 덧붙여 그려 넣은 곳이 정상적으로는 있을 수 없는 혈행동태 부분이다.

이 그림을 보면 정상적인 빨간선만 있는 곳과 비정상적인 회색선이 첨가된 부분이 있다는 것을 알 수 있다. 2종류의 선이 그려진 부분이 "용적부하"를 일으킨 부분이다. ASD의 경우는 주로 우심방, 우심실, 폐의 용량이 증가한 것을 알 수 있다.

다음으로 **그림 2-4 C**를 보자. VSD의 경우도 ASD와 같다고 보면 된다. 우심실, 폐, 좌심방, 좌심실에 용적부하가 있다는 것을 알 수 있다. 마찬가지로 **그림 2-4 D**의 PDA의 경우는 폐, 좌심방, 좌심실에 용적부하가 있다는 것을 알 수 있다.

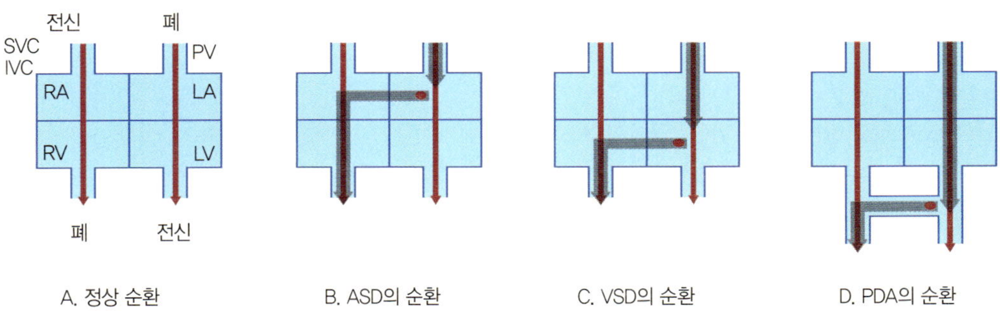

[그림 2-4] 중격결손증(septal defect)시의 순환

ADVANCED STUDY **증상–압력부하**

압력부하 pressure loading 란 무엇인가?

1. 높은 압력에 대항하여

압력부하란 심근이 보통 이상의 압력에 대해 수축해야만 하는 상태이다.

심장은 보다 큰 힘을 발휘하기 위하여 어떻게 대처하고 있을까? 심장의 반응으로서는, 큰 힘을 내기 위하여 심근을 굵고 울퉁불퉁하게 만들어 대응한다. 심근세포 한 줄 한 줄이 굵어지면 심장전체의 체적도 늘어나고 또한, 벽도 두께를 더하여 내강을 향하여 비대해지므로 구심성 비대/동심성 비대(concentric hypertrophy)라고 하는데, 용적부하 때와는 반대로 내강은 오히려 좁아진다.

2. 압력부하가 일어날 때

그러면, 언제 압력부하가 일어나는 것일까?

심근이 혈액을 내보내는 데 있어서, 보다 큰 저항을 느낄 때 압력부하는 증대한다. 저항이 커진다는 것은 앞쪽 끝이 가늘어진다는 것을 의미한다. 따라서 심실보다 뒤의 판막과 혈관의 어딘가가 좁아질 때에 압력부하가 걸리는 것이다(그림 2-5).

협착 장소를 분류해 보면, ① 심실내에 협착이 있는 경우, ② 판막에 협착이 있는 경우, ③ 혈관에 협착이 있는 경우의 3가지로 나뉘어진다. 좀더 구체적으로 정리하면 다음과 같이 된다.

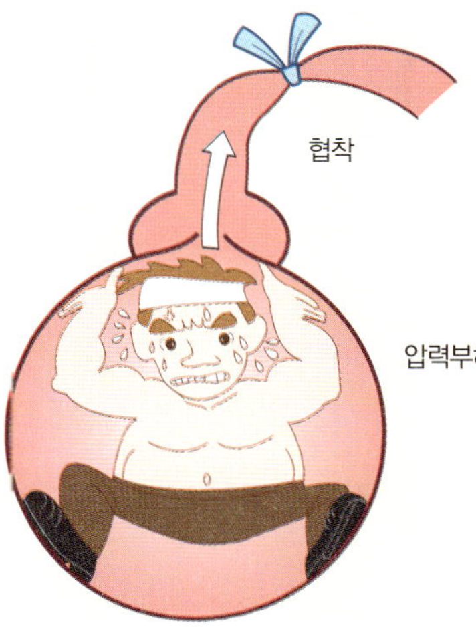

[그림 2-5] 압력부하

① 심실내에 협착이 있는 경우

폐색형 비대심근병증(hypertrophic cardiomyopathy)
= 특발비후대동맥판하협착(IHSS)

② 판막에 협착이 있는 경우

ⓐ 대동맥판막협착증(AS)
→ 좌심실비대(left ventricular hypertrophy)

ⓑ 폐동맥판막협착증(PS)
→ 우심실비대(right ventricular hypertrophy)

③ 혈관에 협착이 있는 경우

ⓐ 고혈압 → 좌심실비대

ⓑ 폐고혈압 → 우심실비대

C 확장부전/확장기능상실이란 무엇인가?

1 확장기에 심실이 충분히 확대되지 않는다

확장부전/확장기능상실(diastolic failure)이란, 확장기에 심실이 충분히 확장되지 않는 상태를 말한다. 따라서, 심실의 충만은 불충분하게 되고 심박출량은 감소한다.

그러면 왜 심실이 확장되지 않는 상태가 발생하는가? 심장은 심낭막(pericardium)이라는 주머니 안에 들어가 있으며, 심장과 그 심낭막 사이에는 심막강/심장막공간(pericardial cavity)이라는 틈이 있다. 그 틈 사이에는 심낭액/심장막액이라는 액체가 가득 채워져 있어 심장과 심낭막 사이의 마찰을 줄여주고 있다(**그림 2-6**). 이 점을 염두에 두고 심실이 확대되지 않은 상태에 대해 생각해보자.

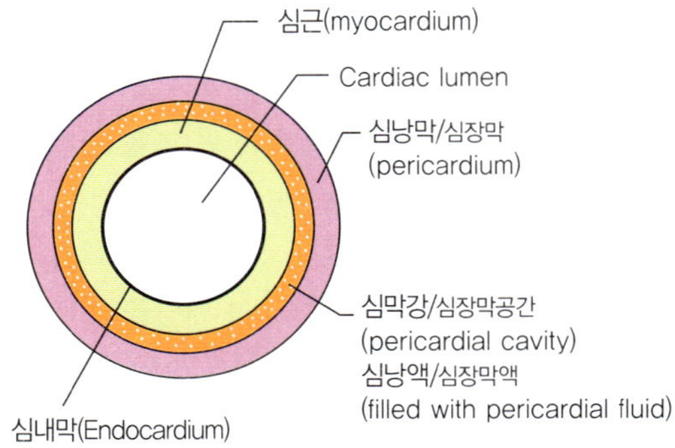

[그림 2-6] **심장과 심낭액**

1. 심실이 확장되지 않는 3가지의 상태

심실이 확장되지 않는 상태로 다음 3가지를 생각할 수 있다.

① 심막이 수축되어 심장이 확대되는 것을 억누르고 있는 상태
② 심낭액/심장막액이 저류하거나, 또는 혈액 등이 심막강/심장막공간에 저류되어 있는 상태
③ 심근 자체가 확대될 수 없는 상태 등이다.

그러면, 이상의 3가지 상태에 대해 생각해 보자.

①의 경우에는, '수축성 심막염(constrictive pericarditis)'이란 질병이 있다. 이것은 심막염증으로 인하여 심막에 섬유성 비후와 석회침착이 생겨 심막의 수축을 초래한 것이다. ②의 경우에는, 역시 심막염으로 삼출액이 심막강/심장막공간에 고여 있는 상태가 있는데 이것을 일반적으로 "심장압전/심장눌림증(cardiac tamponade)"이라고 한다.

예를 들어 심장파열 등을 일으켜 혈액이 심막강/심장막공간에 고여 확장부전을 유발하는 상태를 생각할 수 있다. ③의 경우에는 특발성 심근병증(idiopathic cardiomyopathy)과 심근아밀로이드증(cardiac amyloidosis) 등의 질환이 해당된다.

ADVANCED STUDY

증상-아이젠멩거 증후군

Eisenmenger syndrome이란?

1. Shunt disease와 관련하여

앞에서 언급한 ASD, VSD, PDA 등의 질환으로 인하여 폐혈류 증대가 장기간에 걸쳐 영향을 미치면, 폐동맥벽 비후와 경화를 초래하여, 결국은 폐고혈압(pulmonary hypertension)을 유발하게 된다. 폐의 혈관저항이 높아지므로 우심실에는 압력부하가 걸려, 폐동맥을 포함한 우심계/오른심장계통의 압력이 높아진다. 높아진 우심계의 압력이 좌심계의 압력과 같아지든가 그 이상이 되면, 우심계에서 좌심계로 향하는 혈액의 흐름이 생기게 된다. 예로 VSD 경우를 도식화해브자(그림 2-7).

혈액은 압력이 높은 쪽에서 낮은 쪽으로 흐른다. 좌심계는 혈액을 전신으로 내보내기 위하여 강하게 수축하고 있기 때문에 압력이 높다. 반대로 우심계는 폐로 보내기만 하면 되기 때문에 압력이 낮다. 그러므로 만약에 심실중격에 결손이 생기면 처음에는 **그림 2-7**의 1과 같이 좌심계에서 우심계로 향하는 shunt, 이른바「Lt to Rt shunt」가 일어난다. 이 상태에서는 대동맥으로 흐르는 혈액의 산소분압은 정상과 같으므로 청색증(cyanosis)은 일어나지 않는다. 그러나 이 상태가 계속되면, 폐순환의 혈액량이 늘어나 폐의 혈관저항이 높아져 2와 같이 폐고혈압을 유발한다. 그러면, 우심계의 압력이 높아 shunt량은 감소한다.

이와 같이 폐고혈압이 악화되었을 때 지금까지 청진으로 들렸던「수축기 잡음이 작아진다」는 것이 특징이다.

실제 상태로는 악화되어 있는데, 진찰소견으로는 개선된 것처럼 보이는 것이 특징이다.

더욱 악화되면 우심계의 압력이 좌심계를 상회하여 결국은 Rt to Lt shunt를 유발한다. 이렇게 되면, 폐혈류량이 줄어들기 때문에 적절하게 가스교환을 할 수 없게 된다. 또한 산소분압이 낮은 혈액이 좌심계로 흘러들어가므로 청색증을 유발하게 된다.

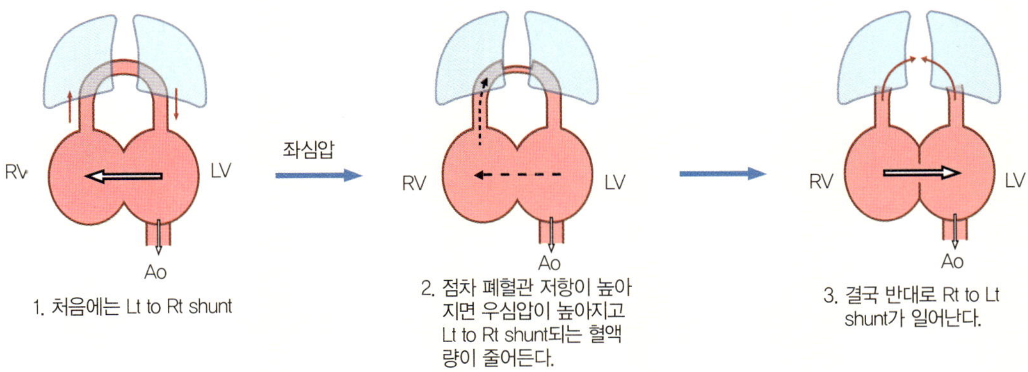

[그림 2-7] VSD인 경우의 shunt 변화

이렇게 되면 이미 때를 놓치게 되고, shunt를 유발한 구멍을 막아버리면 오히려 폐고혈압증을 악화시켜 (우심계에서 좌심계로 혈액이 흐르는 길이 없어지므로 폐고혈압이 심해진다) 우심부전을 유발하게 된다. 그 결과, 수술 중에 사망하는 경우도 있어, 수술은 금기로 되어 있다. 이상과 같은 상태를 아이젠멩거 증후군(Eisenmenger syndrome)이라고 한다.

플 러 스 코너

1. 심박출량과 폐혈류량은 어느 쪽이 많은가?

좌심실에서 박출되어 전신으로 1분간 흐르는 혈액량을 심박출량이라고 하며, $\dot{Q}_S$로 표기한다. 'S'는 systemic으로 전신을 의미하며, 'Q'는 quantity로 양을 의미하며, 위에 붙어 있는 · 은 시간으로 나눈 것을 의미한다. 폐혈류량도 같은 방식으로 $\dot{Q}_P$로 표기하며, 1분간 우심실에서 폐로 흐르는 혈류량을 의미한다. 그러면 $\dot{Q}_S$와 $\dot{Q}_P$는 어느 쪽이 많겠는가?

대동맥의 압력을 측정하면 수축기압이 대략 120mmHg이다. 폐동맥의 압력은 20mmHg이다. 압력이 높으면 혈류도 그에 비례하므로 $\dot{Q}_S$쪽이 높다고 생각해도 될까? 대답은 NO이다.

$\dot{Q}_S$와 $\dot{Q}_P$는 거의 같다. 즉, 정상에서는 $\dot{Q}_S \fallingdotseq \dot{Q}_P$ 이다. 이것은 비를 사용하여 $\dot{Q}_P / \dot{Q}_S = 1$로 표기해도 된다. $\dot{Q}_P / \dot{Q}_S$를 폐체혈류비라고 한다. 그러면 왜 압력이 6배나 다른가 하면, 혈관저항이 다르기 때문이다.

전신의 혈관저항의 힘이 폐의 그것보다 6배가 높기 때문에 압력도 6배 높은 것이다. 혈류가 같으므로 압력과 저항이 비례 관계가 되는 것이다. 그러면, VSD와 ASD와 같이 Lt to Rt shunt가 있는 질환에서는 어떻게 되겠는가? 앞에서 말한 바와 같이 폐를 흐르는 혈류가 증가하므로 그만큼 $\dot{Q}_P$도 증가한다. 따라서 $\dot{Q}_P > \dot{Q}_S$가 된다. $\dot{Q}_P / \dot{Q}_S > 1$이라고 해도 될 것이다.

예를 들어, 좌심실 내의 혈액 중에 shunt하는 혈액이 10%있다고 하면, $\dot{Q}_P$는 1.1, $\dot{Q}_S$는 0.9가 되며, $\dot{Q}_P / \dot{Q}_S$는 $1.1 / 0.9 \fallingdotseq 1.2$가 된다. 각론에서 VSD의 항목에 『$\dot{Q}_P / \dot{Q}_S > 2.0$으로 수술적용 가능』 등의 표현이 나오므로 기억해 두자. 한편, Eisenmenger syndrome으로 진행하게 되어 Rt to Lt shunt를 일으키게 되면 $\dot{Q}_P / \dot{Q}_S < 1$이 된다.

D 청진으로 알 수 있는것

1 심음이란?

심장을 청진하면, 심음을 들을 수 있다. 심첨부/심장끝부분에 크게 들리는 약간 낮은 음을 제 I 심음(S_1)이라 하며, 반대로 심기부/심장시작부분에 약간 높게 들리는 음을 제 Ⅱ 심음(S_2)이라고 한다.

제 I 심음(S_1)은 승모판막/방실판막(mitral valve)이 닫히는 소리이며, 제 Ⅱ 심음(S_2)은 반달/동맥판막이 닫히는 소리이다. 그런데, 승모판막과 삼첨판막(tricuspid valve)은 언제 닫히는가? 또, 대동맥판막(aortic valve)과 폐동맥판막(pulmonic valve)은 언제 닫히는가? 심장주기를 떠올려 보자(B. 심장주기에서 일어나는 현상, p.9 참조).

2 심음의 이상

1. 제 I 심음(S_1)의 증가와 감소

S_1이 증가한다는 것은 어떤 것일까?

S_1이 보통보다도 크게 들리는 것이다. 그럼 왜 크게 들리는 것일까? 승모판막/방실판막(mitral valve)이 세게 닫히면 S_1도 크게 들리게 된다. 우리가 문을 닫을 때 천천히 닫는 쪽보다 힘껏 닫는 쪽이 소리가 크게 들리는 것과 같은 이치이다.

그러면 도대체 어떤 힘이 승모판막을 세게 닫는 것일까? 다시 한번 심장주기에 대해서 살펴보면, S_1이 닫히는 타이밍은 좌심실압이 좌심방압을 초과할 때와 정확히 일치한다.

즉, 혈액은 압력이 높은 쪽에서 낮은 쪽으로 흐르기 때문에 좌심실압이 커지면 좌심실에서 좌심방으로 역류하려고 한다. 승모판막은 그러한 역류가 일어나지 않도록 하기 위하여 닫히는 것이다.

따라서 좌심실압이 강하고 급하게 상승할수록 승모판막도 세게 닫히는 것이다. 또한, 심방과 심실이 수축하는 타이밍도 중요하다. 한창 심방이 수축하고 있는 사이에, 심실이 수축하여 승모판막/방실판막(mitral valve)을 닫으려고 하면, 승모판막은 완전히 열려 있는 상태에서 급하게 닫히게 되므로, S_1도 커지는 것이다.

심전도로 말하면, 심방수축은 P wave, 심실수축은 QRS wave에 해당되므로, 가령 PR interval이 단축되는 WPW syndrome이나 Lown-Ganong-Levine's syndrome에서는 S_1은 커지는 것이다. 반대로 PR interval이 연장되는 질환에서는 S_1은 감소된다.

1) S_1이 증가하는 경우

① MS

② short PR interval(WPW syndrome, Lown–Ganong–Levine's syndrome)

③ 심수축력의 항진상태(hyperdynamic state)–excercise, hypertension

ⓐ 빈혈(anemia)

ⓑ 갑상선 기능항진증(hyperthyroidism)

ⓒ beriberi disease(비타민 B_1 결핍)

ⓓ fever · 운동시

④ tachycardia(diastole↓)

2) S_1이 감소되는 경우

① MR(imperfect closure)

② long PR interval(1도의 AV block)

③ 심수축력의 약화 상태

ⓐ 심근경색(MI) 후

ⓑ 확장형 심근병증(DCMP)

④ bradycardia

⑤ 비만(chest wall을 통한 sound 전달감소)

TIP

S_1의 크기가 박동마다 변하는 이유란?

앞에 서술한 내용에 대한 이치를 이해하면 알 수 있을 것이다. 예를 들어 PR interval이 박동할 때마다 변화하는 질환에서는 S_1의 크기도 매회 변화할 것이다. 이러한 질환에는 Wenckebach형의 2도 AV block과 3도 AV block(완전 AV block)이 있다. 특히 3도 AV block에서는 가끔 atrial systole(P wave)와 심실수축(QRS wave) 이 완전히 동시에 일어나면 매우 거대한 소리의 S_1이 들린다.

그 음을 대포음(cannon sound)이라고 한다. 또한, 심방세동/심방잔떨림의 경우에도 S_1의 변화가 보인다. 이것은 심방세동에서는 맥박의 간격이 완전히 불규칙해지기 때문에 일어나는 현상이다.

즉, 간격이 불규칙하면, 확장기의 길이도 불규칙해지기 때문에 좌심실의 확장기 용적도 매회 불규칙하게 변한다. 확장기가 길면 가득 저장할 수 있는데, 짧으면 용적도 적어진다는 것이다.

Starling 법칙에 따르면 확장기 용적은 수축력의 세기와 비례하기 때문에, 결국 매회 박동마다 좌심실 수축력의 세기가 변하게 된다. 그렇다면, 앞에 서술한 내용으로 미루어 보아, 수축력이 강하면 S_1은 크고, 약하면 작기 때문에 S_1의 크기도 매회 변화하게 되는 것이다.

2. 제II심음(S_2)의 증가와 감소

S_2의 강약에 대해서도 살펴보자. S_2가 커진다고 하는 것은 동맥판막이 힘껏 세게 닫힌다는 것을 의미한다. 그러면 도대체 어떤 힘이 동맥판막을 세게 닫는 것일까? 여기에서는 대동맥판막을 예로 들어 생각해보자.

대동맥판막은 좌심실에서 대동맥으로 박출된 혈액이 다시 좌심실로 역류하지 않도록 닫히는 것이다. 그 닫힐 때의 힘은 대동맥 내압과 좌심실 내압의 차에 의한 것이다. 즉, 대동맥 내압 쪽이 좌심실 내압보다 커질 때 닫히는 것이다. 따라서 그 압력차가 클수록 대동맥판막이 세게 닫히는 것이다.

그런데, 확장기의 좌심실내압은 거의 제로에 가까우므로 결국 대동맥판막을 닫는 힘은 대동맥 내압에 의한 것이 된다고 할 수 있다.

ADVANCED STUDY

제II심음(S_2)의 증가와 감소

대동맥 내압의 발생

대동맥 내압의 발생에 대해서 이해하기 위해서는 대동맥의 구조를 알아야 할 것이다. p.28의 1. 심박출량과 폐혈류량은 어느 쪽이 많은가?에서 설명했듯이 대동맥은 마치 고무관과 같은 것으로 생각하면 된다.

고무관이라 해도 가스 고무관과 같이 단단한 것이 아니라 부드러운 탄력성이 있는 고무관이다. 이 고무관 속으로 힘껏 물을 주입하면 고무관은 확장될 것이다. 확장됨으로써 고무는 잡아 늘려지는데, 이것은 원래 상태의 굵기로 돌아가려고 수축한다. 이 힘을 탄성 수축력이라고 하며, 이 탄성 수축력이야말로 고무관 속의 압력을 결정하는 중요한 요소이다.

다시 한번 대동맥에 이 원리를 적용시켜 생각해보자. 대동맥 안에 보통 때보다 더 많은 혈액이 흐른다고 가정해보자. 그러면 대동맥은 평상시보다 굵게 확장되며, 그만큼 강한 수축력을 발생시킨다. 당연히 대동맥 내압도 평상시보다 커진다. 대동맥 내압이 상승하면, 대동맥판막은 평상시보다 세게 닫히게 된다. 따라서 S_2는 커지는 것이다.

정리하면, 일반적으로 좌심실에서 대동맥으로 향하는 혈액 유출이 증가하면 S_2는(특히 A_2) 증가한다. 그러면, 어떤 질환에서 A_2가 증가하는지 알아보자.

1) A_2가 증가하는 경우

① 운동

당연히 심박출량이 증가하기 때문이다.

② 고혈압

반드시 박출이 증가한다고 단정할 수는 없지만,

대동맥 내압이 높기 때문에 당연히 대동맥판막도 세게 닫힌다.

③ AR, Valsalva**동 동맥류파열**(ruptured aneurysm of sinus of Valsava), PDA

이들은 모두 대동맥판구를 통과하는 혈액이 정상보다 증가하고 있는 점에서 공통되는 병태이다.

④ Beriberi, **빈혈**, Graves' disease

고박출 상태가 되는 이들 3가지 질환은 모두 1회 박출량이 증대하여 대동맥판구를 통과하는 혈액이 증가하면, 앞에서 설명한 바와 같이 A_2는 증가한다.

* ③, ④에서는 1회 박출량은 증가하여 모두 "내압이 증가한다"는 점과 A_2가 증가한다는 점에서 공통점이 있다. 또한 같은 방법으로 폐동맥판막이 닫히는 음(P_2)에 대해서도 생각해볼 수가 있다.

2) P_2가 증가하는 경우

① **폐고혈압**

② MS, ASD, VSD 등은 **폐고혈압 상태를 2차적으로 만든다.**

③ PR

AR과 같이 생각하면 될 것이다.

다음으로, 앞에서 설명한 내용을 상기하면서, 반대의 이치로 S_2가 감소하는 경우를 알아보자. 앞에서 설명한 내용과 바로 반대의 현상이므로 자세한 설명은 생략하도록 한다.

3) A_2가 감소하는 경우

① AS, IHSS

② **저혈압**

③ **심근경색 후**
심부전
확장형 심근병증 …1회 박출량 저하 때문

4) P_2가 감소하는 경우

① PS

② TOF

3. 제Ⅱ심음(S_2)의 분열(splitting of S_2)

정상적인 상태에서도 S_2는 분열되어 들린다. 이것은 대동맥판막이 닫히는 타이밍과 폐동맥판막이 닫히는 타이밍이 미묘하게 엇갈리기 때문이다. 어느 쪽이 빠른가 하면, A_2 쪽이 약간 빨리 닫히기 때문에 먼저 들린다. 이유는 판막이 닫힐 때 작용하는 압력을 생각해보면 알 수 있다. 대동맥판막을 닫는 압력은 대동맥압이고, 폐동맥판막을 닫는 압력은 폐동맥압인데, 대동맥압 쪽이 폐동맥압보다 훨씬 압력이 높기 때문에 대동맥판막이 강한 힘으로 닫히기 때문에 빨리 닫히는 것이다(**그림 2-8**).

이 A_2-P_2의 간격은 호흡에 의해 변한다. 이것은 호흡에 의하여 심장으로 돌아오는 혈액이 증감하기 때문이다. 숨을 크게 들이쉬면 흉강이 확장되기 때문에 흉강압은 음압이 된다. 그 때문에 전신에서 흉강으로 모이는 혈액량이 증가하는 것이다. 모인 혈액은 우심방 → 우심실 → 폐동맥으로 흐르지만, 보통보다 대량의 혈액이 흘러가면, 우심실 → 폐동맥으로 향하는 혈액도 평소보다 약간 오랫동안 흐르므로 폐동맥판막이 폐쇄되는 타이밍이 약간 뒤로 밀려나는 것이다. 즉 들이쉴 때에는 내쉴 때에 비해서 P_2가 약간 뒤로 밀려난다(**그림 2-9**).

A_2쪽은 호흡에 의하여 그다지 큰 차이를 나타내지는 않는다. 이것은 폐가 용량의 변동을 완충시키므로, 폐에서 좌심방, 좌심실로 돌아가는 혈액량은, 호기/날숨 · 흡기/들숨에 관계없이 거의 일정하게 유지되기 때문이다. 다음은 비정상적인 호흡성 분열에 대해서 살펴보자.

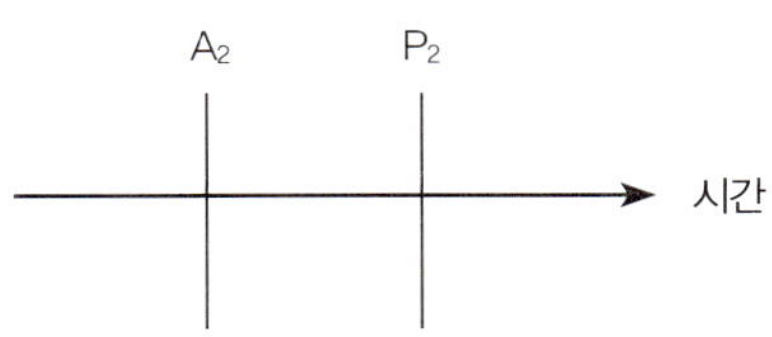

[그림 2-8] A_2가 P_2 보다 먼저

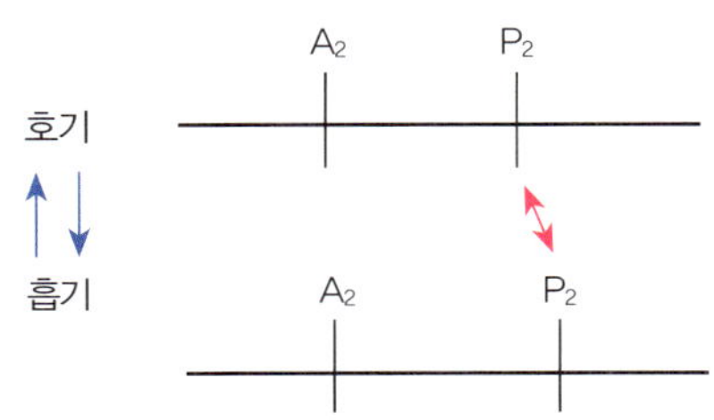

[그림 2-9]

ADVANCED STUDY 심음의 이상–비정상적인 S_2의 분열

비정상적인 S_2의 분열

비정상적인 S_2의 분열에는 크게 3가지가 있다. 먼저 그 3가지에 대해서 살펴보자.

1) S_2의 모순 분열(paradoxical splitting of S_2)

모순/기이성 분열이란, 정상적인 S_2음의 호흡성 분열과는 달리, 흡기/들숨에 좁아지며 호기/날숨에 확장되는 S_2의 분열을 말한다. 이러한 현상은 A_2가 비정상적으로 늦어지면, P_2보다도 나중에 A_2가 들리는 경우에 일어난다. A_2가 P_2보다 나중에 들리면 어떤 현상이 일어날까. **그림 2-10**과 같이 P_2가 호흡성으로 변동하면, 정상과는 반대로 A_2와 P_2의 간격이 호기/날숨에 확장되어, 흡기/들숨에 좁아지는 것 같이 보인다. 이것이 모순 분열이 생기는 기전이다.

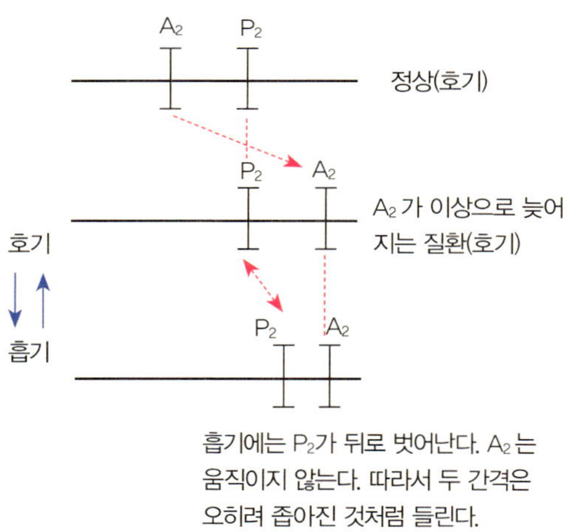

[그림 2-10]

AS에서는 대동맥판막이 닫히는 타이밍이 정상보다 늦다. 이는 좁아진 대동맥판막을 언제나 같은 양의 혈액이 통과하는 데는 더 많은 시간을 필요로 하기 때문이라고 생각해도 좋다. 대동맥판막이 닫히는 시간이 비정상적으로 늦어져 P_2 후에 닫히면 모순 분열이 생기는 것이다. 또한 모순 분열을 유발하는 질병은 이외에도 있다.

예를 들면 LBBB(Left bundle branch block)이다.

LBBB에서는 좌심실로 흥분을 전달하는 전도로가 장애를 받기 때문에 좌심실의 수축이 비정상적으로 늦게 일어난다. 그로 인해 A_2가 P_2 다음에 들리기 때문이다. 또한 IHSS와 고혈압에서도 A_2가 늦어진다.

한편, 반대로 P_2가 빨라진 결과, P_2와 A_2가 역전되는 경우도 있다. P_2가 빨라지는 예로서는 PDA와 TR이 있다. 정리하면 다음과 같다.

① A_2가 늦어지는 상태 ; AS, LBBB, IHSS, 고혈압

② P_2가 빨라지는 상태 ; PDA, TR

2) S_2의 병적인 분열(pathological splitting of S_2)

이것은, 1)과 정반대이다. 즉, A_2가 너무 빠르거나, P_2가 너무 늦은 결과, A_2와 P_2의 간격이 비정상적으로 폭넓게 되어버린 현상(wide splitting of S_2)이다.

① A_2가 빨라지는 상태 ; MR, VSD

② P_2가 늦어지는 상태 ; PS, RBBB

3) 고정성 S_2 분열(fixed splitting of S_2)

이것은 호기/날숨 · 흡기/들숨에 관계없이 S_2의 분열 간격이 일정한 것을 말한다. ASD, PAPVR(부분 폐정맥 환류이상증), ECD(Endocardial Cushion defect) 등에서 볼 수 있다. 병태에 대해서 자세한 것은 '심방중격 이차공형 결손' 항목(p.151)을 참조하기 바란다.

4) 단일 S_2 증가

단일 S_2 증가에 대해서는 Eisenmenger syndrome과 Fallot 4징후를 알아야 한다.

Eisenmenger syndrome의 경우에는 현저한 폐고혈압 때문에 폐동맥판막이 세게 닫히므로 P_2가 증가한다. 또 Rt to Lt shunt 때문에 대동맥판막의 폐쇄가 늦어져 A_2가 감소된다. 이 2가지의 효과가 합쳐져 S_2이 단일하게 들리는 것이다.

Fallot 4징후의 경우에는 PS가 있으므로 P_2가 감소되는 것은 문제가 없다. 그러면 왜 A_2가 증가하는가? 몇 가지 이유가 있지만 대동맥의 우심실기승에 의한 설명이 가장 간단하다. 대동맥이 우심실에 기승한다는 것은, 오른쪽 앞으로 뻗어 나온다는 것이다. 그러면 대동맥판막의 위치도 그에 맞추어 오른쪽 앞으로 벗어난다. 이러한 것은 전흉벽으로 더 가까이 가는 것을 의미하며, 가슴에 댄 청진기에 대동맥판막이 더 가까워지는 것을 의미한다. 따라서 A_2의 증가와 P_2의 감소에 의해서 S_2는 단일하게 증가하여 들리는 것이다.

S_3 Ventricular gallop

심실충만 속도의 증가시 혹은 용적과부하시 발생하는 소리로서 A_2 뒤에 low-pitched sound로 들린다. 소아에서는 정상으로 들릴 수 있으나 40세 이후에서는 비정상이다.

Heart failure, MR, cardiomyopathy 등에서 동반될 수 있다.

S_4 Atrial presystolic gallop

심실의 compliance 저하시 심실충만에 저항이 증가하여 발생한다.

Low pitched presystolic sound로 들린다.

AS, systemic HTN, ischemic heart disease 등에서 동반될 수 있다.

S_3, S_4는 low-pitch sound이므로 bell로 들어야 한다.

Ⅲ 심전도 Electrocardiography, ECG

A 심전도의 개요

1 심전도는 무엇을 측정하는 것인가?

심전도는 흥분파가 움직이는 방향을 보는 검사이다. 흥분파는 신체에 부착한 전극을 사용하여 볼 수 있다. 흥분파가 전극에 가까이 다가갈 때는, (+)wave로 기록한다. 반대로 흥분파가 전극에서 멀어질 때는, (−)wave로 기록한다(그림 3−1).

2 전극은 어디에 부착하는가?

전극을 신체의 몇 군데에 부착해 여러 각도에서 심장을 바라보면, 흥분이 전해지는 방향을 알 수 있다. 전극의 위치는 미리 결정해 둔다(그림 3−2). Ⅰ, Ⅱ, Ⅲ, aV_R, aV_L, aV_F, V_1, V_2, V_3, V_4, V_5, V_6, 12개소가 일반적으로 사용되는 측정지점이다(Ⅰ유도 방향이 0°이며 aV_F 방향이 90°가 된다. 시계방향이 된다).

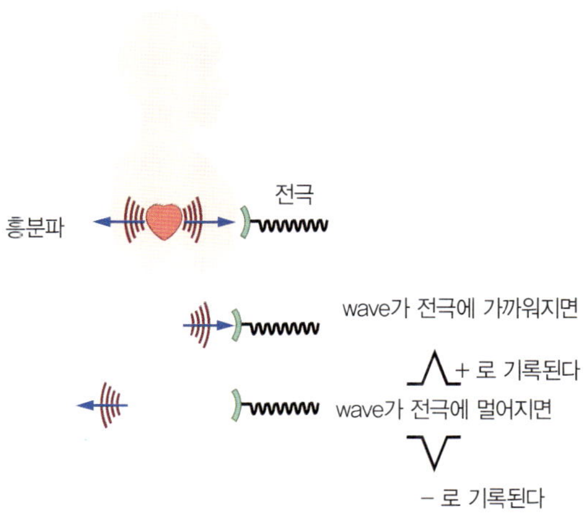

[그림 3−1] 전극으로 흥분파를 본다

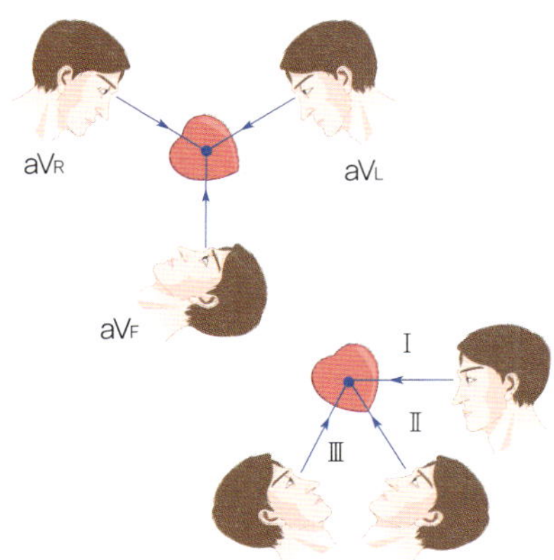

[그림 3−2] 전극의 위치

1. 사지유도

사지유도인 Ⅰ, Ⅱ, Ⅲ, aV$_R$, aV$_L$, aV$_F$의 6개소는 심장을 앞이마에서 자른 면의 관측지점을 나타내고 있다(**그림 3-3**).

2. 흉부 유도

한편, V$_1$~V$_6$의 모든 흉부 유도는 심장을 수평으로 자른 면에서의 관측지점이다(**그림 3-4**).

3. 유도전극으로 무엇을 알 수 있는가?

화살표는 각 전극으로 향하는 흥분파의 방향을 나타내고 있다. 예를 들면, 사지유도전극인 Ⅰ유도의 심전도를 보았을 때는, 심장을 왼쪽에서 바라본다고 생각하면 된다. 만약 aV$_F$의 심전도를 보았을 때는, 여러분이 심장을 그 사람의 대퇴/넓다리의 사이에서 바라본다고 생각하면 된다. 그리고, 이때 흥분파가 자신의 눈 방향으로 다가오는 듯한 경우는, 심전도의 기록용지에는 (+) wave가 그려진다. 반대로, 심전도 기록용지에 (−)wave가 그려졌을 때는 흥분파가 자신의 눈에서 멀어지는 방향으로 나아가는 것을 의미한다.

Ⅰ유도는 심장을 왼쪽에서 보기 위한 관측지점인데, V$_5$, V$_6$, aV$_L$ 등도 거의 비슷한 관측지점이므로 심전도도 비슷한 모양이 된다(**그림 3-5**). 반대로, 심장을 오른쪽에서 관측하는 데 적합한 관측지점으로서 Ⅲ, aV$_F$가 사용된다(**그림 3-6**). “aV$_R$ 쪽이 좋지 않겠는가?”라고 생각할 수도 있으나, **그림 3-6**에서 알 수 있듯이 aV$_R$은 심첨부에 대하여 반대방향으로, 심장축을 사이에 두고 V$_5$, V$_6$, aV$_L$과 마주 보는 위치로서는 그다지 적당하지 않다.

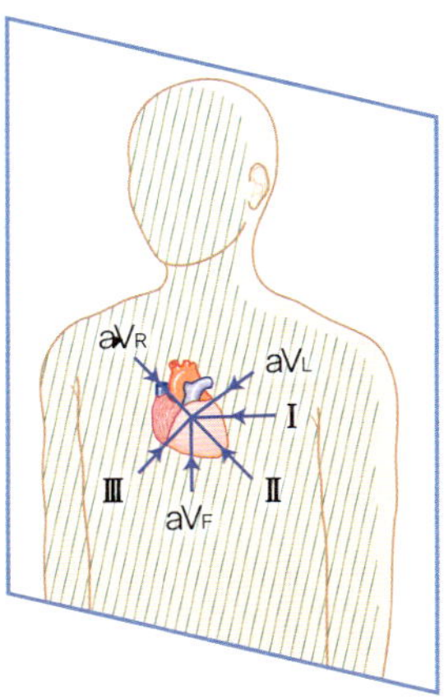

[그림 3-3] 사지유도는 전기자극을 앞이마면에서 포착한다

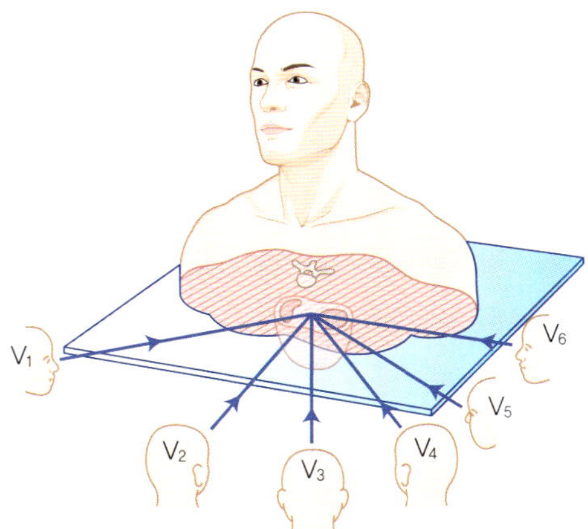

[그림 3-4] 흉부유도는 전기자극을 수평으로 포착한다

심장을 왼쪽에서 보기에 적합한 유도
 $-V_5$, V_6, aV_L
심장을 오른쪽에서 보기에 적합한 유도
 −Ⅲ, aV_F
* aV_R은 오른쪽에서 보기에 적합하지 않다.

이상과 같은 것을 잘 사용하면, 심장에서 발생되는 흥분파가 어떤 방향으로 나아가고 있는가를 알 수 있다.

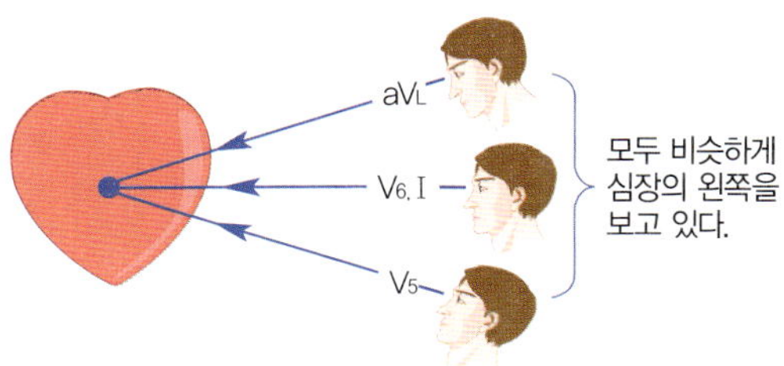

[그림 3-5]

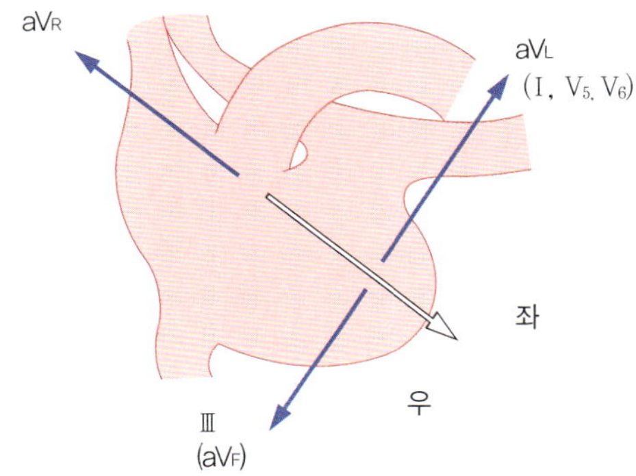

[그림 3-6] aV_R은 그다지 의미가 없다.

3 축 Axis 을 결정하는 방법

정상적인 전기축(electrical axis, '심장의 해부학적 축과 혼돈하면 안 된다')은 −30° ~ 110°사이에 있다(**그림 3-7**). 전기축이 편위하는 경우는, 왼축편위(LAD ; left axis deviation)와 오른축편위(RAD ; right axis deviation)의 2가지가 있다. 정상인 전기축의 변위보다도 왼쪽에 있으면 LAD, 오른쪽에 있으면 RAD가 되는 것이다. 그러나 "109°는 정상이지만, 111°는 LAD"라고 하는 것도 좀 이상한 느낌이 든다.

따라서 그 범위를 적당히 나누어, 0°~90°에 있으면 정상, 마이너스이면 LAD, +90° 이상이면 RAD라고 하기로 하자(**그림 3-8**).

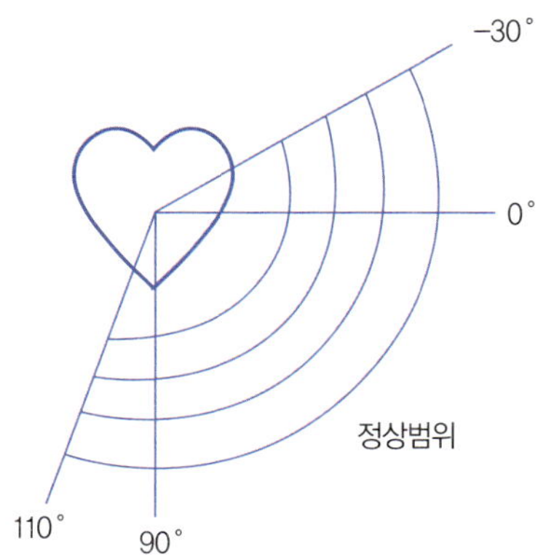

[그림 3-7] 전기축의 정상범위

전기축이 RAD인가, 정상인가, LAD인가 대충 짐작을 하려면 Ⅰ과 aV_F를 보면 대체로 알겠지만, 이것만으로는 불안하므로, 이 기회에 비슷한 것도 알아두자.

예를 들면, Ⅰ과 함께 aV_L를 또는 aV_F와 함께 Ⅲ을 본다. 이들을 자세히 보면 우선 전기축의 각도를 대략 알 수 있다(**그림 3-9, 10**). 여기서 실제 심전도를 보고 확인해 보자(**그림 3-11~13**).

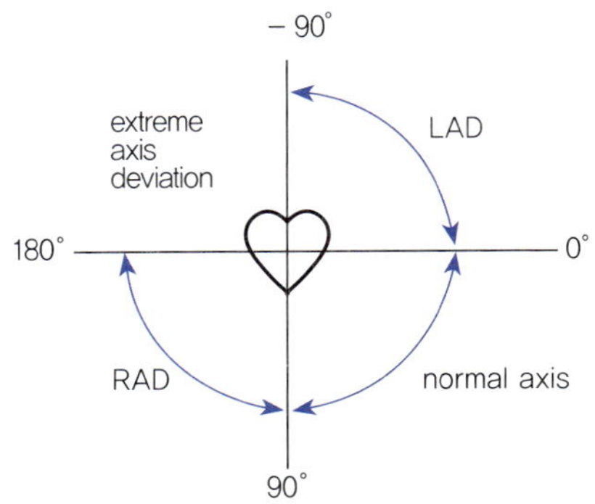

[그림 3-8] 왼축편위(LAD: left axis deviation)와 오른축편위(RAD: right axis deviation)

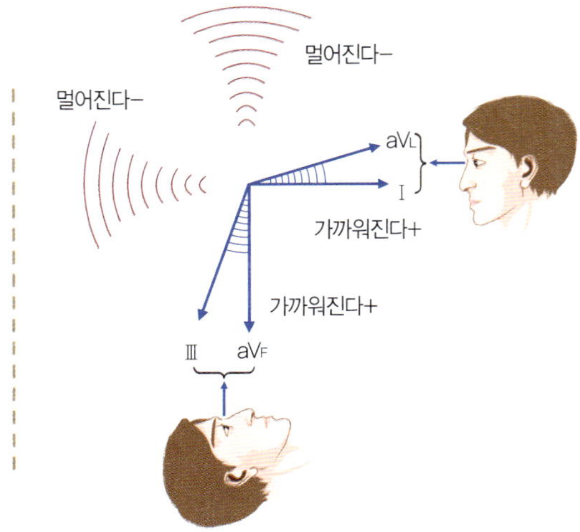

[그림 3-9] 축 편위(axis deviation)를 보는 법

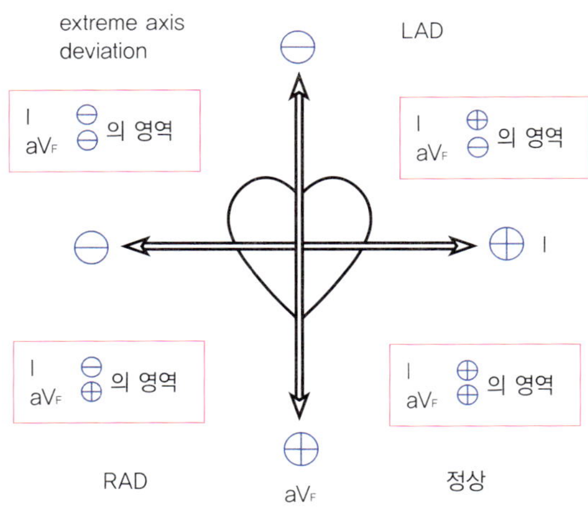

	정상	RAD	LAD
I	(+)	(–)	(+)
aVf	(+)	(+)	(–)

[그림 3-10] I, aVF에서 본 electrical axis

1. 이 심전도의 축은 정상인가?

그림 3-11의 심전도는 거의 정상적인 축임을 알 수 있다.

Ⅰ은  모양을 취하며,

aV$_F$도  모양을 취하고 있다.

즉, 어느 쪽이건 (+)wave로 이루어지는 파형으로 판단된다. **그림 3-10**의 표에서 Ⅰ이 (+)이고, aV$_F$도 (+)라면 전기축이 정상범위에 들어간다는 것을 알 수 있다. 마찬가지로 aV$_L$과 Ⅲ 모두 (+)이므로 전기축이 정상범위 내에 들어간다는 것을 확신할 수 있다.

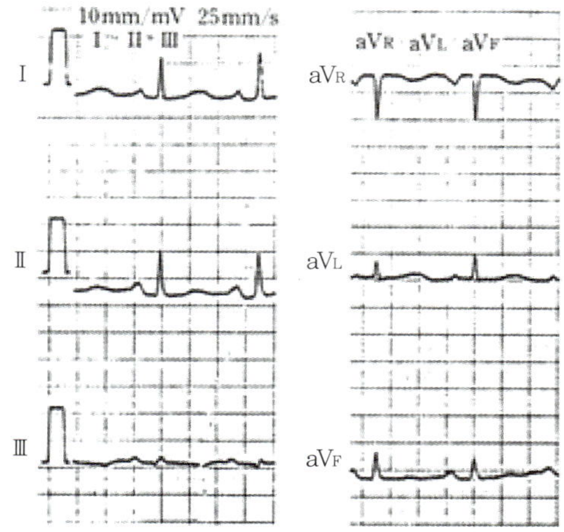

[그림 3-11]

2. 이 심전도를 살펴보자!

Ⅰ에서는  모양으로, 즉 (−) wave로 이루어지는 파형으로 판단된다.

aV$_F$는  모양으로, 즉 (+)wave로 이루어지는 파형으로 판단된다.

따라서 Ⅰ (−) wave,
aV$_F$ (+) wave

로 이루어져 있으므로 RAD임을 알 수 있다(**그림 3-12**).

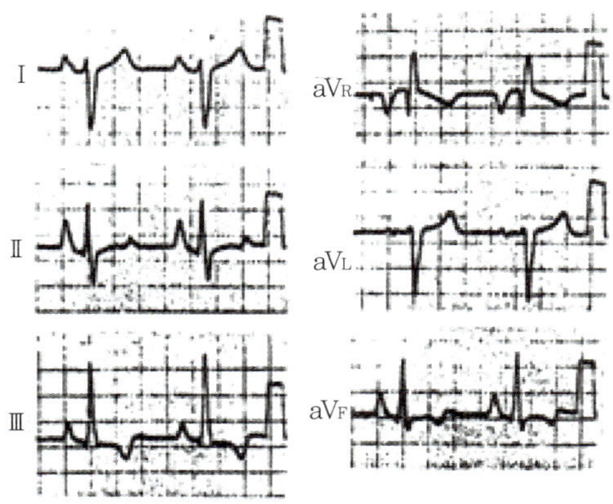

[그림 3-12]

3. 이 심전도를 보자

그림 3-13 심전도의 Ⅰ, aVL은 모두 (+) 파형을 나타내고 있다. 한편 Ⅲ, aVF 쪽에서는 (-)wave가 나타난다. Ⅰ(+)wave, aVF (-)wave가 한 조로 이루어져 있으므로 LAD인 것을 알 수 있다.

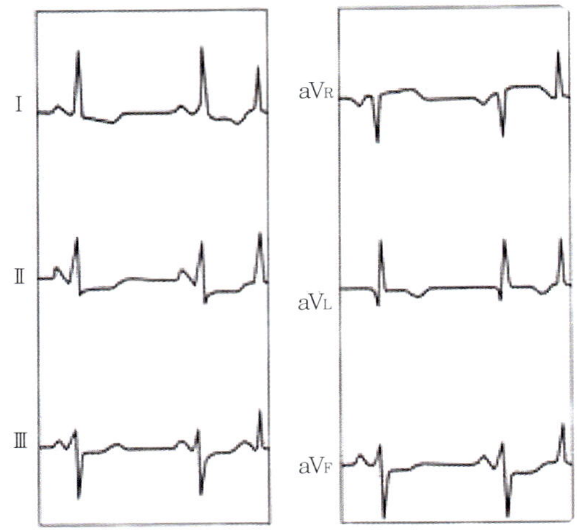

[그림 3-13]

4. 전기축을 알면 어떤 도움이 되는가?

이러한 의문을 가지는 사람도 있을 것이다. 학문적인 흥미는 접어두고라도 알아두면 도움이 되는 3가지 케이스를 생각해 보자.

① RAD시에는 우심실에 부하가, LAD시에는 좌심실에 부하가 걸려 있는 것을 의미한다.
ex) AS로 LVH가 있을 때는 LAD가 된다.

② Left anterior branch hemiblock은 LAD, left posterior hemiblock은 RAD가 된다.
ex) 심근경색 후에 아주 심한 axis deviation이 발생했을 때는 이러한 hemiblock일 가능성이 있다.

③ 유아는 일반적으로 RAD가 정상이지만, 만약 LAD라면 ECD(Endocardial Cushion defect)나 TA(tricupid atresia) 등 선천성 심장병일 가능성이 있다.

위의 3가지를 염두에 두고 연령과 기초 질환에 맞추어 전기축의 방향을 보면 무슨 질환인가에 대한 정답을 찾는 중요한 힌트를 얻을 수 있다. 그러니까 습관적으로 심전도를 보면, 전기축만은 가장 먼저 보는 습관을 들이자.

5. 심전도파의 기본 파형

심전도의 기본적인 파형은 다음과 같다(**그림 3-14**).

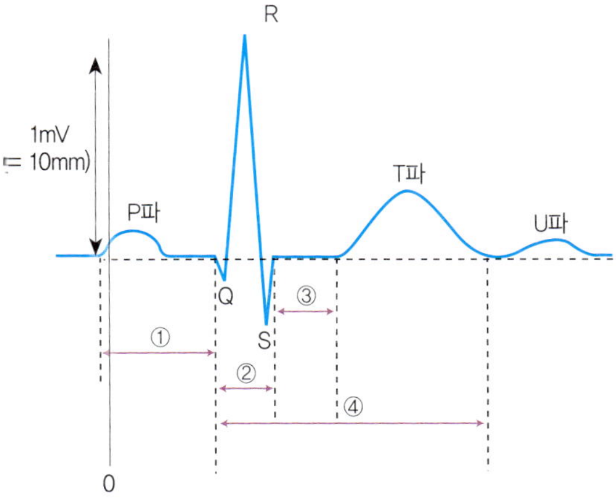

전극을 향해 오는 흥분파를 상향(양성파), 멀어져가는 흥분파를 하향(음성파)으로 기록한다.

심전도 기본 파형의 명칭	
P파	심방 흥분 시(탈분극)에 생기는 파형
QRS파	심실 흥분 시(탈분극)에 생기는 파형
T파	심실의 흥분(탈분극)으로부터 회복 시(재분극)에 생기는 파형
U파	회복(재분극) 종료 시에 생기는 파형

① PQ(PR) 간격 : 0.12~0.20초
② QRS 간격 : 0.05~0.08초
③ ST
④ QT시간 (QTc=QT시간/QT시간/$\sqrt{\text{PR간격}}$: 0.35~0.44초)

〈Calibration〉

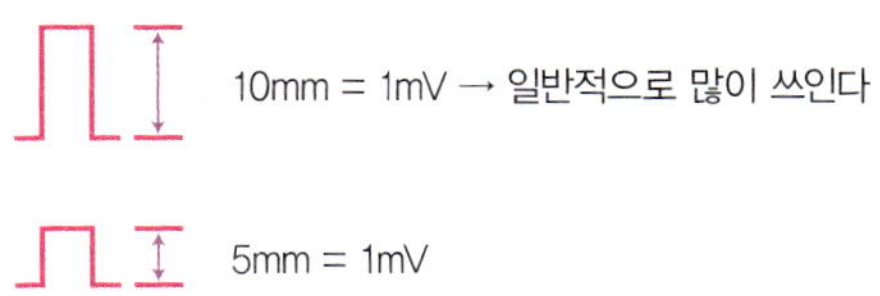

[그림 3-14] 심전도 파형의 명칭과 그 의의

P wave	0.08
PR interval : 방실결절 전도시간	0.12 - 0.20
QRS duration	0.04 - 0.10
QT interval : 심장의 전기적 수축기	남자 < 0.42초, 여자 < 0.43초
T wave	0.16

한 눈금은 0.04초(5눈금으로 0.2초)
그 정상치는 대강 다음과 같다.
처음부터 순서대로 P wave, QRS wave, T wave로 되어 있다.

P wave는 심방의 수축
QRS wave는 심실이 수축할 때의 탈분극
T wave는 심실이 수축한 후의 재분극

을 나타내고 있다. QRS wave의 각 성분에 대하여 간단히 살펴보자.

- (+)성분은 R wave라고 한다**(그림 3-15)**.
- R wave 앞뒤에 (−)wave 성분이 섞이는 경우가 있는데, R wave 앞의 (−)wave를 Q wave, R wave 뒤의 (−)wave를 S wave라고 한다**(그림 3-16)**.
- 또한 각 성분 가운데, 가장 큰 것을 알파벳 대문자로 쓰며, 그 외는 소문자로 기입하는 것이 일반적인 예이다(대문자 Q, R, S는 5mm 이상의 큰 파형, 소문자 q, r, s는 작은 파형)**(그림 3-17)**.

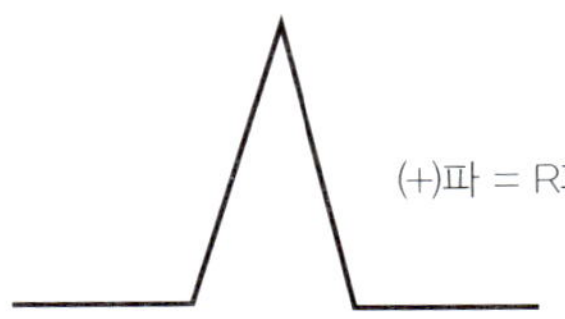

[그림 3-15]

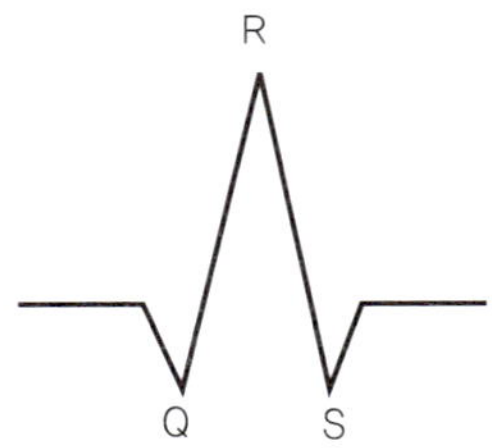

[그림 3-16]

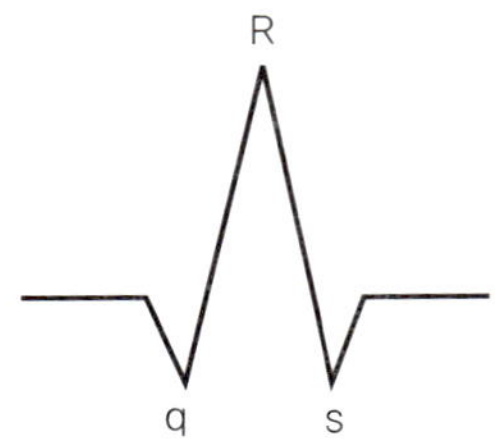

[그림 3-17]

6. 심박수 세는 법

다음으로 심박수를 세는 간단한 방법에 대하여 알아보자.

심전도를 보면 눈금 5개마다 굵은 선으로 되어 있다. 앞에서 설명한 바와 같이 5눈금은 0.2초이므로 굵은 선과 굵은 선 사이는 0.2초이다. 2줄의 굵은 선의 간격을 1코마라고 하면, 5코마가 1초가 된다. 300코마는 60초, 즉 1분이 된다.

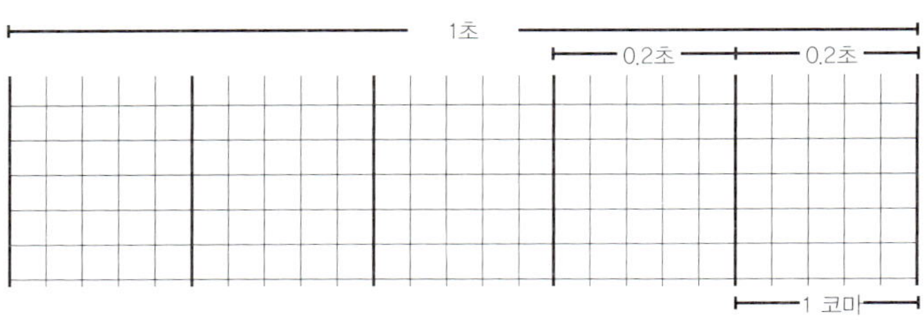

심박수를 셀 때는 가장 알기 쉬운 R wave의 정점을 이용한다. R wave와 R wave의 간격은 심실이 수축한 후, 다음 수축 때까지의 시간이 되는 것이다. 만약 이 R-R간격이 1코마라면 300코마를 세는 동안 R-R간격이 300코마가 들어가게 된다. 즉 300회 심실이 수축하게 되는 것이다.

그런데 300코마를 세는 시간은 1분이므로 심실은 1분간 300회 수축한다는 것이다.

만약 R-R간격이 2코마라면, 300코마를 세는 동안에 심실이 150회 수축하게 된다. R-R의 간격이 3코마라면 100회, 4코마라면 75회 수축하게 된다. 따라서 R-R간격의 코마수와 심박수 사이에는 다음과 같은 관계식이 성립된다.

$$\text{심박수} = \frac{300}{\text{R − R 간격의 코마수}}$$

심전도의 응용 – V_1의 P wave, r wave –

앞에서 심전도를 보는 기본적인 방법과 전기축에 대하여 설명했다. 다음으로 각론적인 내용을 설명하고자 한다.

심전도를 볼 때, 처음부터 전부를 볼 필요는 없다. 가장 먼저 보아야 할 것은 V_1이다. V_1에서는 매우 많은 정보를 얻을 수 있다. V_1의 어디가 어떤 상태인가만 정확하게 파악해두면 다음은 정해진 곳을 보기만 하면 심전도는 쉽게 읽을 수 있게 된다. 그렇게 되기 위해서는 정상인 V_1의 생김새를 기억해두어야 한다.

그림 3-18이 정상의 V_1이다. 이것은 확실히 암기해두기 바란다. 정상으로 판단하는 데 필요한 설명을 추가하도록 하겠다.

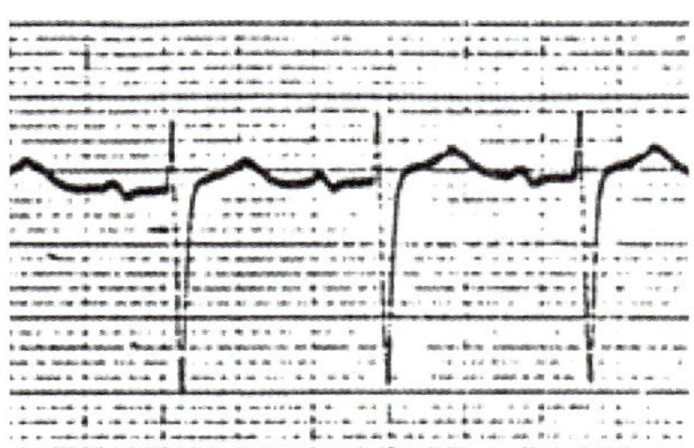

[그림 3-18]

1. 정상적인 V_1

모식도를 그리면, V_1은 **그림 3-19**와 같은 모양을 나타낸다.

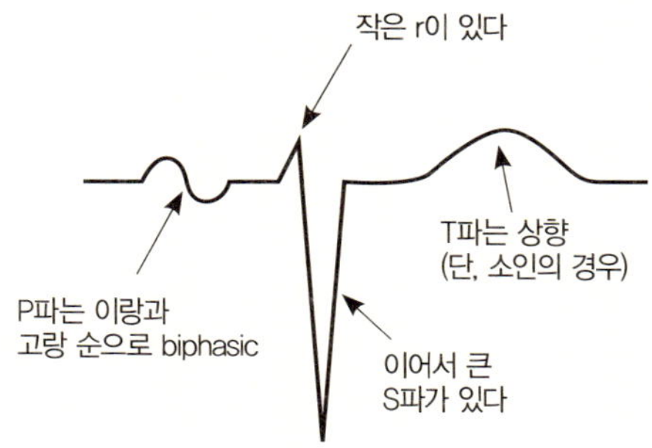

[그림 3-19]

2. P wave

P wave는 산과 골의 순으로 이상성(diphasic pattern)을 보인다. P wave는 심방의 수축을 나타낸다. 심방은 우심방 → 좌심방의 순으로 수축하므로 그 순서가 V_1의 P wave에 산 → 골 순으로 기록된다.

산 → 우심방의 수축
골 → 좌심방의 수축

이 사실만 알아두면 모든 것은 간단해진다. 다음은 이것이 어떤 때, 어떻게 변화하는가를 익혀두자. 중요한 것은 다음 2가지이다(**그림 3-20, 21**).

- 산이 높다 → 우심방수축이 강하다 → 우심방확대
- 골이 깊거나 넓다 → 좌심방수축이 강하다 → 좌심방확대

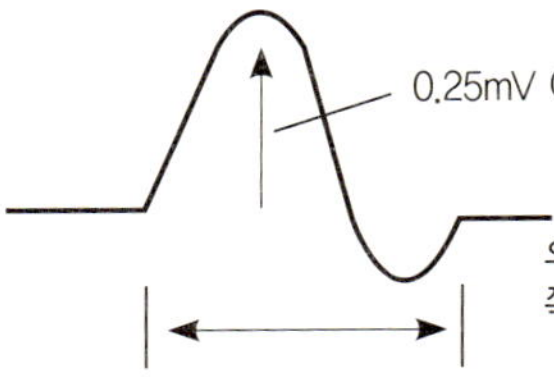

[그림 3-20]

[그림 3-21]

1) 우심방확대 Right atrial enlargement

그림 3-22는 ASD 심전도이다. P wave는 산밖에 보이지 않고 골이 없다. 우심방확대를 의미한다.

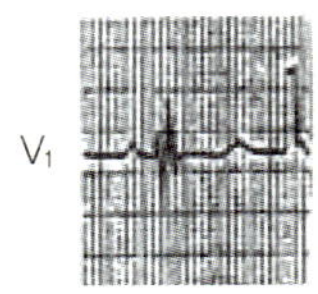

[그림 3-22] pulmonic P wave

2) 좌심방확대 Left atrial enlargement

그림 3-23은 MS의 심전도이다. P wave의 골이 깊고 넓은 것을 알 수 있다. 좌심방 확대를 의미하는 것이다. 여러분 가운데는 아직 납득이 안 가는 사람도 있을 것이다. V_1에서는 산이 높다거나 골이 깊다거나 하는데, "그러고 보니 그렇게도 보이기도 하고…" 고 하는 사람도 꽤 있을 것이다. 그러한 사람은 Ⅱ 유도를 보자.

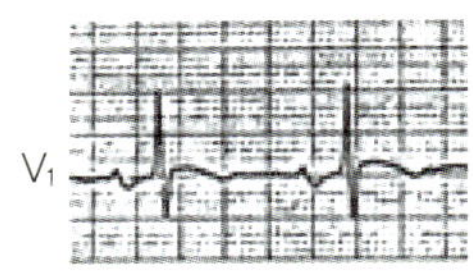

[그림 3-23] mitral P wave

- 만약, V_1에서 폐동맥판 P wave라면 II의 P도 산이 높다.
  이것을 폐동맥판(pulmonic) P wave라고 한다.

- 한편, 만약 V_1에서 승모성 P wave라면 II의 P wave는 이봉성이다.
  이것을 승모성(mitral) P wave라고 한다.

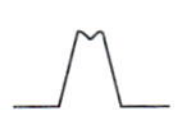

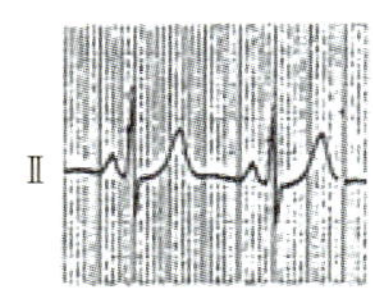

[그림 3-24]

다음의 실제 심전도에서 산이 높은 P wave(= pulmonic P wave, **그림 3-24**)와 이봉성의 P wave(= 승모성 P wave, **그림 3-25**)를 확인해보기 바란다.

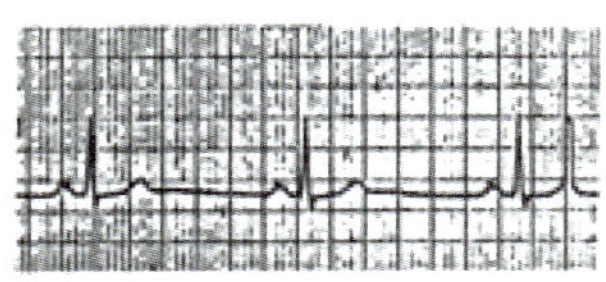

[그림 3-25]

3. 중요한 r wave

"V_1의 r wave는 심전도의 전부이다"라고까지는 말할 수 없지만, 어쨌든 중요한 것만은 틀림없다. 그러면 V_1에서 r wave를 살펴보자. 앞에서 설명한 바와 같이 정상일 때는 아주 조그만 r wave가 있을 뿐이다. 비정상적인 유형으로는 다음의 2가지가 있다. 이 r이 커지거나, 혹은 완전히 소실되거나 하는 것이다.

1) r wave가 커지는 경우

V_1에 높은 R wave가 있으면 다음 4가지를 생각할 수 있다.

V_1에서 R wave가 큰 4가지의 경우

① RVH
② 불완전 RBBB
③ WPW syndrome type A
④ 후벽 심근경색

① RVH는 V_1에서 R > s가 특징

그림 3-26에서는 P wave가 승모성 P wave인 사실에 주목하기 바란다. 이것은 MS의 심전도이다. MS는 좌심방압 상승 → 폐울혈 → 폐동맥압 상승 → 우심실압 상승이므로 RVH가 되는 것이다.

② 불완전 RBBB(right bundle branch block)는 V_1이 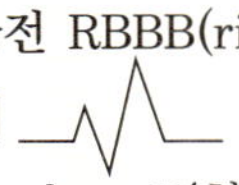

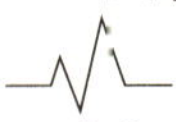 는 rsR'형이라고도 하는데 특징적인 점은 s뒤에 다시 큰 R wave가 온다는 것이다. 반드시 주의해야 할 것은 앞의 ①의 경우처럼 본래 작은 r wave가 그대로 커진 것이 아니다. 즉, rs 뒤에 또 다른 큰 R wave가 온다는 점이 중요하다. **그림 3-27**은 ASD 심전도이다. P wave는 pulmonic P wave이다. 우심방확대가 보인다. 다음 공식은 아주 중요하다 반드시 암기해두기 바란다.

ASD = 오른쪽 편위 + 불완전 RBBB

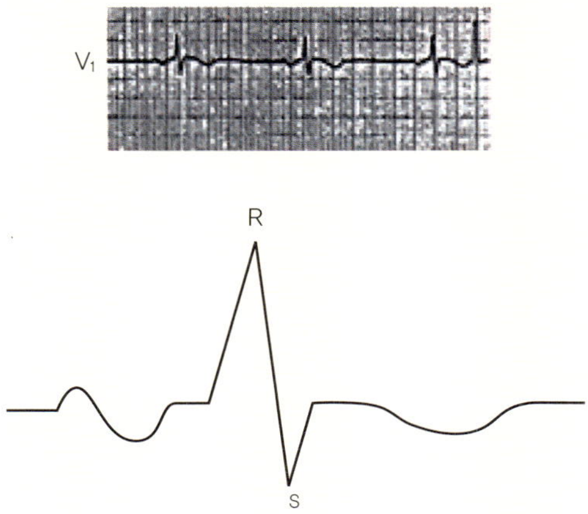

R>s 이므로 우심실 비

[그림 3-26] RVH의 심전도

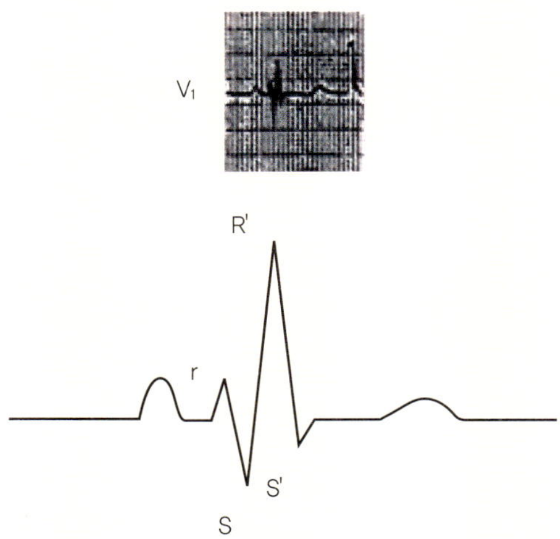

[그림 3-27] RBBB(Right bundle branch block)의 심전도

③ WPW syndrome type A

WPW syndrome(Wolff-Parkinson-White's synd-rome)은,

① PR interval 단축
② δwave(+)
③ QRS duration 연장

의 3가지를 심전도상의 특징으로 하는 질환이다. 실제 심전도를 살펴보자(그림 3-28, 29).

type A에서는 높은 R wave가 특징적이다. 여기에서 그림3-30을 통해 간단히 암기해 두는 방법을 익히자(그림 3-30).

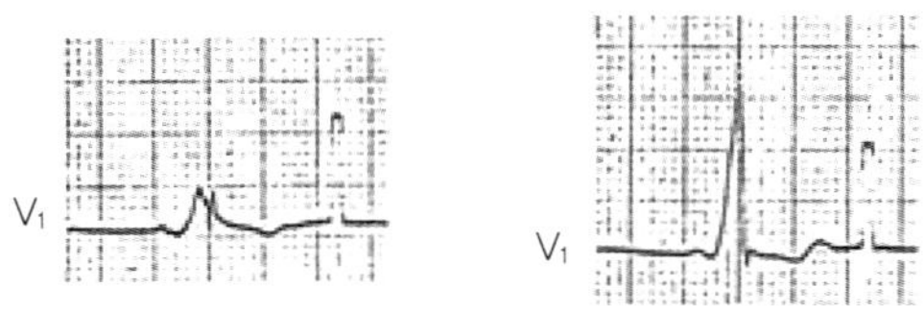

[그림 3-28] WPW syndrome type A

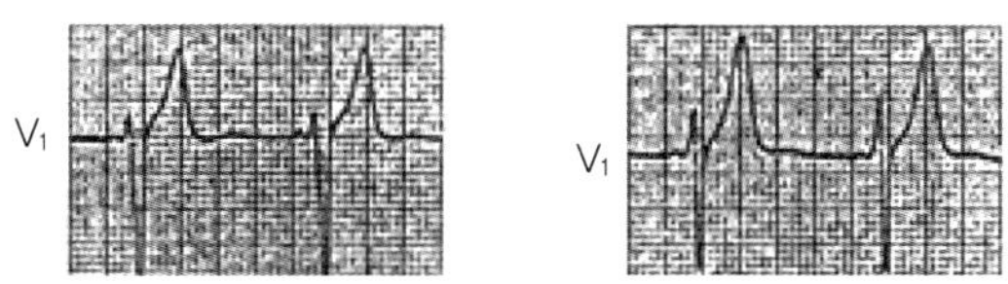

[그림 3-29] WPW syndrome type B

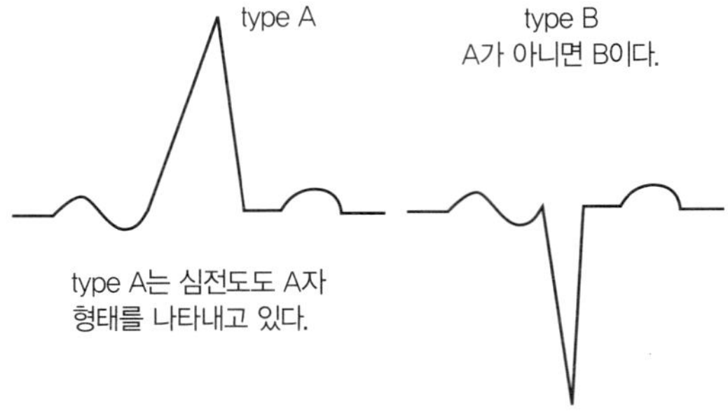

[그림 3-30] type A와 type B의 암기 방법

④ **후벽심근경색**/뒤벽심근경색(posterior wall MI)

여기에서는 왜 V_1에서 R이 높아지는가? 그것은 한 마디로 이상(abnormal) Q wave의 mirror image로 R wave가 높아지기 때문이다.

그러나 이 경우 ST segment 상승의 mirror image로서 ST segment 하강을 동시에 볼 수 있으므로 바로 구별이 된다(그림 3-31).

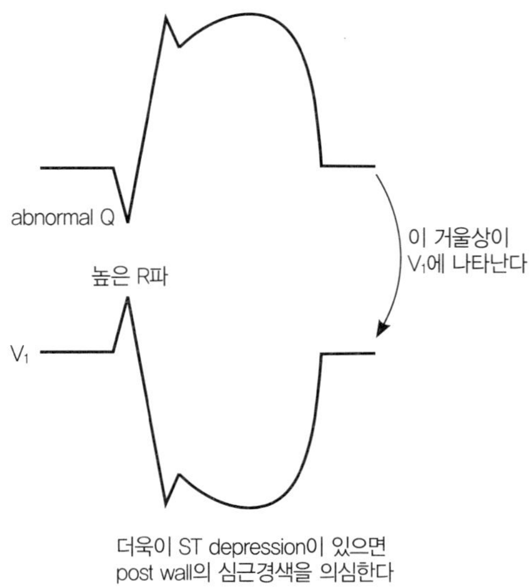

[그림 3-31] 후벽심근경색(posterior wall MI)의 심전도

2) r이 소실된 경우

그러면 다음은, 반대로 r이 소실되어 보이지 않는 경우에 대해서 살펴보자(그림 3-32).

V_1에서 r이 사라져, 이러한 모양(QS wave)의 wave가 되었을 때는 이것만으로 "abnormal Q wave"라고 판정된다. 이것은 다음과 같이 정의 내릴 수 있다.

V_1 에서 QS wave(즉, r wave가 없는 것)
= abnormal Q wave

V_1에 r wave가 없으면, 아래 4가지의 경우를 생각할 수 있다.

V_1에 r wave가 거의 보이지 않는 4가지의 경우

① 전벽중격 심근경색
② LVH
③ LBBB
④ IHSS

이 외에 ⑤~⑧이 있지만 참고할 정도이다. 다음에 설명하도록 한다.

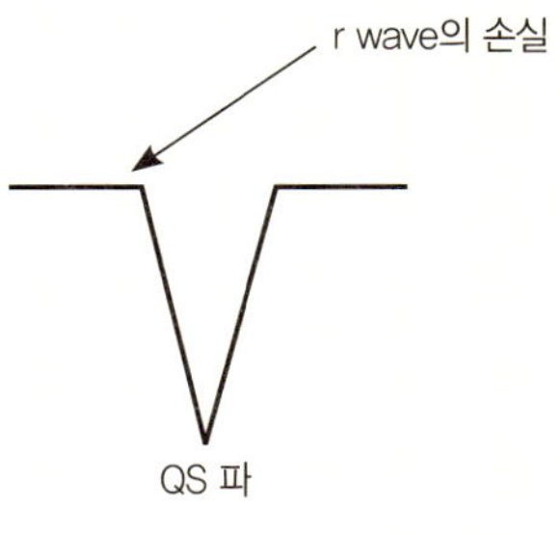

[그림 3-32] r wave의 소실 = QS wave

① 전벽중격/앞벽사이막 심근경색(antero-septal MI)

V_1에 r wave가 없는 것 = QS wave=abnormal Q wave이므로 당연하다.

전벽중격 심근경색의 경우, V_1 ~ V_4에 abnormal Q wave가 나오므로, V_1에서 QS wave를 보면 $V_2 \rightarrow V_4$까지 QS wave가 계속되고 있는가 아닌가를 반드시 주시해야 한다.

심근경색의 심전도에 관해서는 나중에 상세하게 다루겠지만, 동시에 ST 상승을 볼 수 있는 점이 중요하다(그림 3-33).

그림 3-34는 전벽중격 심근경색의 심전도이다. V_1~V_4까지 모두 r wave가 없으며 QS 유형을 보이고 있다.

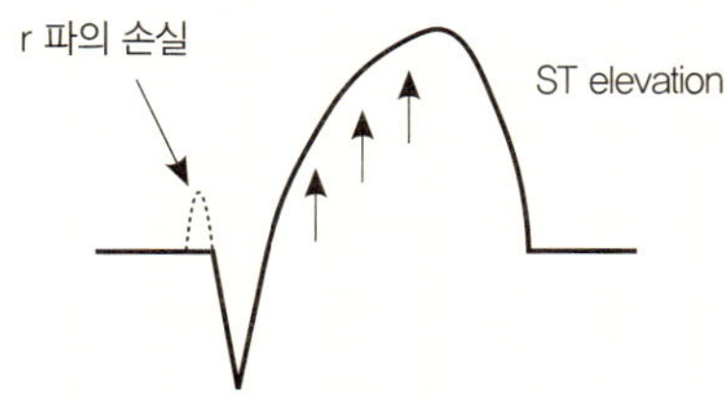

[그림 3-33] 전벽중격 심근경색 (anteroseptal MI)의 심전도

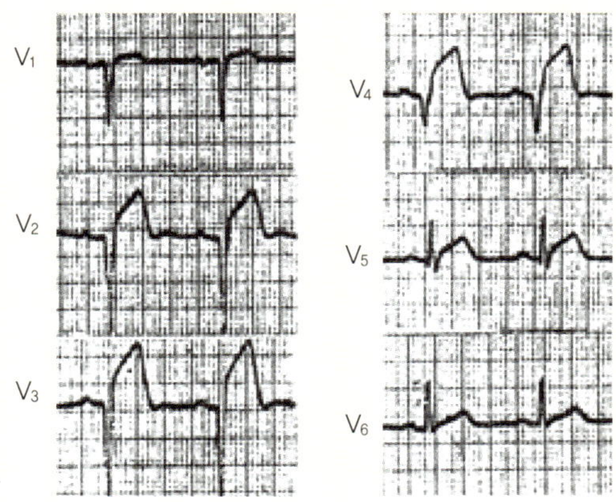

[그림 3-34] 전벽중격 심근경색 (anteroseptal MI)의 심전도

② **좌심실비대(left ventricle hypertrophy ; LVH)**

LVH의 경우, V_1의 QS wave로 알아낼 수가 있다. V_1의 S wave가 깊으므로 작은 r wave 등은 상대적으로 더욱 작게 보이고, QS wave가 되는 경우가 있기 때문이다.

LVH에 관해서는, r wave의 유무보다도 S wave의 깊이에 주의해야 할 것이다(그림 3-35).

V_1의 S wave가 15mm 이상 깊으면 반드시 V_5, V_6의 R wave를 볼 것

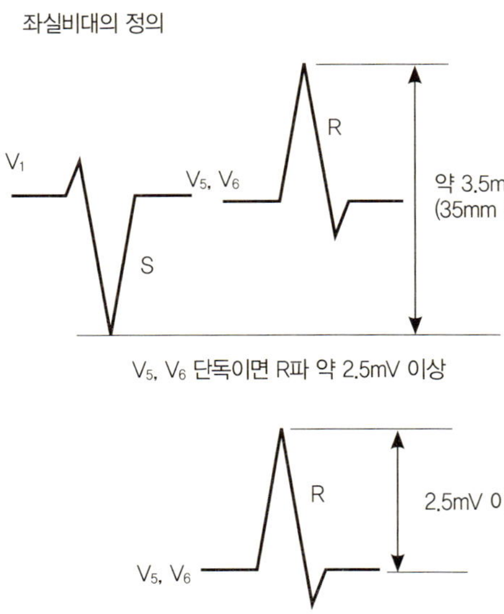

[그림 3-35] LVH의 심전도

우선 **그림 3-36**을 살펴보자. V_1에서 S wave가 15mm 있다. 이 심전도의 경우, V_1의 r wave는 소실되지 않고 작지만 존재한다. 그러나 S wave가 깊기 때문에 반드시 V_5, V_6에 주목해야 한다.

V_5는 calibration이 다른 심전도의 반이므로 실제는 그 2배의 크기이다. 따라서 R wave는 30mm 이상이다. V_1의 S wave가 15mm, V_5의 R wave가 30mm 이상이므로 합쳐서 45mm 이상이 되어 LVH로 진단된다.

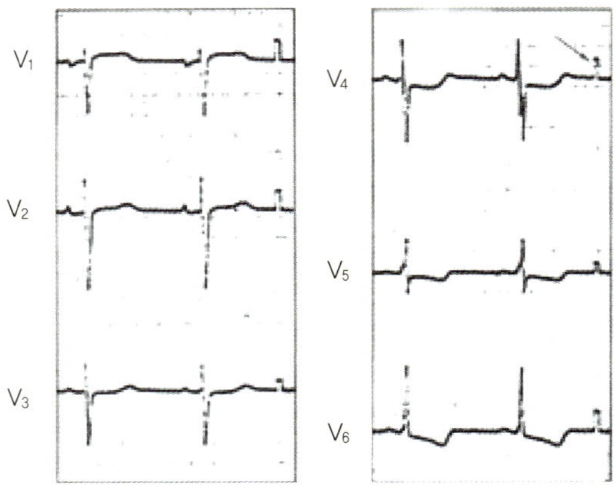

[그림 3-36] LVH의 심전도

③ LBBB(left bundle branch block)

RBBB때, V_5, V_6에서 S wave가 확장되는 현상과 반대로 LBBB에서는 V_1에서 S wave가 확장된다. 이 영향으로 작은 r wave가 눈에 띄지 않게 되고, QS wave처럼 보이는 경우도 있다(반드시 그렇다는 것은 아니다).

LBBB인 때는 V_5, V_6에서 **그림 3-37**과 같은 모양(마치 RBBB일 때의 V_1과 같은)이 된다.

그러므로 V_1에서 QS wave와 폭이 조금 넓은 S wave가 나타났을 때에는 반드시 V_5, V_6에도 주목하여 notch의 유무, QRS의 폭이 넓다는 것 등을 확인하는 것이 중요하다.

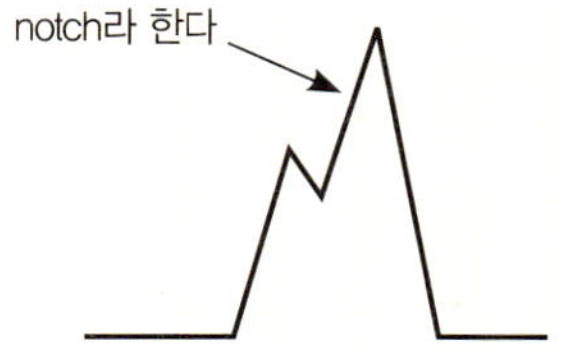

[그림 3-37] LBBB(left bundle branch block)의 심전도

LVH (좌심실 비대)	V_5~$_6$의 R wave > 26mm V_1의 S wave+V_5~$_6$의 R wave > 35mm V_5~$_6$에서 ST depression, T inversion, LAD
RVH (우심실 비대)	V_1을 비롯한 precordial lead 모두에서 RS(R>S) V_1~$_3$에서 ST depression, T inversion, RAD

④ IHSS(idiopathic hypertrophic subaortic stenosis)

IHSS는 V_1 뿐만 아니라 여러 가지 유도전극(Ⅱ, Ⅲ, aVF 등)에도 abnormal Q wave 동반한다는 것을 기억하기 바란다.

그 외에 V_1의 r wave가 소실된 것처럼 보이는 질환을 예로 들어보면 다음과 같다.

⑤ DCMP(**확장형 심근병증**)
⑥ Cardiac amyloidosis
⑦ **근육퇴행위축**(muscular dystrophy)
⑧ WPW syndrome type B(**앞에서 설명했음**)

등이다. 단, ⑤~⑧은 그다지 염두에 두지 않아도 되는 사항이다.

플러스 코너

1. 우심실비대(RVH)와 좌심실비대(LVH)

RVH와 LVH를 볼 때에는 흉부유도의 심전도가 매우 유용하다. 흉부유도의 심전도에 대해서 조금 더 자세히 알아보자. V_1~V_6을 나란히 해놓고 보면 다음과 같이 된다.

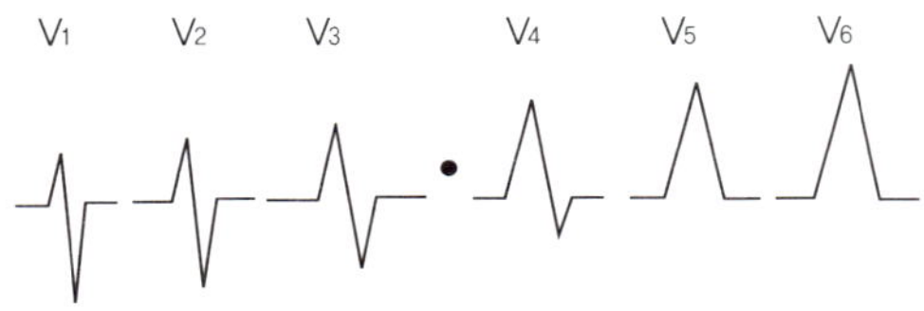

[그림 A]

R wave와 S wave의 정점을 통과하는 선을 끌어내 보면, **그림 A**와 같이 오른쪽으로 올라가는 띠가 생긴다. V_3과 V_4의 중간 정도에서 R wave와 S wave의 크기가 서로 교체된다. 이것을 이행대라고 한다. 여기서는 이 이행대를 시소에 비유해보자. 이행대가 바로 시소의 중심이 된다.

그러면, 먼저 RVH의 경우를 살펴보자. RVH에서는 V_1의 R wave가 커진다. 따라서 시소의 왼쪽, 즉 V_1쪽이 올라간다. 당연히 반대쪽의 V_6 쪽은 내려간다. 바로 **그림 B**와 같이 된다.

한눈에 짐작할 수 있듯이, RVH V_1의 R wave가 커지면 V_5, V_6에서 S wave가 깊어진다는 것을 알 수 있다. 다음으로 LVH의 경우를 살펴보자. 이번에는 V_6 쪽이 올라가고, V_1 쪽이 내려간다.

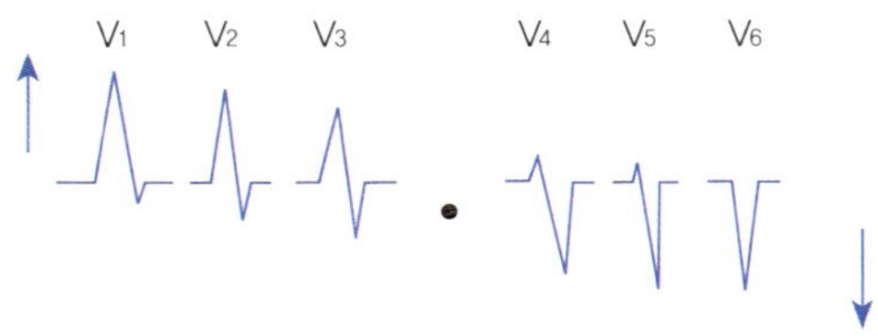

[그림 B]

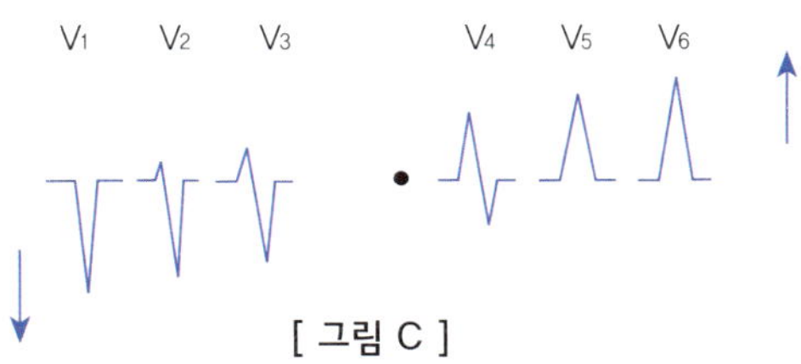

[그림 C]

LVH의 voltage criteria에서는 'V_1 또는 V_2에 있는 S와 V_5 또는 V_6에 있는 R의 합이 35mm 이상 높다'고 하는 까다로운 기준이 있지만, **그림 C**를 보면 직관적으로 알 수 있을 것이다. 이와 같이 흉부유도를 시소에 비유하면서 생각해보면, 심실비대의 심전도 진단도 이해하기 쉬워진다.

B 심전도의 응용 ST segment

앞에서 V_1의 P wave, r wave에 대하여 살펴보았다. 이제 V_1을 떼어내고 생각해보자(V_1에만 한정된 이야기는 아니라는 의미). 그럼 먼저 ST segment에 대하여 살펴보자.

Ⅲ

ST segment에서 중요한 것은 상승과 하강의 2가지 유형이 있다는 것이다.

ST segment의 상승이란, 어떤 변화를 의미하는지 설명하도록 한다. 먼저, 심전도에서 ST segment 상승을 어떻게 보는가를 알아보자.

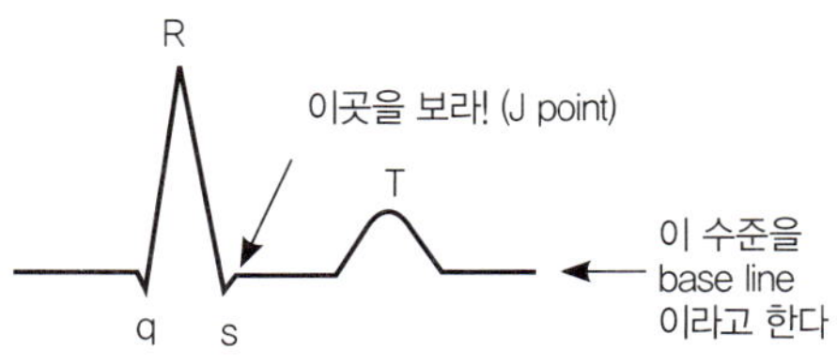

[그림 3-38] ST segment 상승·하강을 보려면

그림 3-38에 나타나듯이 S wave의 끝에서 T wave의 시작점에 걸친 부분을 ST segment라고 하는데, ST segment의 상하를 말하는 경우, 반드시 보아야 할 포인트는 화살표가 가리키는 점이다. 여기서 이 점을 J point라 부르기로 한다. 정상일 때 J point는, base line의 높이와 일치한다. 이 경우, ST segment는 위로도 아래로도 벗어나지 않는다. ST segment의 상승이란, 이 J point가 base line에서 1mm 이상, 위쪽으로 벗어난 경우를 말한다. 반대로 ST segment의 하강이란, J point가 1mm 이상, base line에서 아래로 벗어난 경우를 말한다(**그림 3-39**).

ST segment가 상승하는 질환으로서는, 다음 4가지를 암기해두기 바란다.

ST segment가 상승하는 4가지 질환

- 급성심근경색(acute MI)
- 변형 협심증/변형 가슴조임증(variant angina)
- 급성 심막염/급성 심장막염(acute pericarditis)
- 심실류(ventricular aneurysm)

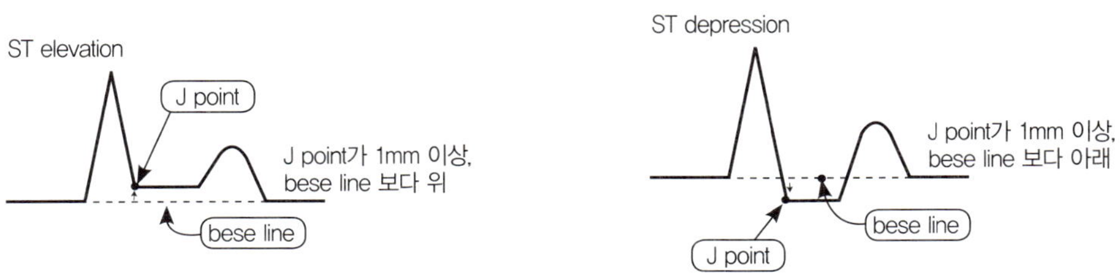

[그림 3-39] ST segment의 상승과·하강

반대로 ST segment가 하강하는 질환도 암기해두기 바란다.

ST segment가 하강하는 4가지 질환

- 발작성 협심증(발작시)
- 심내막하 심근경색(endocardial MI)
- digitalis effect
- 저칼륨혈증(hypokalemia)

앞에서 설명한 후벽 심근경색에서는 ST segment의 하강을 볼 수 있지만, 원래 심근경색에서는 ST segment가 상승하는 것인데, V_1에서 관측하면 mirror image밖에 보이지 않으므로 마치 정반대로 ST segment가 하강한 것처럼 보인 것이다. 이 mirror image를 reciprocal change라고 하는데 나중에 상세하게 설명하기로 한다.

1 ST segment가 상승하는 질환

1. 급성 심근경색 Acute MI

1) 심근경색에서 볼 수 있는 심전도 변화는?

심근경색은, 관상동맥의 일부가 혈전 등으로 인해 폐색되어, 그 관류영역의 심근이 괴사해 버리는 질환이다.

심근경색에서 볼 수 있는 심전도 변화는 ST segment 뿐만 아니다. T wave와 Q wave에도 이상이 나타난다.

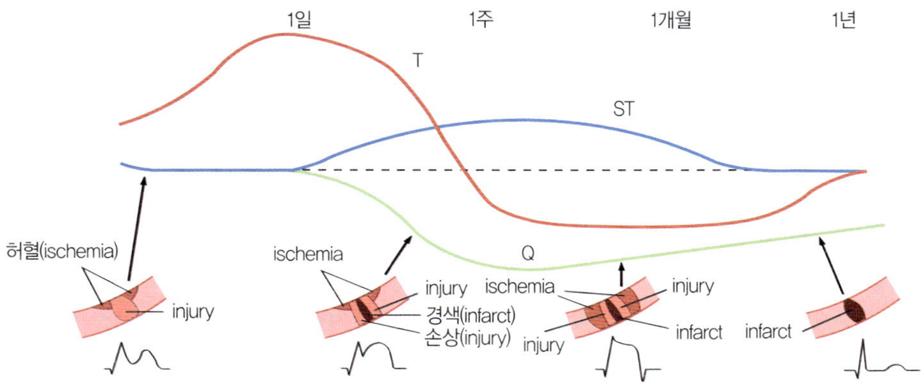

[그림 3-40] 심근경색 심전도의 시간적 변화

심근경색의 경우는, ischemia(T wave의 높이 증가와 그 후에 계속되어 일어나는 음성 T wave), injury(ST segment의 상승), infarct(abnormal Q wave의 출현) 등의 현상이 연속적으로 일어난다. Ischemia로 인한 변화는, 심근경색 초기에는 심내막하/심장속막밑에 생긴 것이 점차 transmural ischemia로 이행하므로, T wave의 높이 증가 → 음성 T wave가 된다.

Ischemia 시기가 지나면, T wave는 정상으로 되돌아온다(**그림 3-40**). Injury에 의한 변화는, 심근경색의 경우, 전층/관벽성(transmural)으로 일어나는 경우가 많으므로, 일반적으로 ST segment는 상승한다.

드물게 비전층 심근경색의 경우에 injury가 심내막(endocardial)에 국한되어, ST segment가 하강하는 경우도 있다.

Infarct에 따른 변화는 transmural infarct에 의해 abnormal Q wave로 나타난다. 비전층의 경우는 abnormal Q wave를 볼 수 없을 수도 있다. Infarct은 비가역적인 현상이며, 장기간에 걸쳐 심전도상에서 관찰된다.

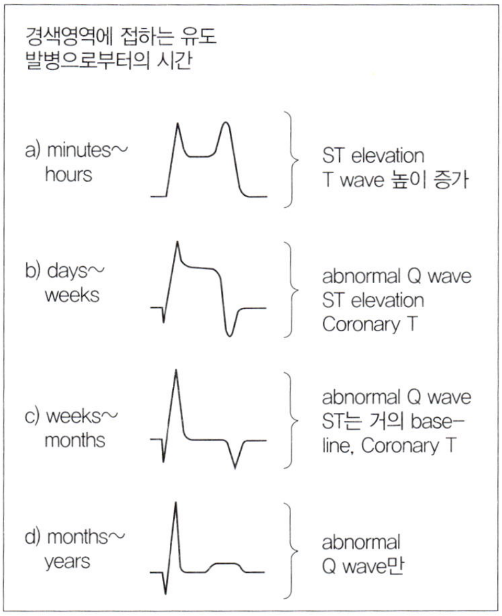

[그림 3-41] 심근경색의 시간 경과에 따른 변화

2) 시간의 경과에 따른 변화

심근경색일 때 심전도는 시간의 경과에 따라 변한다. **그림 3-41**에 정리가 되어 있으니 참고하자. 포인트를 정리하면 다음과 같다.

- T wave : 직후부터 높이가 증가하지만, 2~3일 후에 음성 T wave(corona- ry)가 된다. 얼마 지나지 않아 정상으로 되돌아온다.
- ST segmen t : 역시 증상발현 후, 상당히 빠른 시기부터 상승하여 몇 주 후에는 정상으로 되돌아온다.
- abnormal Q wave : 몇 시간 후부터 출현한다.

3) 심전도 파형에 의한 부위진단

이상과 같은 T, ST segment, Q의 변화가 어느 유도전극에 보이는가에 따라 허혈성 병변 부위를 진단할 수 있다. 허혈성 병변 부위와 그것을 반영하는 유도전극과의 관계에 대해서 정리하면 다음과 같다(**표 3-1**). 이 표는 반드시 외워야 한다.

허혈성 병변의 부위	그것을 반영하는 유도전극
anteroseptal	V_1~V_4
anterior	V_1~V_6, Ⅰ, aV_L
inferior	Ⅱ, Ⅲ, aV_F
lateral	V_5, V_6, Ⅰ, aV_L
posterior	V_1, V_2(reciprocal change)

[표 3-1] 허혈성 병변 부위와 그것을 반영하는 유도전극과의 관계

4) Reciprocal change(역변화)란?

Reciprocal change란 심근경색이 생긴 영역과 반대측에 있는 유도전극에 나타나는 심전도의 변화를 말한다.

그림 3-42에도 나타나듯이, 마치 거울로 비추고 있는 듯한 모습이 되는데, 이를 mirror image라고 한다. 예를 들어, 전벽의 심근경색인 경우는 Ⅱ, Ⅲ, aV_F에 reciprocal change로서, ST segment 하강이나 R wave의 높이 증가 등이 나타나는 경우가 있다(앞의 "V_1에서 R wave가 높아지는 질환" 부분에서 등장했던 후벽 심근경색에서는 abnormal Q wave의 mirror image가 V_1에서 R의 높이 증가로 나타난다고 설명한 바 있다. 그것도 일종의 reciprocal change이다). 병변부위와 reciprocal change와의 관계를 정리하면 다음과 같다(**표 3-2**).

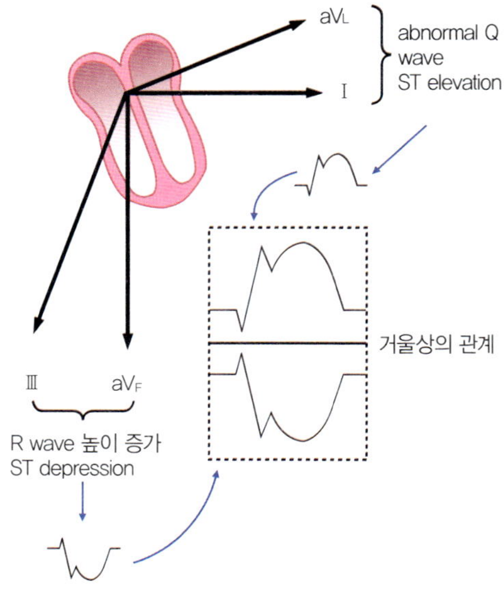

[그림 3-42] Reciprocal change

5) Abnormal Q wave란?

지금까지 몇 번인가 등장했던 이 용어에 대해서, 다시 한번 확인해 두자.

Abnormal Q wave를 발견했을 경우, 사지유도와 흉부유도로 구분해서 생각하는 것이 중요하다. 먼저, 흉부유도의 경우는 V_1의 P wave, r wave에서도 언급했듯이, r wave의 소실을 abnormal Q wave로 간주한다는 점을 기억해두면 된다.

사지유도의 경우는 일반적으로 R wave 높이와의 관계와 Q wave의 폭이 포인트가 된다.

- Q wave의 깊이는, 계속되는 R wave 높이의 1/4 이상 깊다.
- Q wave의 폭은 1mm(= 0.04초) 이상이다.

위의 조건을 충족시키는 Q wave를 abnormal Q wave라고 부른다(**그림 3-43**).

병변 부위	Reciprocal charge(역변화) 유도전극
anterior	Ⅱ, Ⅲ, aV_F
inferior	Ⅰ, aV_L
lateral	Ⅱ, Ⅲ, aV_F
posterior	V_1, V_2가 reciprocal change

[표 3-2] 병변부위와 reciprocal change의 관계

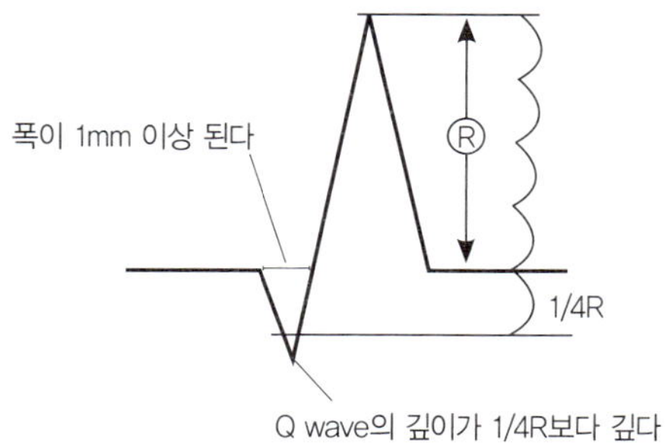

[그림 3-43] 사지유도에서의 abnormal Q wave에 대한 정의

6) 실제 예

그림 3-44는, V_1~V_4에서 ST segment 상승이 보이며 QS wave(= abnormal Q파)가 확인된다. 증상발현으로부터 1일~1주일 정도 경과한 전벽중격/앞벽사이막의 심근경색이다. Ⅱ, Ⅲ, aV_F를 보면, R wave가 조금 높고 ST segment는 하강한다. 이것은 reciprocal change이다.

그림 3-45는 V_1~V_4는 QS wave이며, ST segment의 상승과 inverted T가 나타난다.

1일~1주간의 전벽중격 심근경색이다. V_5, V_6에도 ST segment의 하강, inverted T가 나타나는데, abnormal Q wave는 없다. V_5, V_6에는 infarct 병변은 없는 것으로 생각된다.

Ⅱ, Ⅲ, aV_F에는 확실하게 판단할 수 있는 reciprocal change는 보이지 않는다.

Ⅰ, aV_L에도 abnormal Q wave와 inverted T wave가 나타난다. 역전한 T wave에는, V_2~V_4에 보이는 것 같은 뾰족하고 날카로운 점은 없다. Inverted T라고 하기에는 약간 시간이 지난 느낌이 있다. Ⅰ, aV_L은 옆벽의 심근경색인데, 전벽중격/앞벽사이막에 생긴 것보다도 오래된 것으로 생각된다. 즉, 이 심전도에는 2개의 별도의 부위에 발생시기가 다른 심근경색이 기록된 것이다.

- 1일~1주일의 전벽중격 심근경색 : V_1~V_4
- 1주일~1개월의 측벽 심근경색 : Ⅰ, aV_L

그림 3-46은 **그림 3-45**의 심전도와 마찬가지로 V_1~V_4에 QS wave, ST segment 상승,

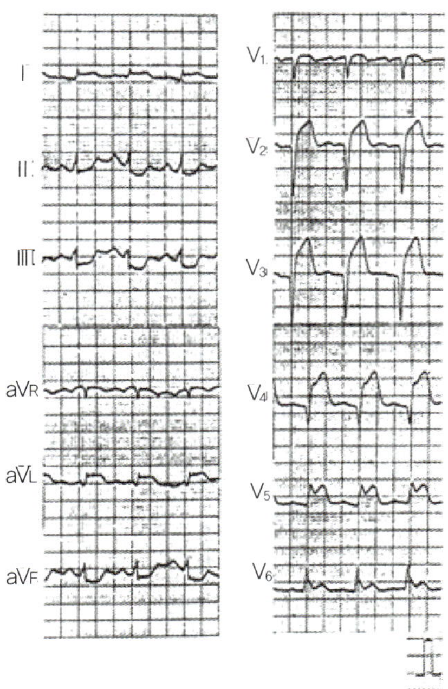

[그림 3-44]

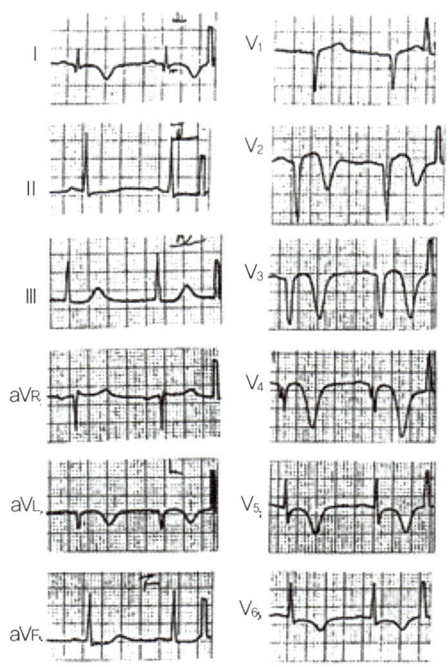

[그림 3-45]

inverted T가 나타난다. 1일~1주일의 전벽중격 심근경색이 있는 것으로 생각된다. Ⅱ, Ⅲ, aV_F를 보면, abnormal Q wave와 ST segment 상승이 나타난다. T wave는 역전되어 있지만, inverted T는 아니다(끝이 뾰족한 느낌은 없다. 좌우대칭성도 없다). 1개월~1년 정도 된 하벽 심근경색이다.

그림 3-47은 V_1~V_4에 ST segment 상승과 Twave의 높이 증가가 나타나지만, QS wave는 없으며 infarct은 아니다. 만약 infarct라고 하면, 몇 분~몇 시간이라는 극히 초기에 잡히는 것이다. 이와 같은 복잡한 심전도를 보면, V_1~V_4의 reciprocal change가 참고가 된다. Ⅱ, Ⅲ, aV_F를 보면, abnormal Q wave와 inverted T wave가 나타난다. ST segment는 거의 정상까지 되돌아와 있다. 수개월을 지난 하벽 심근경색이다. 따라서 이 심전도는 처음의 견해와는 반대로 Ⅱ, Ⅲ, aV_F의 reciprocal change가 V_1~V_4에 ST segment 상승과 T wave 높이 증가로 나타난 것이다.

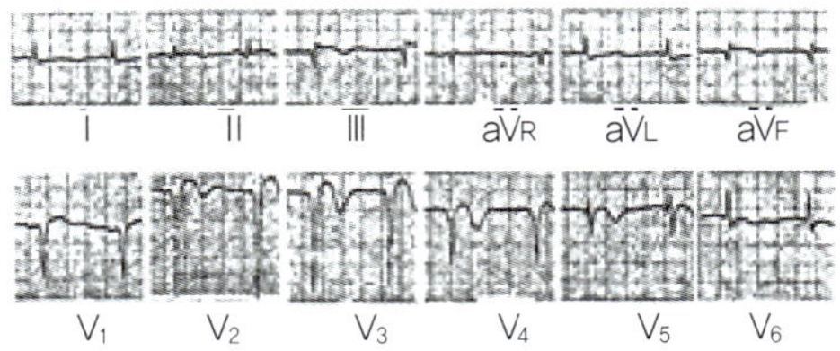

[그림 3-46]

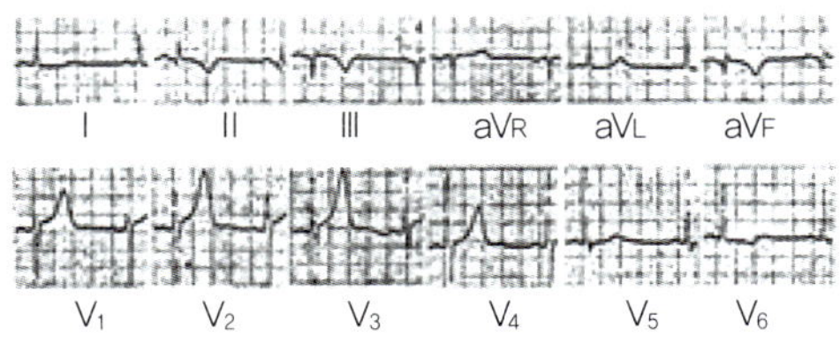

[그림 3-47]

2. 변형 협심증/이형 협심증 Variant angina pectoris

변형 협심증/이형 협심증(variant angina pectoris)은 관상동맥의 일부가 발작적으로 연축(spasm)을 일으켜, 혈류가 도중에서 끊기기 때문에 일어나는 협심증의 한 아류이다. 심전도상의 특징은 ST segment의 상승이며, 심근경색과 매우 비슷하다는 점이다. 따라서 심전도만으로 진단을 하는 데는 한계가 있다.

그러나 다음과 같은 임상증후학적인 차이로 감별진단이 가능하다.

- 변형 협심증은 협심증이므로 흉통 발작 시간이 심근경색에 비해 짧다.
- 변형 협심증은 아침에 많이 일어나며, 단기간에 반복되는 경우가 있다. 한편, infarct은 대개 한 번 일어나며, 빈번하게 반복되는 병이 아니다.
- 변형 협심증 발작에는 nitroglycerin(NTG)이 유효하지만, infarct에 효과가 없다.
- infarct에는 CK 등의 상승이 보이는데, 변형 협심증에서는 상승하지 않는다.
- 심전도상의 변화에서도 infarct에서는 abnormal Q wave의 출현 등을 볼 수 있지만, 변형 협심증에는 그러한 변화는 보이지 않는다.

이상과 같은 사항을 종합하여 변형 협심증에 대한 진단을 내리는 것이다. 그러면, 실제로 심전도를 살펴보자(그림 3-48).

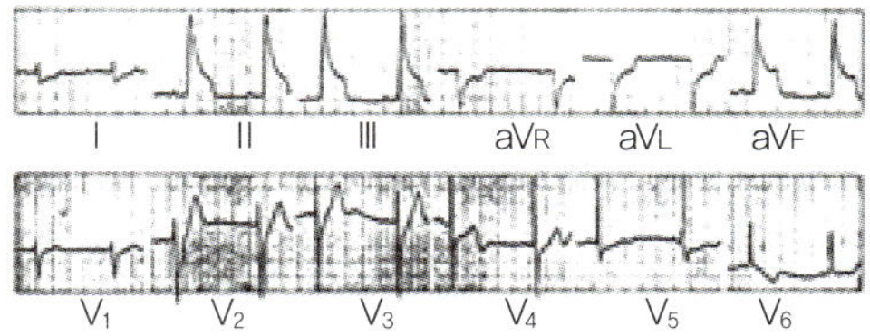

[그림 3-48]

V_1~V_5에 ST segment의 하강이 나타난다. V_2, V_3에서 T wave의 높이 증가, V_4, V_5, V_6에서 inverted T wave를 볼 수 있다.

V_1~V_6 어느 쪽에서도 Q wave는 나타나지 않는다. 한편 Ⅱ, Ⅲ, aV_F를 보면 ST segment의 상승이 나타난다. Abnormal Q wave는 없다. Ⅱ, Ⅲ, aV_F이므로 부위로서는 하벽이다.

이와 같은 예에서, 심전도에서 읽을 수 있는 것은 여기까지이다. 이 예에서는 몇 분 후에 심전도가 정상화되는 것과 협심발작이 주로 아침에 일어난다는 것 등의 조건이 제시되어야 비로소 변형 협심증/이형 협심증(variant angina pectoris)이라고 진단 내릴 수 있다.

* 변형 협심증이란 것을 알면, ST segment 상승을 유발하는 II, III, aV_F가 허혈성 영역을 나타낸다고 할 수 있다. 즉, 하벽의 변형 협심증이란 것을 알 수 있다. 또한 V_1~V_5에서 ST segment가 하강한 것은, reciprocal change라고 할 수 있다.

3. 급성 심막염/급성 심장막염 Acute pericarditis

심막염이란, 심외막염을 말한다. 심장을 둘러싼 심외막에 바이러스 등의 원인으로 염증이 생겨 지속성 흉통/가슴통증과 발열을 유발하는 질환이다. 심낭액/심장막액이 고이며, 가끔 cardiac tamponade를 일으키는 경우도 있다. 심전도 상에서는 역시 ST segment 상승을 가져오기 때문에 infarct와의 감별이 중요하다.

다음은 진단을 내리는 데 포인트가 되는 사항이다.

- 심막염은 2~3일에 걸쳐서 계속되는 지속성 흉통이 있다. 3일이나 아픈 심근경색은 극히 드문 현상이므로 감별할 수 있다.
- ST segment 상승은 거의 모든 심전도 부위에서 나타나며, 소위 infarct일 때와 같은 허혈성 영역과는 일치하지 않는다.
- 따라서 당연히 reciprocal change도 없다.
- 물론 abnormal Q wave도 없다.
- ST segment 상승 패턴이 약간 다르다. 아래에 설명한다.

그러면, 실제 심전도를 살펴보자(그림 3-49).

V_1~V_6, Ⅰ, Ⅱ, aV_L에서 ST segment 상승이 나타난다. 그러나, abnormal Q wave와 QS wave는 나타나지 않는다. ST segment 상승 패턴이 심근경색이 된다. 그림 3-50의 심전도에서 ST segment 상승 패턴은 아래로 볼록하므로 심막염의 패턴과 일치한다.

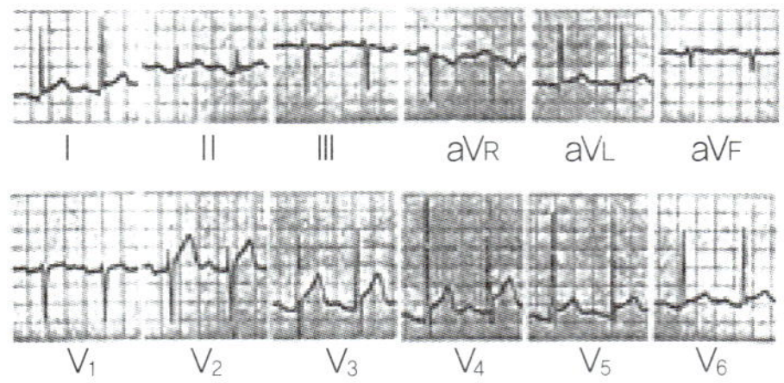

[그림 3-49]

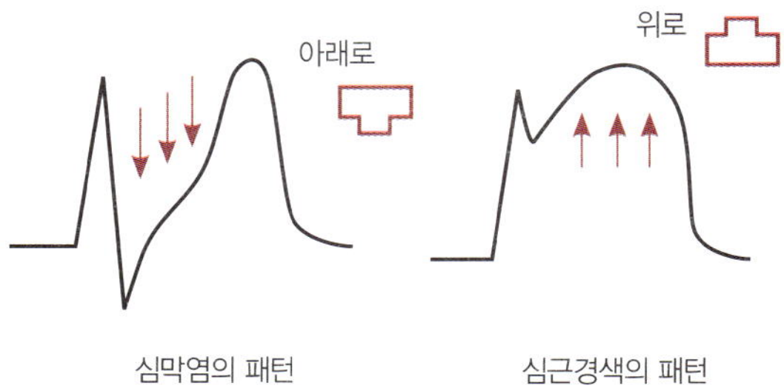

[그림 3-50] 급성 심막염의 ST segment elevation

4. 심실류 Ventricular aneurysm

심근경색 후, 합병증으로 올 수 있는 질환이다. Infarct 후, 장기간에 걸쳐 ST segment 상승이 계속되는 경우에는 이 증상을 생각해 볼 필요가 있다.

2 ST segment가 하강하는 질환

1. 안정 협심증 Stable angina

안정 협심증은 운동으로 인해 생기는 상대적인 일과성의 심근허혈에서 오는 흉통 발작이다. 따라서 그러한 허혈성 변화가 심전도상에 나타난다. 협심증/가슴조임증에 의한 심근 injury는 ischemia ↔ injury까지이고, infarct은 없다. 따라서 심전도상의 변화도 T wave, ST segment의 변화에 그치며, infarct을 나타내는 abnormal Q wave는 보이지 않는다.

일반적으로는, 심장 안쪽이 ischemia에 빠지기 쉽게 되어 있다. 이것은 관상동맥이 심장 밖에서 안으로 들어오기 때문에 안쪽으로 갈수록 관상동맥이 가늘어지고 ischemia가 되기 쉬워지기 때문이다(그림 3-51).

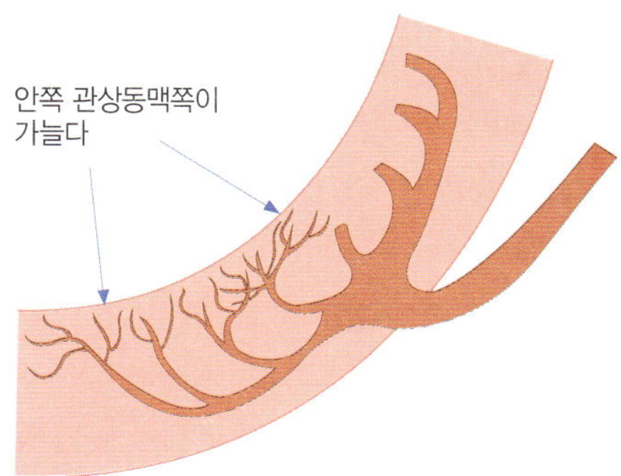

[그림 3-51] Subendocardial region의 관상동맥은가늘다

따라서 협심증의 경우에도 보다 안쪽이 injury까지 이르기 쉽고, 바깥쪽은 단순한 ischemia로 끝나는 경우가 많다**(그림 3-52)**.

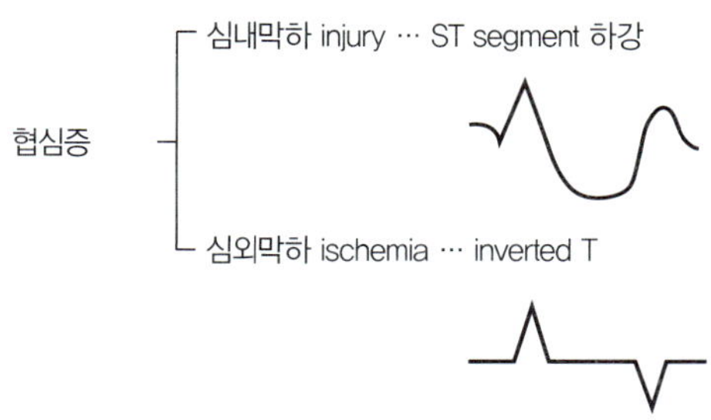

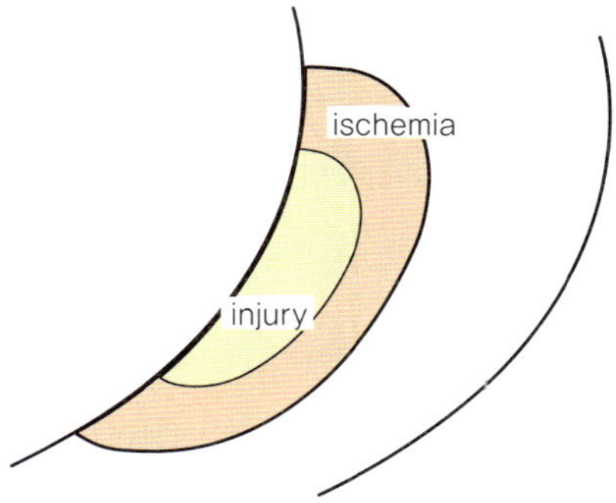

[그림 3-52] injury와 ischemia

위와 같은 협심증의 경우, 심전도상의 변화로서는 위와 같이 심내막하(subendocardial) injury와 심외막하 ischemia가 합쳐진 모양이므로 ST segment depression+inverted T wave로, **그림 3-53**과 같은 모양이 된다.

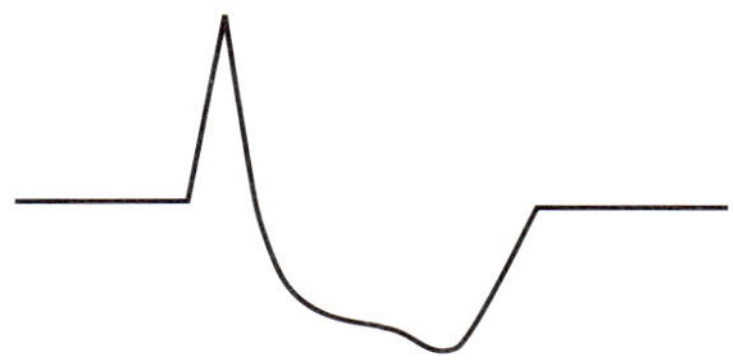

[그림 3-53] 안정 협심증의 심전도

2. Non-transmural M I

일반적으로, 심근경색에서는 심근벽 안쪽에서 바깥쪽까지 모든 층을 통해서 injury를 입는데, 드물게 심내막하에만 국한되는 경우가 있다. 이 경우, 심전도도 보통과 달리 ST segment의 하강이 보이기도 하고 abnormal Q wave가 없어지기도 한다.

실제 심전도를 살펴보자**(그림 3-54)**.

Ⅰ, Ⅱ, V_3~V_6에서 저하가 보이는데, abnormal Q wave는 어디에도 보이지 않는다. 이 심전도만으로는 안정 협심증과 구분이 안 된다. 즉, 다른 정보가 없으면 non-transmural M I 이라는 진단은 할 수 없는 것이다. 그러면 이 진단을 내리는 데 필요한 정보는 대체 무엇인가?

그것은 앞에서도 몇 번 언급했듯이 흉통/가슴통증 발작 시간의 길이와 CK 상승의 유무 등으로 감별할 수 있다.

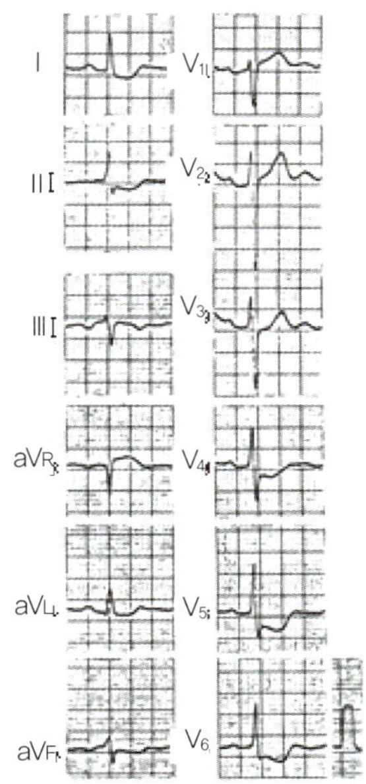

[그림 3-54] Non-transmuralM I 의 심전도

3. Digitalis effect

Digitalis 효과에서는 ST segment가 쟁반모양의 하강을 보인다. Digitalis 중독에서 볼 수 있는 변화가 아니라는 것에 주의하기 바란다.

Digitalis가 틀림없이 효과가 있다는 신호가 되므로 당연히 digitalis의 감량이나 중지는 할 필요가 없다.

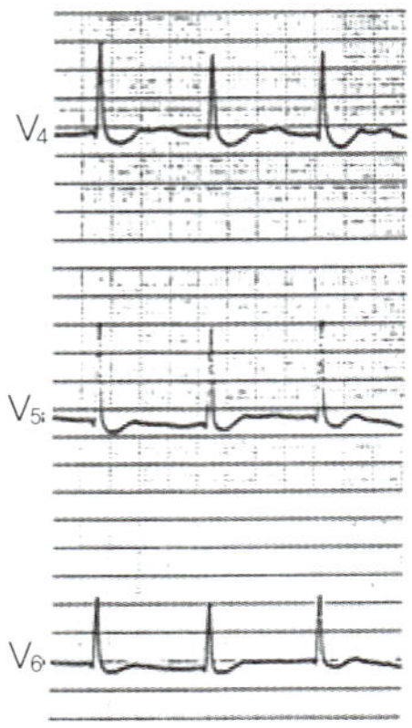

[그림 3-55] Digitalis를 투여한 후 ST segment가 쟁반모양으로 depression

4. 저칼륨혈증 Hypokalemia

현저한 저칼륨혈증(hypokalemia)에서는, ST segment 하강을 볼 수 있다. 여기서 중요하다고 할 수 있는, 전해질 이상시에 보이는 심전도 변화에 대하여 정리해 보자.

5. 전해질 이상

먼저 고칼륨혈증(hyperkalemia)에서는 혈청 K^+농도가 상승함에 따라,

① T wave 높이 증가
② P wave 소실
③ QRS 폭 연장

등의 변화가 보인다(그림 3-56).

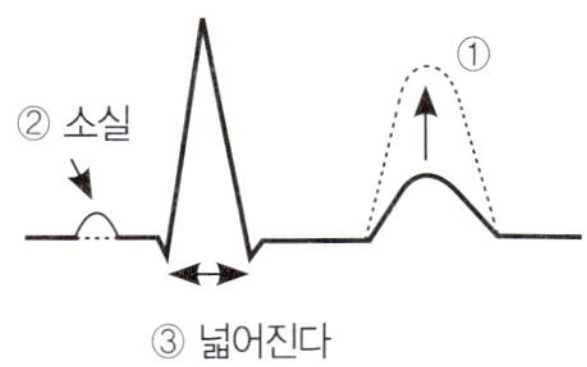

[그림 3-56] hyperkalemia의 심전도

한편, 저칼륨혈증(hypokalemia)에서는 T wave 뒤에 U wave가 보이는 것이 특징적이지만, 저칼륨혈증이 뚜렷할 때에는 ST segment의 하강과 PR interval의 연장 및 QT의 연장이 나타난다(그림 3-57).

· 고칼륨혈증(hyperkalemia) – QT 단축
· 저칼륨혈증(hypokalemia) – QT 연장

등은 중요하므로 반드시 암기해두기 바란다.

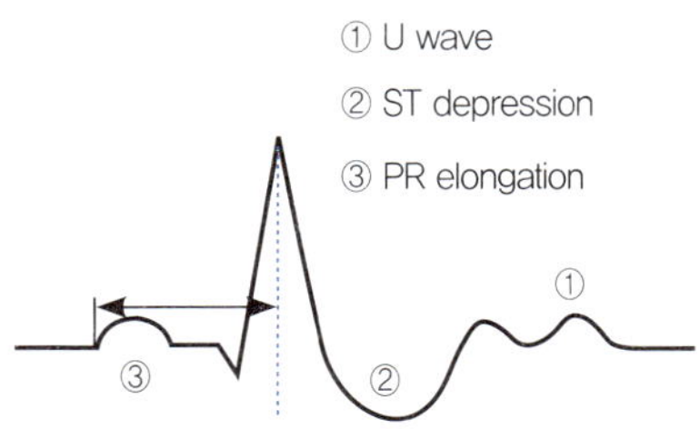

[그림 3-57] 저칼륨혈증(hypokalemia)의 심전도

Ⅳ 심장초음파 Echocardiography

A 총론

에코는 반향이란 의미이다. 심장초음파(Echocardiography) 검사는 초음파를, 심장을 목표로 발사하여 중앙의 구조물에 닿았다가 반사되어 돌아오는「에코」를 기록함으로써 심장의 모양과 움직임을 관찰하는 것이다.

현재, 심장초음파 검사는 심장병의 임상현장에서 반드시 실시하는 검사이다. 이제는 진찰소견 · 심전도 검사 · 심장초음파 검사 등 3가지에 의해서 대부분의 질환에 대한 진단이 내려질 정도이다. 심장초음파 검사에는 크게 3종류가 있다.

하나는 M-mode 심장초음파라고 불리는 것으로, 한 줄기의 초음파 빔을 발사하여 반사되어 돌아오는 반향을, 횡축을 시간축으로 하여 기록한 것이다.

다른 하나는 이면성 심장초음파/단층 심초음파(2D- echo)라고 불리는 것으로, 한 줄기의 빔을 동일 평면상에 부채꼴모양으로 방사하여 그 반향을 기록함으로써, 심장을 그 평면으로 자른 단면도를 그린 것이다.

그 외에 최근에 등장한 칼라 도플러(color Doppler) 심장초음파라는 것이 있다. 초음파는「음」의 한 종류이기 때문에, 도플러효과(구급차가 사라져 가면 사이렌 소리가 낮아지는 것처럼 들리는 현상)가 나타난다. 이 성질을 이용하면 다가오는 혈액과 멀어져 가는 혈액을 파악할 수 있으므로 심장내 혈액의 흐름을 검출할 수 있는 것이다.

B 단층 심장초음파 2D-echo

1 좌심실 장축 단층도

가장 기본적인 단층도이다. 이는 흉골/복장뼈 왼쪽 가장자리에서 접근하는 것이다. 심장을 좌심실에서 세로로 자른 단면도를 볼 수 있으며, 이 단층도에 의하여 승모판막과 심실중격/심실사이막을 가장 용이하게 관찰할 수 있다(그림 4-1).

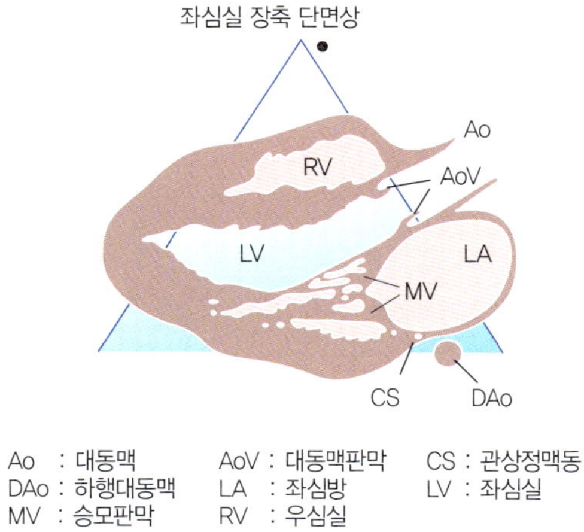

[그림 4-1] 정상적인 단층 심장초음파상 장축상

2 좌심실 단축 단층도

심장을 둥글게 자른 단면도이다. 삶은 계란을 둥글게 자른 부분을 상상해보면 쉽게 이해할 수 있을 것이다. 둥글게 하는 정도를 다르게 하면 많은 정보를 얻을 수 있는데, 특히 승모판막과 대동맥판막 레벨에서의 단면이 중요하다.

1. 승모판막 레벨

승모판막/좌방실판막(mitral valve)을 정면에서 볼 수 있다. 판막의 석회화의 유무와 판막입구부분의 면적을 조사하는 데 적합하다(그림 4-2).

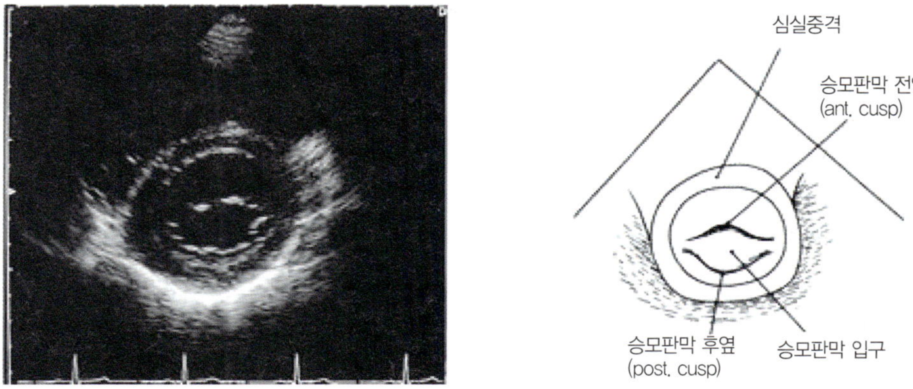

[그림 4-2] **승모판막 레벨 단축상**

2. 대동맥판막 레벨

대동맥판막을 정면에서 볼 수 있다(그림 4-3).

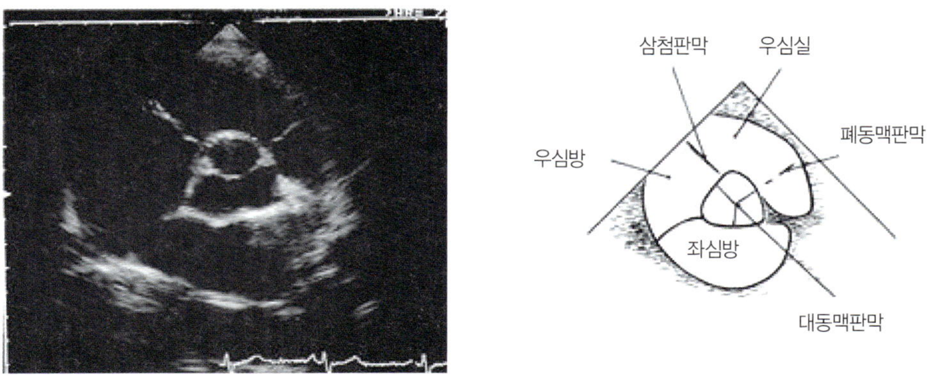

[그림 4-3] **대동맥판막 레벨 단축상**

3 심첨부 사강 단면도

심첨부/심장끝부분에서 접근한다. 사강/죽은공간(dead space)을 모두 한 화면에 정리할 수 있으므로 VSD와 ASD의 영상화에 위력을 발휘한다**(그림 4-4)**.

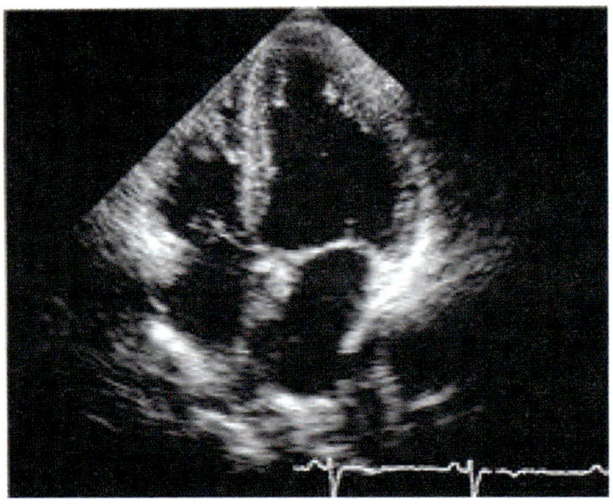

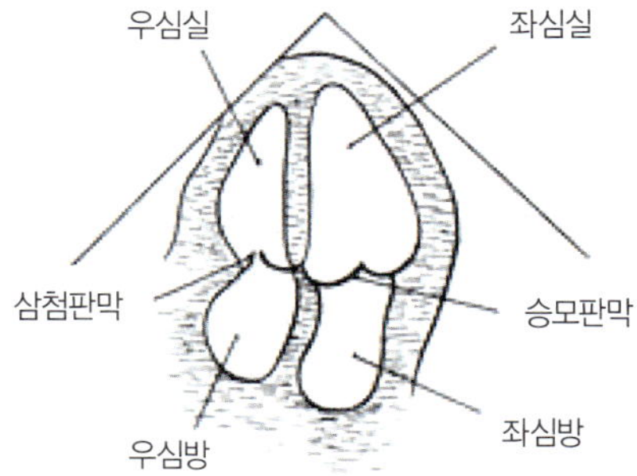

[그림 4-4] 정상적인 예의 단층 심장초음파상 사강 단면상

4 심첨부 장축 단층도 Apical long axis view

이것도 심첨부/심장끝부분에서 접근한다. 흉부 왼쪽 가장자리에서의 좌심실 장축 단층도가 90도 회전한 것인데, 칼라 도플러 심장초음파에서는 AR과 MR의 역류를 검출하기 쉽기 때문에 이 검사를 흔히 이용한다.

또한 좌심실 심첨부에 대한 정보를 얻을 수 있으므로 허혈성 심장병에서는 필수적인 검사이다 **(그림 4-5)**.

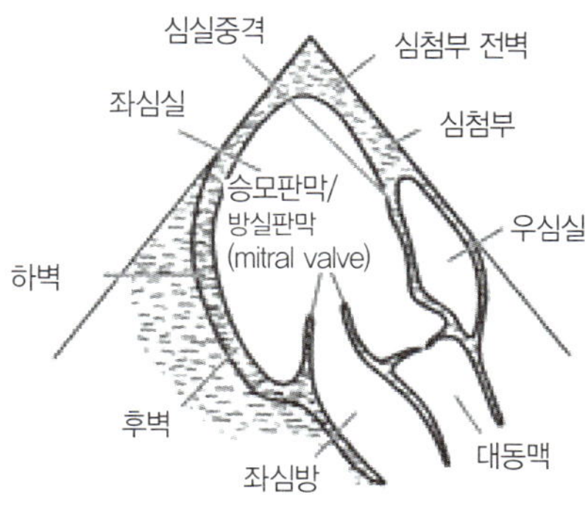

[그림 4-5] 심첨부 제2사위 단면도

ADVANCED STUDY **심장초음파** Echocardiography

M-mode 심장초음파

심장의 대략적인 해부학적 형태와 동태를 조사하는 데는 단층 심장초음파(2D-echo)가 가장 적합하지만, 시간축 중에서 세밀한 운동을 분석하기는 곤란하다.

그래서 한 줄기의 빔을 고정하여 심전도처럼 시간축을 따라 기록하는 것으로 수학적 검토가 쉬운 형태로 만든다. 이것을 M-mode 심장초음파라고 한다.

1. 승모판막 소견

주로 승모판막/좌방실판막(mitral valve) 전엽/앞엽(ant. cusp)과 후엽/뒤엽(post. cusp)의 움직임을 조사한다.

2. 대동맥판막 소견

일반적으로, 전방이 Rt. coronary cusp, 후방이 non-coronary cusp이다. 심실 수축기에 열려 상하 2줄의 선이 되며, 확장기에는 닫혀 1줄이 된다. 대개 상자모양으로 열리므로 승모판막에 비해 간단하다(그림 4-6).

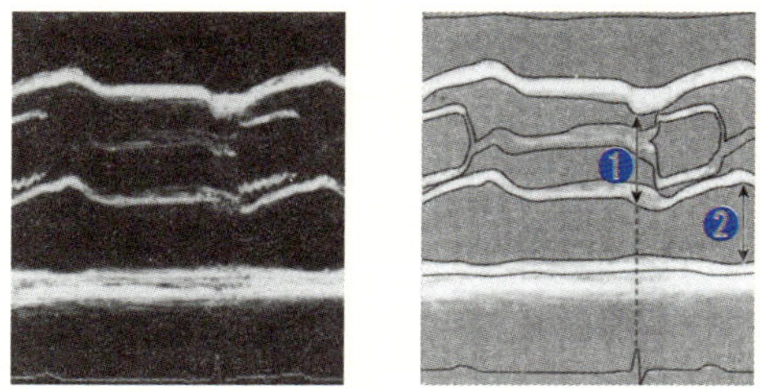

❶ 대동맥지름(AOD)
❷ 좌심방지름(LAD)

[그림 4-6] 정상적인 대동맥판막 M-mode 심장초음파(echocardiogram)

도플러 심장초음파 Color Doppler echocardiogram

탐촉자(probe)로 향하는 혈액을 적색으로, 멀어져 가는 혈액을 청색으로 표시한다. 그것을 일반적의 단층 심장초음파(echocardiogram)(2D-echo)과 중첩시킴으로써 심장 내의 혈류를 화면에 표시할 수 있다.

이 방법으로 「비정상적인 혈류」를 증명할 수 있으므로, AR이나 MR 등의 역류를 일으키는 질환이나, ASD나 VSD 등의 shunt를 일으키는 질환에 대한 진단은 상당히 쉬워졌다.

C 심장초음파 각론

일반 교과서에서는 심장초음파를 공부할 때 판막병부터 시작하지만 여기에서는 일단 더 재미있는 것부터 차례로 살펴보자.

1 좌심방 점액종 Cardiac myxoma

문자 그대로, 좌심방 안에 점액종이 존재하는 병이다. 심장 원발 종양으로서는 가장 빈도가 높은 질환이므로 확실히 알아두자.

그런데 단층 심장초음파(2D-echo)는 심장을 칼로 잘라낸 분할면을 보는 것이다. 그러므로 점액종이 있는 곳에서 잘리면 점액종이 그대로 투영되는 것이다. 또한 M-mode 심장초음파에서는 승모판막/좌방실판막(mitral valve) 레벨에서 점액종이 비치기 때문에 층상의 심장초음파가 찍힌다(그림 4-7, 8).

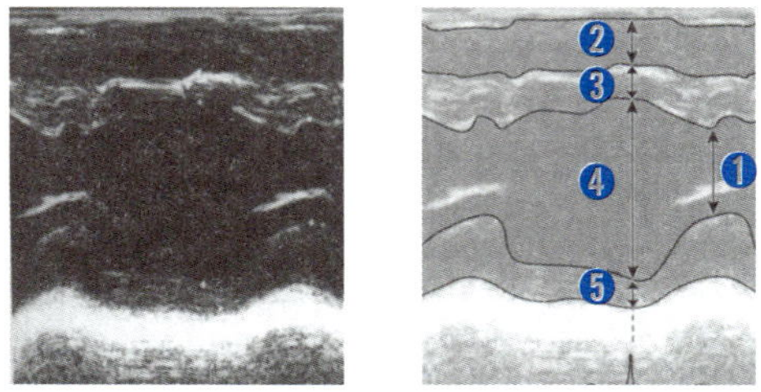

❶ 좌심실수축말기 지름(LVDs)
❷ 우심실 지름(RVD)
❸ 심실중격 두께(IVST)
❹ 좌심실확장말기 지름(LVDd)
❺ 좌심실후벽 두께(LVPWT)

[그림 4-7] 좌심방 점액종의 M-mode 심장초음파(echocardiogram)

그러면 어떻게 좌심방점액종과 혈전을 감별할 수 있는가? 간단하다. 혈전이라면 심방세동/심방잔떨림이나 승모판막협착증(mitralstenosis)과 같은 좌심방내에 혈류정체를 일으키는 기초 질환이 반드시 문장 중에 표시되어 있다.

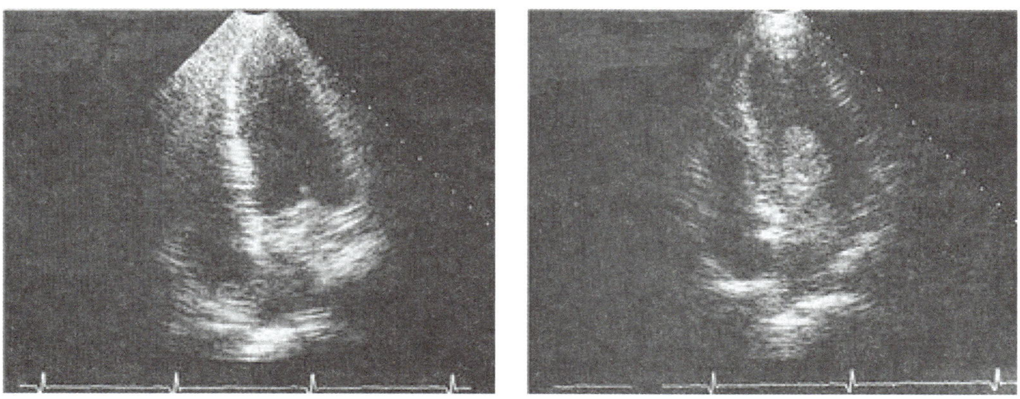

A B

[그림 4-8] 좌심방 점액종(A : 수축기, B : 확장기)

혈류정체가 있으면, 그곳이 혈액의 늪과 같이 되어버리므로 피가 굳어지기 쉽게 되어 혈전이 생기기 때문이다(하지의 정맥혈전은 장기간 누워있음으로 인해 발생하는 정맥내의 혈류정체에 의해, 또한 심근경색후의 심실류내 혈전은 심실류내의 혈류정체에 의해 생긴다).

2 확장형 심근병증 Dilated cardiomyopathy ; DCMP

이 질환은 심근이 수축력을 잃어 혈액이 ejection될 수 없어 마치 늘어나 버린 풍선처럼 되어버린 현상이다. 그러므로 단층 심장초음파(2D-echo) 소견은 늘어나 버린 풍선에 비유할 수 있는 것이다(의학적인 용어를 사용하면 현저한 좌심실의 확대, 얇은 심실벽, 벽운동 저하가 된다)(그림 4-9).

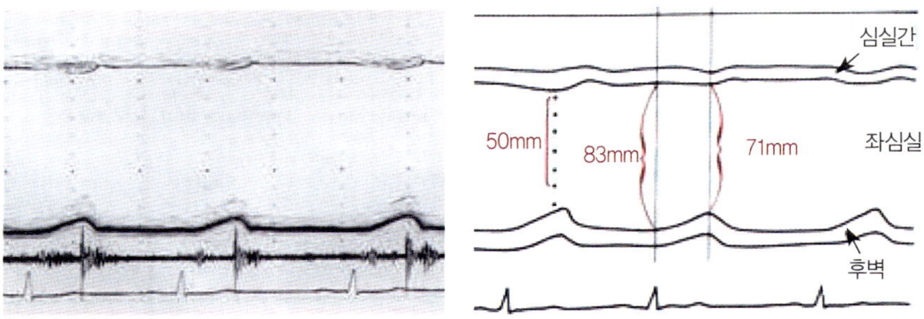

[그림 4-9] 현저하게 확장된 좌심실과, 수축저하를 나타낸 확장형 심근병증의 좌심실 M-mode 심장초음파(echocardiogram)

3 비대형 심근병증 Hypertrophic cardiomyopathy ; HCMP

문자 그대로 심근이 비대해지는 질환이다. 이 질환에서는 속발성의 심근비대를 보이는 경우(amy-loidosis나 glycogen storage disease 등)는 제외된다. 비대해지면 힘이 생겨서 좋지 않을까 하고 생각한다면, 그것은 잘못이다. 지나치게 비대하면 심실확장이 장애를 받아 혈액이 유입되지 않는 것이 문제이다.

심장초음파(echocardiogram) 소견으로는 심실중격/심실사이막에서 전벽에 걸쳐 부분적으로 비대해지는 경우가 많은 것이 특징이다. 이 질환은 좌심실내 압력차의 유무에 따라 비대형 폐쇄성 심근병증(HOCM)과 비대형 비폐쇄성 심근병증(HNCM)으로 나뉘어진다.

이 비대형 폐쇄성 심근병증 가운데에서 좌심실 유출로내에 압력차가 나타나는 것을 특발성 비대성 대동맥판막하협착증(IHSS)이라고 한다. 이는 심실중격의 좌심실 유출로 인해 특히 판막 하부에 국한된 심근비후가 일어난 것으로 비대한 심근이 방해가 되어 좌심실에서의 ejection

이 장애를 받는다.

승모판막 M-mode echocardiogram에서는 ① 대동맥판막의 수축중기 반폐쇄(mid systolic closure), ② 승모판막의 수축기 전방운동(systolic anterior movement ; SAM)이라는 소견이 보인다(그림 4-10).

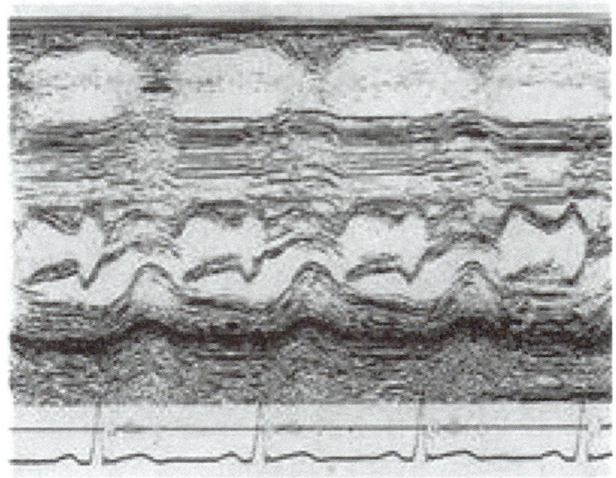

[그림 4-10] 비대형 심근병증의 M-mode 심장초음파(echocardiogram)

4 심방중격결손/심방사이막결손증 Atrial septal defect ; ASD

이 질환은 심장초음파(Echocardiography), 특히 단층 심장초음파(2D-echo)와 칼라 도플러 심장초음파를 보면 바로 알 수 있다. 단층 심장초음파에서 심방중격/심방사이막의 결손 구멍을 증명하고, 칼라 도플러 심장초음파로 좌심방/왼심방에서 우심실/오른심실로 향하는 shunt(혈류의 방향)를 증명하면 확정진단이 된다(그림 4-11).

결손 구멍이 보이는 외에 ASD에서는 우심계/오른심장계통의 혈류량이 증가하기 때문에, 단층 심장초음파에서는 우심방, 우심실의 확대를 볼 수 있다. 폐고혈압을 동반하는 증례에서는 이미 우심계의 확장이 현저해지고, 좌심실강/왼심실안이 우심실에 눌려 변형된다.

그 밖에 M-mode 심장초음파에서는 심실중격의 모순 운동(pseudo SAM)이 보인다. 왜냐하면, ASD에서는 우심계/오른심장계통의 용적부하로 인하여 심실중격이 우심실을 수축시키려고 우심실 앞쪽으로 움직이기 위하여 전방으로 이동하기 때문이다(그림 4-12).

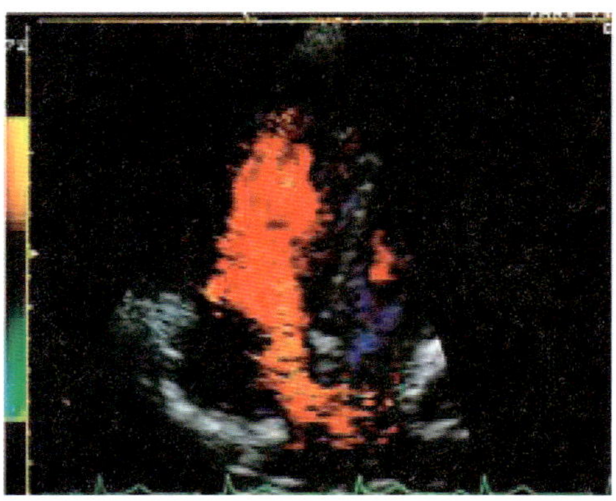

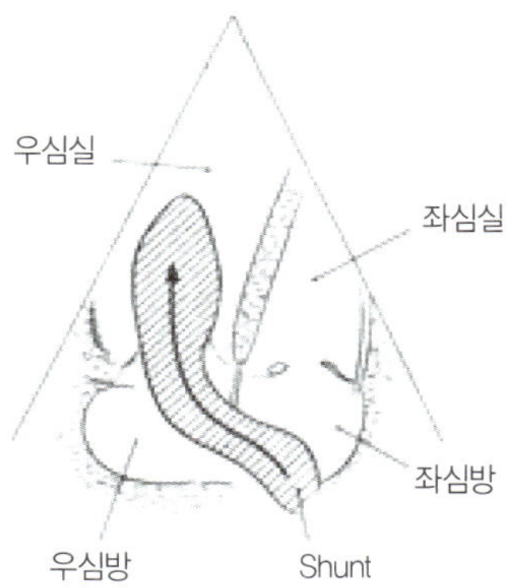

[그림 4-11] 심방중격결손의 color Doppler 심장초음파(echocardiogram)

[그림 4-12]

5 심실중격결손 Ventricular septal defect ; VSD

이 질환도 ASD와 마찬가지로 단층 echocardiogram에 의한 결손 구멍의 증명과 color Doppler 심장초음파(echocardiogram)에 의한 shunt의 증명으로 확정진단이 된다**(그림 4-13)**.

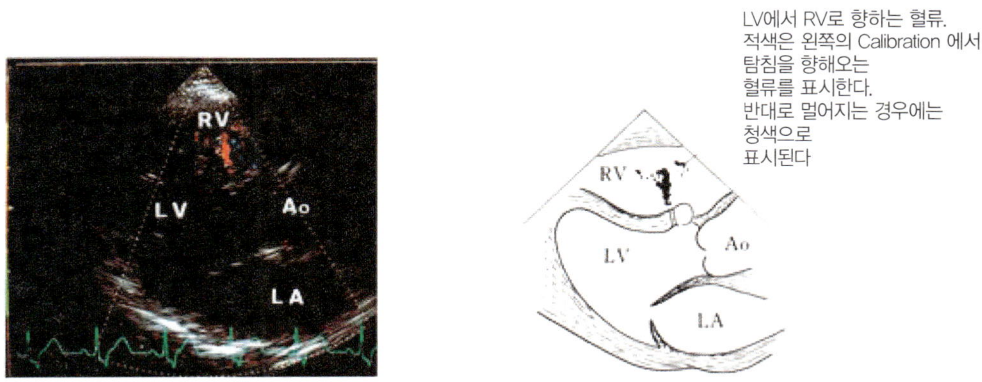

[그림 4-13] 심실중격결손의 color Doppler 심장초음파(color Doppler echocardiogram)

6 Valsalva동의 동맥류 파열 Ruptured aneursym of sinus of Valsalva

이것은 VSD에 동반되기 쉬운 것으로 알려져 있다. 단층 심장초음파(2D-echo)에서 대동맥 기시부와 우심계(우심실, 우심방 어느 쪽에도 일어날 수 있다) 사이에 개구부가 나타나고, color Doppler 심장초음파(echocardiogram)에서 shunt 혈류가 나타나면 확정진단이 된다 **(그림 4-14)**.

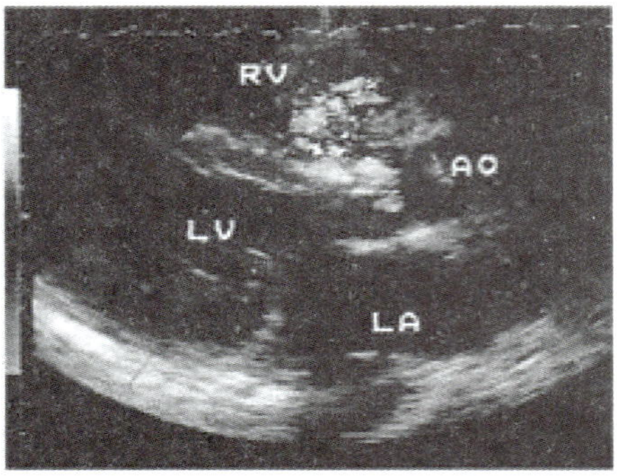

[그림 4-14] Valsalva동의 동맥류 파열에 대한 color Doppler 심장초음파(echocardiogram)

7 Fallot 4징후 TOF

이 질환은 청색증형 선천성 심장병 가운데 가장 빈도가 높은 것이다. ① 심실중격결손/심실사이막결손(VSD), ② 폐동맥 유출로 협착(PS, 폐동맥판막 협착이 아닌 것에 주의!), ③ 대동맥 우심실 기승(overriding of aorta) 및 ④ 우심실 비대(RVH)가 해부학적인 특징이므로 단층 심장초음파(2D-echo) 소견이 결정적인 수단이 된다. 반드시 암기해두기 바란다(그림 4-15).

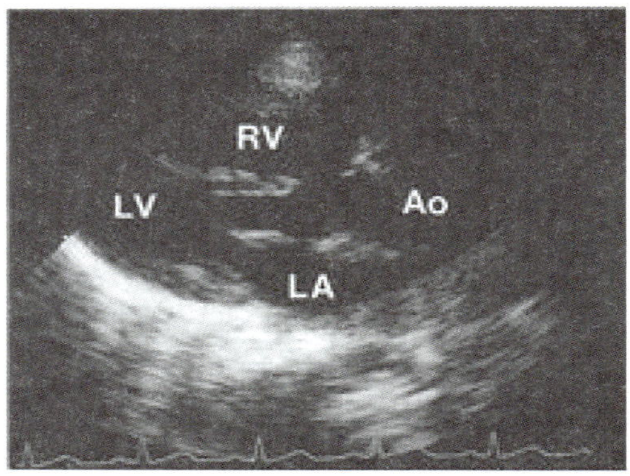

[그림 4-15] Fallot 4징후(TOF)

8 Ebstein anomaly

삼첨판막의 전엽/앞엽(ant. cusp)은 정상 위치이지만, 중격첨(septal cusp)과 후엽/뒤엽(posterior cusp)이 심첨부로 편위하는 anomaly이다. 뚜렷한 삼첨판막 역류를 동반하는 경우가 많으므로 우심방 확장이 나타난다. 또 원래 우심실이 되어야 할 부분이, 삼첨판막이 심실내에 처짐으로써 우심방이 되었기(이를 우심방화 우심실이라고 함) 때문에, 더욱 확장된 우심방을 볼 수 있다.

이상으로 보아 단층 심장초음파(2D-echo)에서는 ① 삼첨판막의 심첨부와 ② 삼첨판막역류(TR), ③ 우심방의 현저한 확장(right atrial enlargement) 등이 나타난다. 또한 color Doppler echocardiogram에서는 삼첨판으로부터의 역류가 나타난다.

9 승모판막협착증 Mitral stenosis ; MS

어떤 원인(류마티스성이 많다)으로 승모판막엽(mitral cusp)의 변성, 유합이 일어나고, 좌심실에 혈액이 원만하게 유입되지 않는 질환이다. 그러면, 좌심방에 혈액이 울혈(epistasis)이 되어 좌심방확대가 일어난다.

단층 심장초음파에서는 판엽의 비후, 경화/석회화나 doming(심실 확장시, 혈액이 좌심실에 흘러 들어가기가 어렵기 때문에 좌심방보다 좌심실이 음압이 되어 판막이 끌어당겨지는 현상), 판막입구면적(valvular orifice)의 협소화가 나타난다. 또한 M-mode echocardiogram에서는 승모판막이 열리기 어려운 탓으로 확장기판막 후퇴속도(DDR)의 저하를 보이고, post. cusp과 ant. cusp이 연결되어 있으므로 평행운동을 한다(그림 4-16).

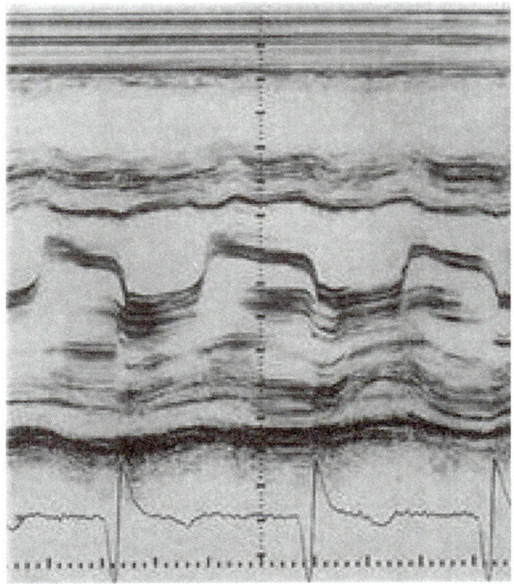

[그림 4-16] 승모판막눌림증(MS)의 M-mode echocardiogram

10 승모판막역류 Mitral regurgitation ; MR

승모판막이 잘 닫히지 않기 때문에 수축기에 좌심방으로 역류해버리는 현상이다. 좌심방으로 역류한 혈액은 확장기에 다시 심실내로 돌아오기 때문에 승모판막을 통과하는 혈액도 증가하여, 좌심방, 좌심실의 확장을 볼 수 있다.

그 때문에 단층 심장초음파에서는 좌심방, 좌심실의 확장상이 보이고, M-mode echocardiogram에서는 ⓐ E wave 진폭의 증대(승모판막이 크게 열리므로 E점의 높이가 높아진다), ⓑ DDR의 증대(역류해버린 만큼 보충하기 위하여 많은 혈액이 유입되기 때문에)가 나타난다(그림 4-17).

가장 간편하게 승모판막역류를 진단하는 방법은 color Doppler echocardiogram에서 승모판막으로부터 역류하는 혈류를 증명하는 것이다(그림 4-17 오른쪽).

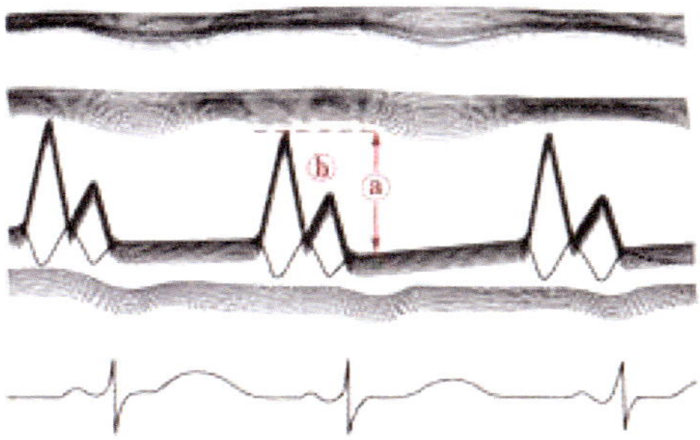

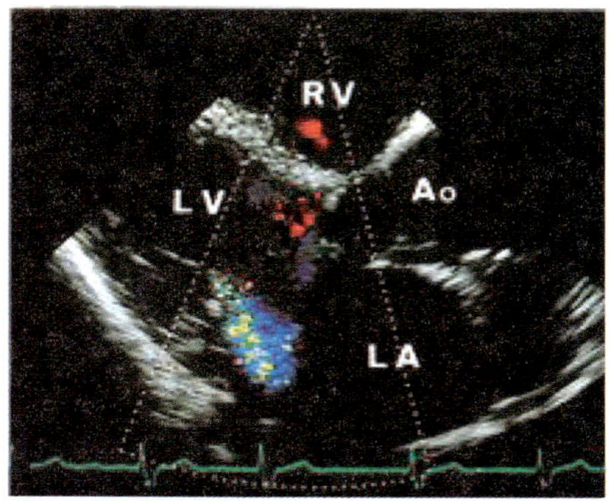

[그림 4-17] 승모판막역류(MR)의 M-mode echocardiogram과 color Doppler echocardiogram

11 승모판막탈출증 Mitral valve prolapse ; MVP

승모판막탈출증(mitral valve prolapse)은 이름 그대로 승모판막이 수축기에 좌심방쪽으로 탈출하는(빠지는) 현상이다. 역류를 동반하지 않는 한, 혈행동태적으로는 의미가 없다.

단층 심장초음파소견에서는 승모판막(mitral valve)이 수축기에 좌심방 쪽으로 일탈되는 것이 나타난다(**그림 4-18**). 또한, M-mode echocardiogram에서는 판엽의 mid systolic 후방운동이 나타난다.

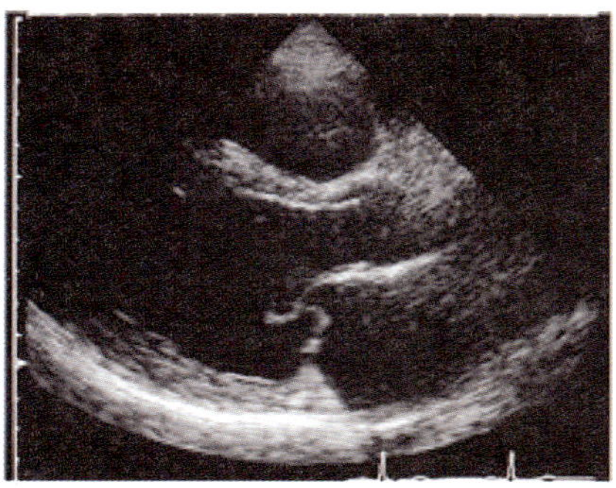

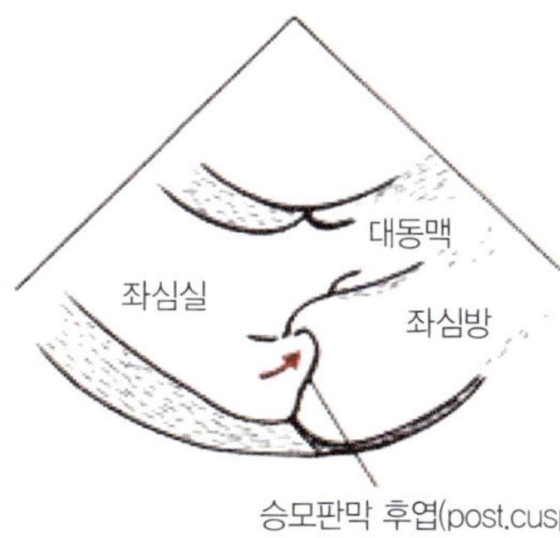

승모판막 후엽이 좌심방내로 움푹 들어가 돌출되어 있다

[그림 4-18] 승모판막탈출증(mitral valve prolapse syndrome : MVP)의 단층 심장초음파 수축기 장축상

12 대동맥판막협착증 Aortic stenosis ; AS (그림 4-19)

대동맥판막 협착에 의하여 ejection이 저해되기 때문에 그 압력부하를 극복하기 위하여 심근은 구심성(concentric)으로 비대해진다. 그러면, 좌심실의 유순도(compliance)는 감소하여 좌심부전/왼심장기능상실을 일으킨다. 유순도라는 말은 부드러움, 잘 늘어남이라는 의미로 생각하면 될 것이다. 단층 심장초음파(2D-echo)에서는 MS와 마찬가지로 판엽(cusp)의 비후와 심장초음파의 증강(석회화 등), 판막입구의 협소화나 doming 등이 보인다. 이중 임상에서 가장 중요시되는 것은 대동맥판막의 doming이다.

M-mode echocardiogram에서는 대동맥판막의 다중 에코나 수축기의 판막해리부전이 나타난다.

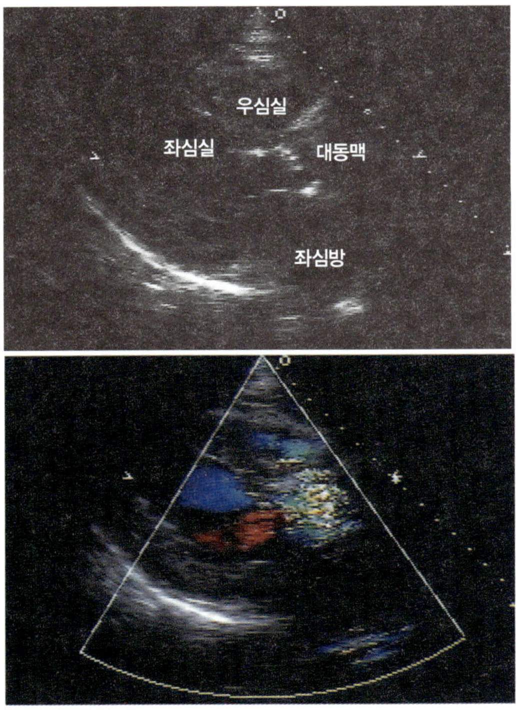

수축기 대동맥판에서 대동맥 쪽으로 모자이크 모양이 나타난다

[그림 4-19] 대동맥판막협착증의 컬러도플러 심장초음파(흉골 옆 장축상)

13 대동맥판막역류 Aortic regurgitation ; AR

대동맥판막에 어떤 장애가 있어 기능이 떨어져 수축기에 좌심실로부터 대동맥으로 ejection 한 혈액이 확장기에 되돌아오는 것이다. 그만큼 용적부하가 걸린다.

되돌아온 양만큼 보충하기 위하여 수축력은 강해지고, 보상적으로 박출량은 유지되지만 그 상태가 계속 되면 심부전으로 진행된다.

단층 심장초음파(2D-echo)에서는 좌심실과 대동맥의 확대와 대동맥판막 심장초음파의 증강, 일탈 등이 보인다(그림 4-20, 21)

M-mode echocardiogram에서는 승모판막 전엽(ant. cusp)의 fluttering(조동)이라는 특징적인 소견을 얻을 수 있다(그림 4-22).

물론 폐쇄 부전으로 인한 혈액의 역류가 이 병의 특징이므로, color Doppler echocardiography가 가장 간단하면서도 신뢰할 수 있는 검사이다(그림 4-23). 현재는 color Doppler에 따라 중증도를 결정한다. 위에서, 승모판막(mitral valve) · 대동맥판막에 대해서 협착과 역류를 살펴보았는데, 이와 같은 현상은 삼첨판막, 폐동맥판막에도 일어날 수 있다.

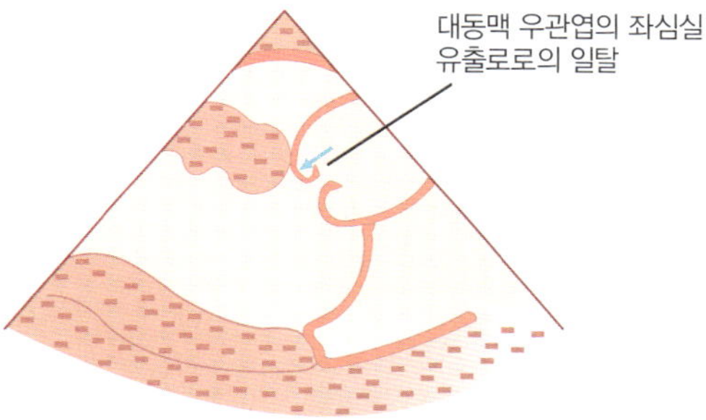

대동맥판막 일탈의 증례이다. 대동맥판막 복부 심장 초음파는 약하고 대동맥판막은 Rt. coronary cusp의 일부가 좌심실유출로로 일탈되어 있다.

[그림 4-20] 좌심실 장축 단축면

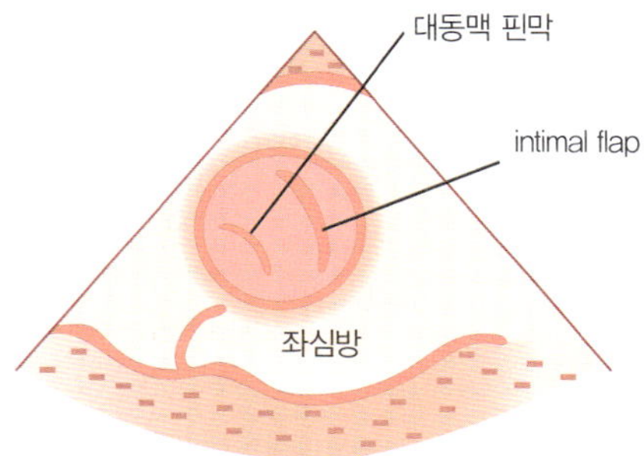

해리성 대동맥류(dissecting aneurysm)의 증례이다. 대동맥은 확대되고 대동맥의 좌상 쪽에서 아래쪽으로 향하는 해리된 혈관의 내막(intimal flap)이 보인다.

[그림 4-21] 대동맥판막 레벨에서의 단축 단층면

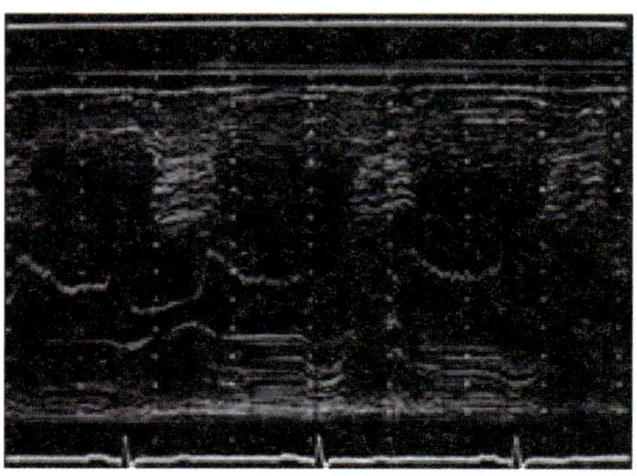

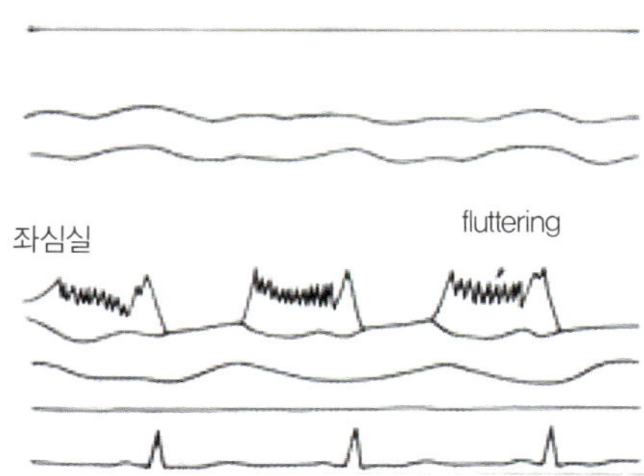

[그림 4-22] 대동맥판막역류의 승모판막(mitral valve)에 나타나는 승모판막 전엽(ant. cusp)의 fluttering

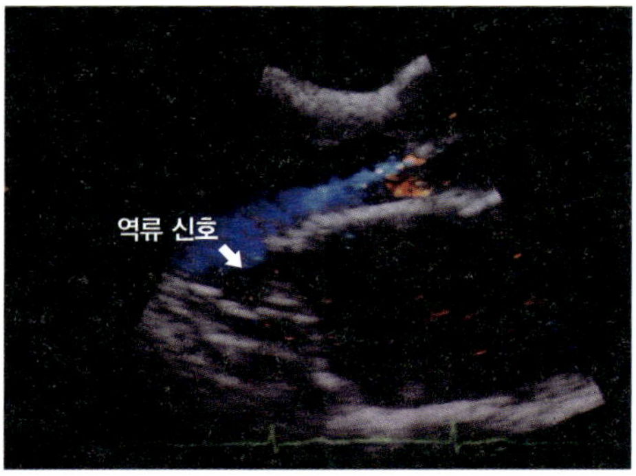

확장기에 보이는 대동맥판에서의 역류 신호. 승모판막 전첨/앞첨판 부분을 누르는 것처럼 향해 있다

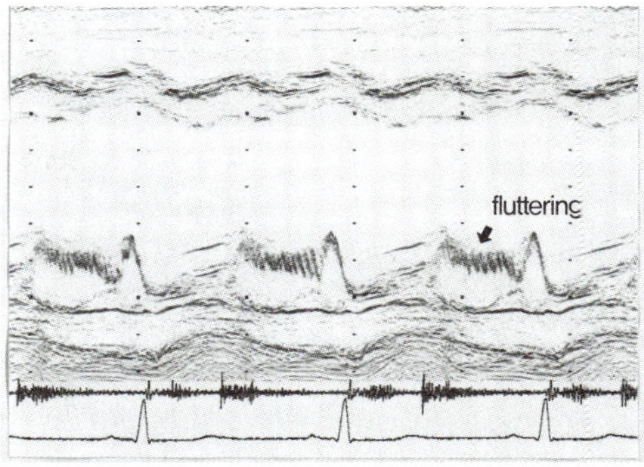

역류혈이 승모판막의 전첨에 부딪치기 때문에 fluttering이 일어난다

[그림 4-23] 대동맥판막역류의 컬러도플러 심장초음파(흉골측장축상)와 M모드 심장초음파

14 Vegetation

Vegetation은 감염성 심막염의 특이적인 소견으로, 그 확인은 임상적으로도 극히 중요하다.

감염균이 판에 붙어서 colony를 형성하는 것을 vegetation이라 한다. 이 때문에 vegetation이 부착되어 있는 판막의 에코는 증강된다**(그림 4-24)**. 또, M-mode echocardiogram에서는 vegetation이 shaggy echo로서 나타난다**(그림 4-25)**.

Vegetation은 초음파만으로 확정진단을 내릴 수는 없지만, 감염증상이 있는 환자(요인으로서는 치과의 발치후나 임신중절후, 요도 카테터 사용중의 사람들에게 많다)에게 심장의 증상, 특히 새로운 심잡음이 나타나는 경우에는 먼저 vegetation을 의심하여 심장초음파(Echocardiography) 검사를 실시해야 한다.

참고로 말하면, vegetation(감염성 심장속막염)의 증상으로서 유명한 질환으로는 손가락의 끝의 Osler 결절이나 안저의 Roth반 등이 있다. 이들은 감염성 심막염으로 인해 생긴 vegetation이 떨어져서 전자가 된 것이므로 쌓인 장소는 다르지만 병태로서는 동일한 것이다.

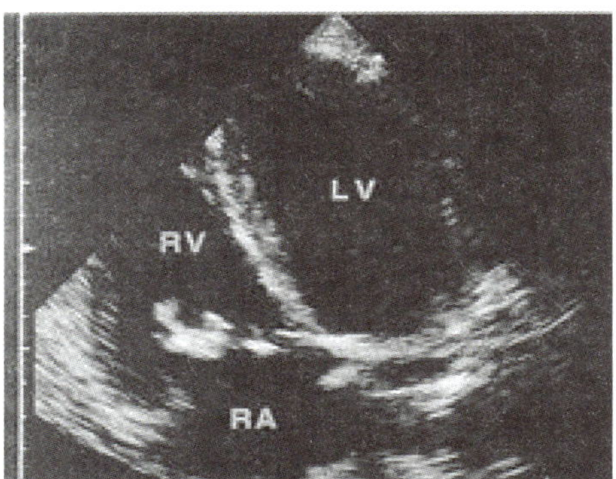

[그림 4-24] Vegetation의 단층 echocardiogram

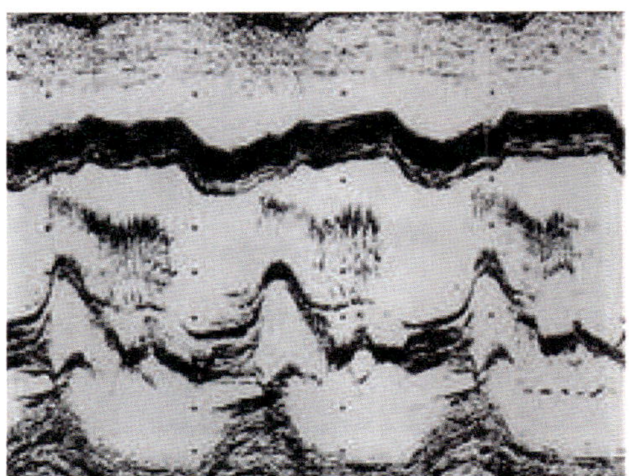

[그림 4-25] Vegetation의 M-mode echocardiogram

15 심막염/심장막염 Pericarditis

심막염은 심외막의 염증이다. 급성기와 만성기에서 소견이 달라진다. 급성기에는 찌르는 듯한 예리한 동통이 온다. 이를 급성 심막염이라 하며, 염증에 대한 소견으로서는 심막강/심장막공간에 액체저류를 볼 수 있다. 급성 심막염 후, 심막이 섬유성 변화를 일으켜 어떤 경우에는 석회침착을 유발한다. 이것이 고도로 진행되면, 심장이 짓눌려 찌부러져 운동제한을 받게 된다. 이것을 만성 수축성 심막염이라고 한다.

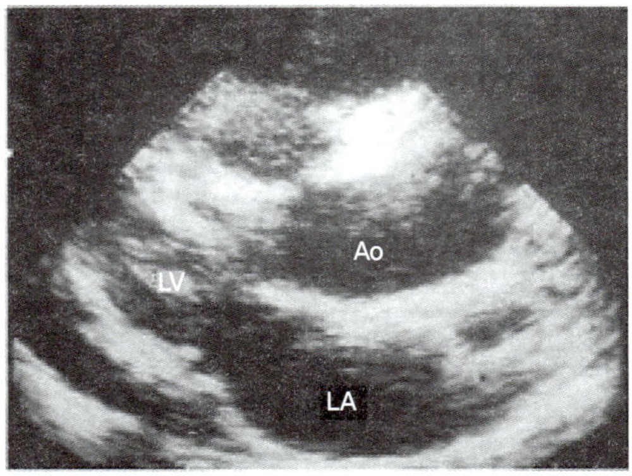

[그림 4-26] 심막염의 단층 echocardiogram

급성 심막염의 단층 심장초음파 검사 및 M-mode echocardiogram에서는 액체저류로 인한 echo free space가 특징적이다. 초음파상에서는 심막강/심장막공간 내에 액체저류를 가져오는 것이라면 무엇이든 동일하게 보이므로, 대동맥류파열이나 심파열로 인한 심장압전(cardiac tamponade)이나 점액수종(cardiac myxoma)에서도 같은 소견이 보인다(그림 4-26).

만성 수축성 심막염이 되면, 당연히 섬유화로 인한 심막의 비후가 보이기도 하며, 확장부전/확장기능상실으로 인해 좌심실 후벽의 평저화가 나타나기도 한다.

16 허혈성 심장병

허혈성 심장병이라면, 심전도가 가장 먼저 떠오르겠지만, 심근의 경색 부위의 운동저하나 섬유화로 인한 변화를 직접 볼 수 있는 단층 심장초음파(2D-echo)도 위력을 발휘한다. 또 심근경색 후의 합병증인 심파열이나 심실류, 심실내 혈전의 유무도 확인할 수 있으므로 중요한 검사가 된다.

각론

V 부정맥 Arrhythmia

A 부정맥은 왜 치명적인가?

심박수가 증가하면, 그에 비례하여 심박출량도 증가한다. 그러나 PSVT(HR＞150)의 경우 심박출량은 감소하기 시작한다. 이는 심박수가 증가할 때, 주로 확장기 시간이 단축되기 때문에 일어나는 현상이다.

확장기 시간이 단축되면, 2가지의 좋지 않은 상태가 발생한다. 하나는 이미 아는 바와 같이, 심실이 혈액으로 충만해지는 것은 확장기에 일어나므로 확장기 시간의 단축은, 심실이 혈액으로 채워지기 위한 시간을 단축시켜 심박출량의 감소를 초래하는 것이다.

다른 하나는, 관상동맥 혈류가 주로 확장기에 흐르기 때문에, 확장기가 단축된다는 것은 심근허혈을 유발하여 심장활동에 악영향을 미치는 것이다.

한편, 서맥/느린맥을 유발하는 경우에도 심박출량의 감소를 초래한다. 심박수가 감소하면 그것을 보상하기 위하여 1회 박출량이 증가되는데, 심박수가 40/min 이하가 되면 그 보상 기전도 손상되어 심박출량이 감소되는 것이다.

심박출량에 영향을 미치는 부정맥으로서는, 위에서 언급한 빈맥/빠른맥(tachycardia), 서맥(brady-cardia)의 경우가 있다는 것은 알고 있겠지만 그것만이 전부는 아니다. 심방수축과 심실수축이 조화를 이루지 못하는 경우에도 심박출량은 역시 감소한다.

정상적인 심장주기에서는 심방이 수축함으로써 심실에 혈액이 충만하게 된다. 그러나, 심방이나 심실 어느 쪽이든 마음대로 흥분하여 아무 때나 수축을 하게 되면, 심방수축이 심실충만 때문에 유효한 기능을 다하지 못하는 상태가 일어나기 시작한다. 또한 심방세동/심방잔떨림 등에서 처럼 심실로 향하는 혈액충전(atrial kick)이 완전히 소실되면, 그것만으로 심박출량이 약 20%나 감소되는 것으로 알려져 있다.

이상과 같이 부정맥을 생각할 때는 반드시 그것이 미치는 혈역학적 변화에 대한 영향을 생각하지 않으면 안 된다. 그 부정맥의 치료의 여부에 대해서, 가장 중요한 근거가 되는 것이 바로 이러한 혈역학적 변화에 대한 문제이다.

B 부정맥에 대하여

1 부정맥은 왜 발생하는가?

심근에는 자발성/자동능(automatism)이 있다. 예를 들면, 생체에서 꺼낸 심장을 아주 잘게 썰어 배양액 속에 넣어보면, 개개의 심근세포는 고유의 리듬으로 수축하는 것이 관찰된다. 이를 자발성이라고 한다.

심장에는 동방결절 외에 심방근, 방실결절, 심실근 등이 있는데, 이들을 만드는 심근세포는 모두 자발성을 가지고 있다. 단지, 실제 심장 속에서 이들 심근세포가 모두 제각각의 페이스로 수축하고 있는 것은 아니다.

다양한 자동수축능을 가진 심근세포를 다시 모아 심장을 재구축하면, 심장전체는 가장 높은 빈도로 수축하는 심근세포의 페이스에 말려든다. 실은 이 중에서도 가장 높은 빈도의 페이스로 수축하고 있는 것이 동방결절의 심근세포이다.

따라서 천천히 수축하는 심근세포도 동방결절의 수축 페이스에 끌려 들어가 수축하게 된다. 바꿔 말하면, 가장 높은 빈도로 수축하는 심근세포가 심장 전체의 수축 빈도를 주도해 가는 것이다.

이렇게 동방결절(sinoatrial node ; SA node)과 같이 주도적인 역할을 하는 것을 심박조율기(pacemaker)라고도 한다.

그런데, 만약 동방결절보다 더 빠른 자발성/자동능(automatism)을 가진 심근세포가 나타나면 어떻게 될까? 그렇게 되면, 동방결절은 심박조율기(pacemaker)의 자리를 빼앗기고 더 빨리 수축하는 심근이, 심장 전체의 수축빈도를 결정하는 심박조율기가 되어버린다. 이 비정상적인 심박조율기가 동방결절 이외의 장소에서 생기면, 그것이 심장 전체를 빠른 페이스로 수축시킨다. 이러한 비정상적인 심박조율기를 "이소성 흥분원/딴곳 흥분원(ectopic stimulant)"이라 한다. 이소성 흥분원은, 빈맥성 부정맥/빠른부정맥(tachyarrhythmia)에 대한 발생기전의 중요한 요소 중 하나이다.

한편, 서맥성 부정맥/느린부정맥(bradyarrhythmia)은 어떠한 기전으로 일어나는 것일까?

심방과 심실 사이에서 흥분파의 전달이 이상하여 심방수축의 흥분이 심실 쪽으로 전해지지 않게 되는 경우가 있다. 그러면, 동방결절에 의한 pacemaking은 차단되고, 심실은 수축하지 않게 된다. 그러나 잠시 지나면 심실 심근세포 자체의 자발성이 움직이기 시작하여 심실도 천천히 수축하기 시작한다. 이 때에는 앞에서도 언급했듯이 심실의 수축빈도가 동방결절의 수축빈도보다 당연히 낮아진다. 따라서 정상적인 경우에 비해서 서맥/느린맥이 된다.

관점을 바꾸어 생각하면, 전체를 리드하던 pacemaker가 사라지면, 리더를 대신하여 2인자가 심박조율기 역할을 대행하게 되는데, 2인자는 본래의 리더만큼 전체를 끌어갈 수는 없기 때문에 페이스가 다운되어 느린맥이 되는 것이다.

이와 같이 느린맥 부정맥이 일어나는 기전의 하나로서, 흥분의 전도가 단절되어 버리는 경우가 있다. 이러한 이상을 흔히 "block"이라고 한다.

2 빈맥성 부정맥/빠른부정맥 Tachyarrhythmia

V

1. 왜 심방성과 심실성으로 나누는가?

이소성 흥분원이 심방 어딘가에 있으면, 심방성 빈맥/심방성 빠른맥(atrial tachycardia)이 되고 심실 어딘가에 있으면 심실성 빈맥/심실성 빠른맥(ventricular tachycardia)이 된다. 그런데, 심방에 있느냐, 심실에 있느냐를 나누는 것이 왜 그렇게 중요할까? 이것을 이해하기 위해서는 정상 심장의 흥분 전달방법에 대해 다시 한번 살펴볼 필요가 있다.

앞에서 서술했듯이, 우선, 동방결절(sinoatrial node ; SA node)이 가장 먼저 흥분하기 시작한다. 이 흥분은 좌 · 우의 심방을 수축시킨 후에 방실결절(atrioventricular node ; AV node)에 모인다. 심방과 심실 사이는 절연된 상태로 되어 있어 흥분이 전해질 수가 없다. 정확하게는 한 곳이 제외되어 있는데 그 한 곳이 바로 bundle of His이다.

이 bundle of His를 건너 심실로 갈 때는 모두 함께 건너는 것이 원칙이다. 즉, 심방을 수축시킨 흥분이 차례차례 bundle of His에 도착하는데, bundle of His에 도착한다고 해서 바로 건너갈 수 있는 것은 아니다.

Bundle of His를 건널 수 있는 배는 항상 출항하는 것이 아니라 bundle of His 바로 앞에 방실결절을 두고 심방의 여기저기를 전하는 흥분들이 전원 집합하기를 기다린다.

그래서 모든 심방근의 수축이 끝나, 모두 방실결절에 도착하는 순간, 일제히 배를 타고 bundle of His를 건너가는 것이다. 그리고 심실에 도착하면 right branch, Lt. ant. fascicle, Lt. post. fascicle의 3줄로 나뉘어 각각의 행선지인 심실근에 흥분을 전하는 것이다. 이런 흥분전도의 양식을 염두에 두고, 다음의 심방성과 심실성을 비교해 보자.

2. 심박성 빈맥과 심실성 빈맥

먼저, 심방성인 경우 심방에 있는 이소성 흥분원/딴곳 흥분원(ectopic stimulant)이 높은 빈도로 발생되어 심방을 수축시킨다. 심방은 높은 빈도로 수축되지만, 그 흥분이 모두 고스란히 심실로 운반되는 것이 아니다.

위에서 언급했듯이, AV node가 있기 때문이다. 이 대합실에서 모든 흥분이 모이는 것을 기다린 후, bundle of His를 건너가기 때문에, 결국 심실 쪽의 수축빈도를 결정하는 것은 bundle of His를 건너는 흥분의 빈도가 되는 것이다. 아무리 심방이 빨리 수축하여도 AV node가 건너가는 것을 제한하면, 심실수축의 횟수는 증가하지 않는다. 또한, bundle of His를 건넌 후에는, Rt. · Lt. branch, 심실근으로 향하는 흥분의 전도는 항상 같이 일어난다. 따라서 심실 수축자체에 커다란 문제는 없으며, 폐나 전신으로의 ejection은 특별한 지장없이 이루어진다. 한편, 심실성의 경우는 AV node와 같은 대합실이 없으므로 심실에 생긴 이소성 흥분원이 작동하면, 그것은 바로 심실의 수축으로 이어진다. 만약 흥분원이 200회 발생하면, 심실근이 어떤 강한 자극에도 반응하지 않게 되는 불응기(refractory phase)로 들어가지 않는 한, 반드시 200회 수축하는 것이다. 따라서 앞에서 서술한 바와 같이 혈행동태에도 영향을 미치며, 심박출량의 저하를 유발하기 때문에 위험한 상태를 초래할 가능성이 있는 것이다.

3 서맥성 부정맥/느린부정맥 Bradyarrhythmia

Block에 대해서 좀 더 상세하게 살펴보자.

Block은 크게 3가지로 나뉘어진다. 이들은 SA block, AV block, 그리고 bundle branch block이다. 이중에서 실제, 서맥/느린맥(bradycardia)을 일으켜 문제가 되는 것은 SA block과 AV block의 2가지이다.

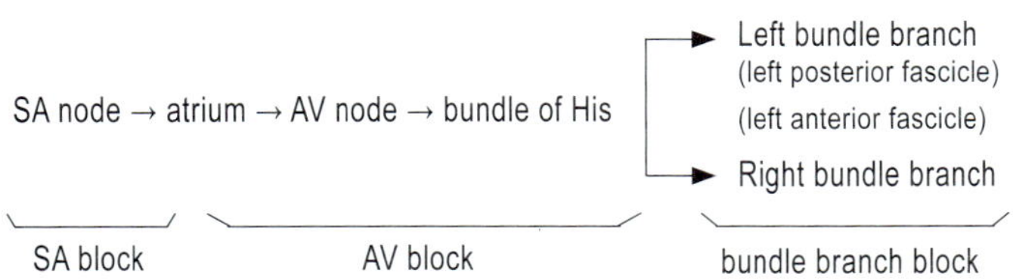

ADVANCED STUDY **부정맥에 대하여**

기타 부정맥

그 외 부정맥성 질환으로서 bundle branch block과 WPW syndrome이 있다.

1. 각차단/다발갈래차단 Bundle branch block

각 block은 앞에서 말한 바와 같이 Rt. bundle branch block(RBBB), Lt. ant. fascicle block(left anterior bundle branch block), Lt. post. fascicle block(left posterior bundle branch block)의 3종류가 있다. 또한, QRS 폭의 넓이에 따라 완전 block과 불완전 block으로 나뉘어진다.

- 불완전 block … QRS 폭 0.1초까지
- 완전 block … QRS 폭 0.12초(3mm) 이상

간단히 정리하면,

① 우방실 각차단(RBBB)**(그림 5-1)**

② 좌방실 각차단(LBBB)**(그림 5-2)**

또한,

- Lt. ant. fascicle block → LAD
- Lt. post. fascicle block → RAD

가 된다.

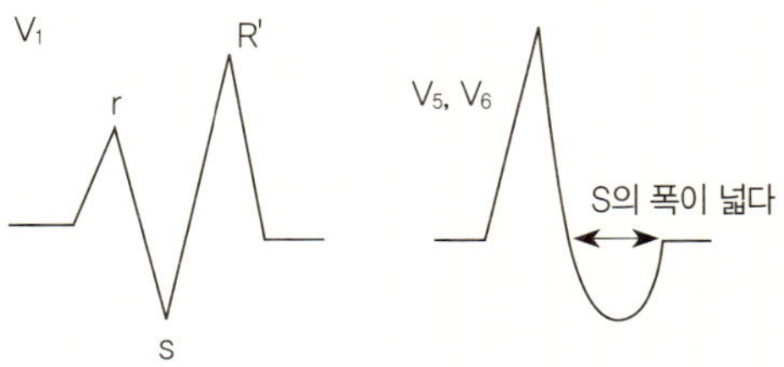

[그림 5-1] Right bundle branch block(RBBB)

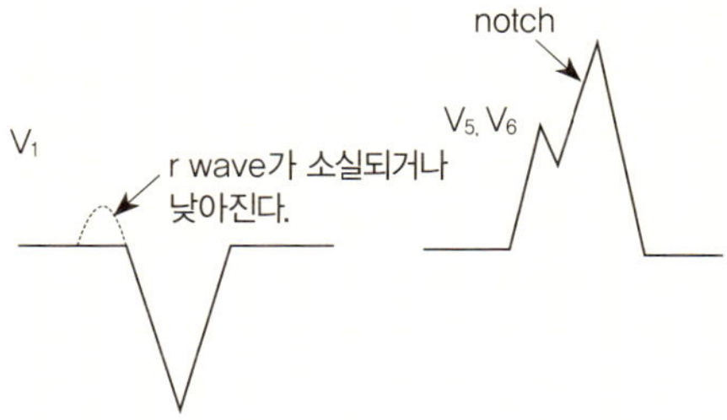

[그림 5-2] Left bundle branch block(LBBB)

2. WPW syndrome

심방과 심실 사이에 bundle of His 외에 또 다른 한 줄기의 흥분 bypass 통로가 생기는 질환이다. 이 통로를 Kent's bundle(또는 accessory fiber)라고 한다. 이는 bundle of His보다 흥분전도 속도가 빠른 것이 특징이다. 따라서 Kent's bundle을 전하는 흥분은 bundle of His보다도 먼저 돌아 심실을 흥분시킨다.

심전도에서도 설명했듯이, 그 특징은 PQ 단축, QRS 연장, δwave의 3종류이다. 또한, WPW syndrome은 다음의 2가지의 타입으로 나뉘어진다.

① Kent's bundle이 좌심방 – 좌심실 사이에 놓여 있다.

→ type A(V_1에서 높은 R wave)

② Kent's bundle이 우심방 – 우심실 사이에 놓여 있다

→ type B(V_1에서 S wave가 눈에 띈다)

그러면, 이 WPW syndrome이 왜 부정맥을 일으키는 것일까? 그것은 Kent's bundle에서 흥분이 먼

저 돌아오는 것과 관계가 있다. 먼저 흥분한 심실근은 본래 bundle of His → bundle branch의 전도의 흐름을 무시하고 수축하기 시작하므로 상대적으로 늦게 흥분하기 시작한 bundle of His가 심실로 흥분을 전하려고 했을 때는, 반대로 심실의 흥분이 밀려와 심방 쪽으로 역류해 버리는 것이다.

즉, 본래 심방에서 심실로 전해져야 할 흥분이 반대로 심실에서 심방으로 전해지는 것이다. 그래서 심방으로 전해진 흥분은 다시 Kent's bundle 속으로 흘러 심실에 들어가면, 쳇바퀴 돌듯 심방과 심실이 수축을 반복하게 되는 것이다. 이러한 이상 현상을 "reentry"라고 한다. WPW syndrome은 평상시는 전혀 증상이 없다가, 갑자기 reentry가 일어나면, 빈맥 발작이 일어나 환자는 심계항진/두근거림과 흉통/가슴통증을 호소하게 된다. 이러한 부정맥을 "발작성 심실상성 빈맥/발작성 심실위 빠른맥(paroxysmal supraventricular tachycardia ; PSVT)"이라고 한다.

심실상성이란 심실의 위라는 의미로 심방을 가리키는데, 이 경우는 reentry를 일으키는 심방과 심실 양쪽을 지칭하는 것이다.

WPW syndrome에서 볼 수 있는 부정맥에는 이외에도 발작성 심방세동/심방잔떨림이 있다. 양쪽의 차이를 정리하면 **표 5-1**과 같다. WPW syndrome의 치료에서 포인트를 정리하면,

① 발작이 없으면 무증상이므로 경과관찰
② 발작이 있으면 약물투여
③ 약이 효과가 없을 때에는,
- catheter ablation(심실내 catheter로 Kent's bundle을 지져서 태운다)
- 부전도로(accessory pathway) 절단술

④ digitalis는 금기이다.

특히 발작성 심방세동이 왔을 때는 Ca-blocker, β-blocker 투여도 금기이다. 만약에 Af를 동반한다면 어떻게 해야 할까? Af는 digitalis로 치료하는 경우도 있지만, WPW가 원인으로 생긴 Af에는 금기이다. 이때는 전기적 제세동이 필요하다.

	발작성 심실상성 빈맥(PSVT)	발작성 심방세동(PAf)
빈 도	80%	20%
증 상	심계항진/두근거림, 흉통/가슴통증	혈압저하 실신 돌연사 (PSVT보다 중증)
심전도	δ wave는 소실 QRS폭은 정상이 된다(아래 그림) 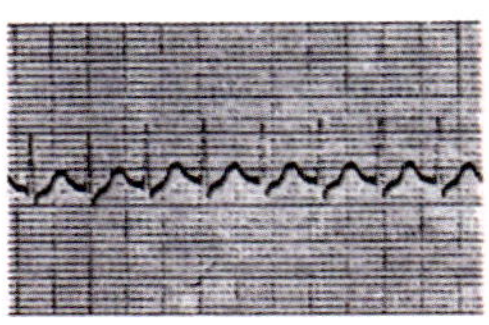	δ wave는 (+) QRS폭도 넓은 상태를 유지. QRS 출현은 '불규칙'. 'pseudo VT'라 부르기도 한다. 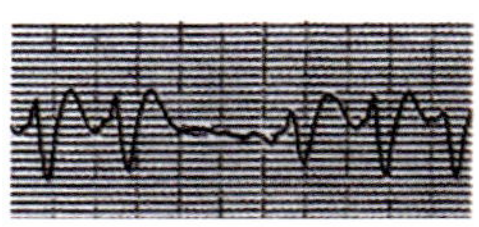

[표 5-1] 발작성 심실상성 빈맥과 발작성 심방세동의 비교

C 부정맥 판독

1 빈맥인가 서맥인가를 본다

정상적인 심박수는 60~100회/분이다. 60회/분 이하를 서맥/느린맥(bradycardia)이라 하며, 100회/분 이상을 빈맥/빠른맥(tachycardia)이라고 한다.

부정맥에는 서맥성 부정맥과 빈맥성 부정맥이 있다. 먼저 이들 부정맥에는 어떠한 질환이 포함되는지 전체적으로 살펴보자.

부정맥에 대한 심전도를 볼 때에는 위에서 언급한 기본사항을 토대로, 일단 서맥인지 빈맥인지를 판단하는 것이 중요하다.

앞에서 심박수를 신속하게 구하는 식에 대해서 설명한 것을 상기하기 바란다.

$$\text{심박수} = \frac{300}{\text{R - R 간격의 코마수}}$$

이것으로 계산한다면 다음과 같다.

- R-R간격이 3코마 이하 … 빈맥
- R-R간격이 5코마 이상 … 서맥

이렇게 하여 우선, 그 심전도가 의미하는 부정맥이 서맥인지 빈맥인지 구별한다. 그 다음에는 위에서 언급한 6가지 정도의 질환을 염두에 두고 생각해 본다. 그러면 각각의 이상을 구별하는 방법에 대하여 알아보자.

빈맥성 부정맥(Tachyarrhythmia)

심방성
- ① 심실상성 빈맥 : SVT(AT)
- ② 심방조동 : AF
- ③ 심방세동 : Af

심실성
- ④ 심실성 빈맥 : VT
- ⑤ 심실조동 : VF
- ⑥ 심실세동 : Vf

서맥성 부정맥(Bradyarrhythmia)

① **동부전 증후군/동기능상실 증후군**(sick sinus syndrome)
- I군 … 동성 서맥(sinus bradycardia)
- II군 … SA block 혹은 sinus arrest(동정지)
- III군 … 서맥 빈맥증후군(bradycardia tarchycardia syndrom)

② AV block
- I도 … PR interval(>0.2s) 연장
- II도
  - **Mobitz I형(Wenckebach형)**
    박동마다 PR interval이 연장되어 QRS complex가 1회 소실. 그후, PR interval이 정상 후, 다시 PR interval이 연장하며 반복된다.
  - **Mobitz II형**
    돌연 QRS complex가 탈락. PR interval의 연장은 없다.
- III도 … P wave와 QRS complex가 완전히 독립하여 출현한다.

2 빈맥성 부정맥에 대한 심전도의 판독

빈맥(tachycardia)으로 판단된다면, 그 다음에는 심방성인가 심실성인가 하는 점을 본다. 양자의 구별에 중요한 것은 QRS complex의 폭이다.

- QRS complex폭이 정상 → 심방성
- QRS complex폭이 넓다 → 심실성

QRS complex 폭은 정상에서는 0.1초를 넘지 않으므로 대강 위와 같이 암기해 두면 된다. 그러면, QRS complex 출현의 규칙성에 대하여 알아보자. R-R간격이 매회 같은 간격이라면 규칙적이며, 매회 다른 간격이라면 불규칙적이다.

- 규칙적이면 → 조동/된떨림(flutter)
- 불규칙적이면 → 세동/잔떨림(fibrillation)

이상의 2가지 관점에서 6가지의 빈맥성 부정맥을 크게 **표 5-2**와 같이 나눌 수 있다. 다음으로 SVT(AT)와 AF의 구별에 대해서 알아보자. 여기에서 중요한 것은 "F wave"의 유무이다. F wave라는 것은 톱니처럼 300/분(딱 1코마 간격)으로 규칙적으로 배열되는 wave이다. 이 F wave가 있으면 AF이고, F wave가 없고 P wave가 있으면 SVT이다. 정리하면 **표 5-3**과 같다.

	QRS complex 폭 정상	QRS complex 폭이 넓다
규칙적	SVT(AT) AF	VT VF
불규칙	Af	Vf

[표 5-2] 빈맥성 부정맥의 분류

	P wave	F wave
SVT	(+)	(−)
AF	(−)	(+)

[표 5-3] P wave와 F wave의 비교

다음으로 VT와 VF의 구별에 대하여 알아보자. 이 두 가지에는 P wave가 없는 점, QRS complex의 폭이 넓다는 점 등의 공통점이 있다. 그러나 확실히 구별할 수 있는 기준은 없으며, 비교적 QRS-T의 형태가 유지되며 심박수가 180~200/분이면 VT이다. 한편, QRS의 진폭이 커지며, 형태도 sine wave와 같고 200~250/분이면 VF라고 한다. 여기서 각 심전도에 대하여 살펴보자.

1. 심실성 빈맥 VT

심실성 빈맥/빠른맥(tachycardia)의 심전도는, 심실성 조기수축의 wave가 연속되어 있다고 생각하면 이해하기 쉬울 것이다. **그림 5-3**에서 심전도의 심박수는 200/분이다. 심실성 빈맥은 180~220/분 정도의 심박수가 되는 경우가 많다.

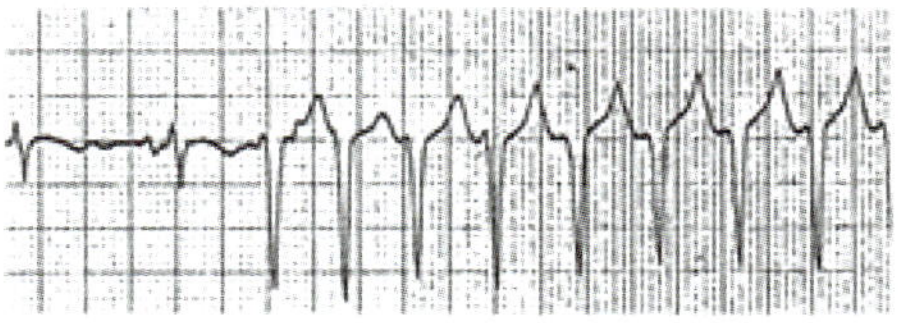

[그림 5-3] **심실성 빈맥(VT)**

2. 심실조동/심실된떨림 VF

심박수는 220/분 정도인데, 규칙적인 수축이다**(그림 5-4)**.

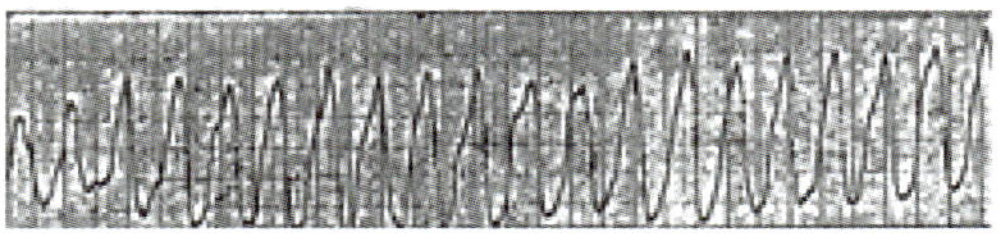

[그림 5-4] **심실조동**/심실된떨림 (ventricular flutter)

3. 심실세동/심실잔떨림 Vf

심박수 300/분 정도인데, 현저하게 불규칙적인 수축을 한다**(그림 5-5)**.

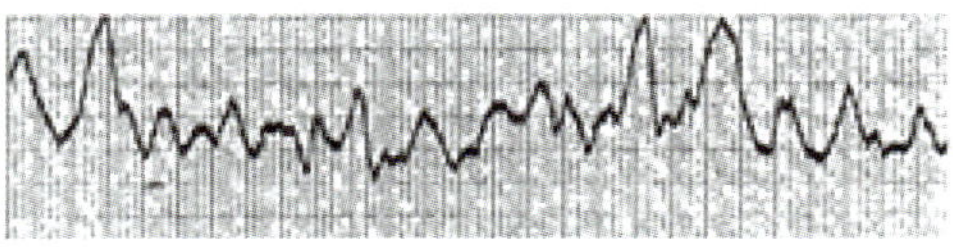

[그림 5-5] **심실세동**/심실잔떨림 (ventricular fibrillation)

V

4. 발작성 심실상성 빈맥/발작성 심실위 빠른맥 PSVT

심박수는 약 200/분, PSVT도 180~220/분 정도의 심박수가 되는 경우가 많다(**그림 5-6**). 앞의 심실성 빈맥도 180~220/분 정도의 심박수가 되므로 구별이 되지 않는다고 생각할 것이다.

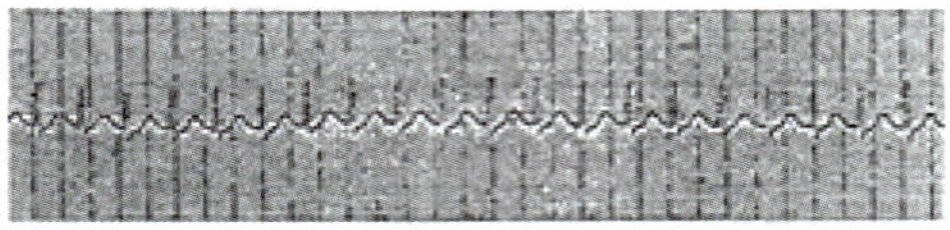

[그림 5-6] **발작성 심실상성 빈맥(PSVT)**

그러나 감별은 간단하다. PSVT의 경우는 정상의 파형에 가까운 QRS-T wave가 연속되어 있으므로 QRS complex 폭도 정상이고, QRS wave와 T wave가 향하는 방향도 같다(**그림 5-7**).

한편, 심실성 빈맥(tachycardia)의 경우는 QRS wave의 폭이 넓으며, T wave와의 반대 방향인 상태로 연속되어 있다(**그림 5-8**).

PSVT의 경우

상심실성 기외수축/심방성 조기수축(premature contraction) → 그것이 연속하여 일어난다.

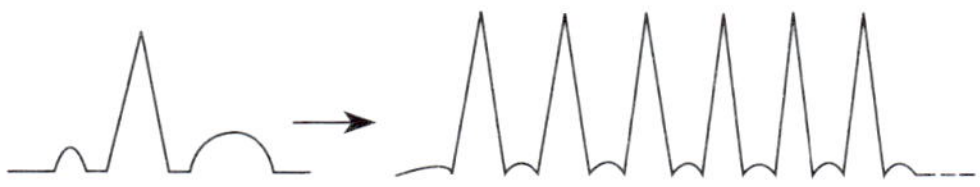

[그림 5-7]

심실성 빈맥의 경우

심실성 조기수축 → 그것이 연속하여 일어난다.

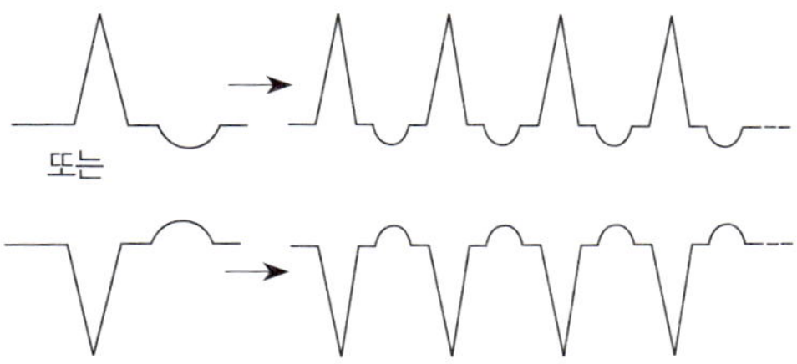

[그림 5-8]

그림 5-6의 심전도는 분명히 상심실성 기외수축/심방성 조기수축이 연속하여 일어나는 타입에 일치한다. 따라서 PSVT로 진단된다.

5. 심방조동/심방된떨림 AF ; atrial flutter

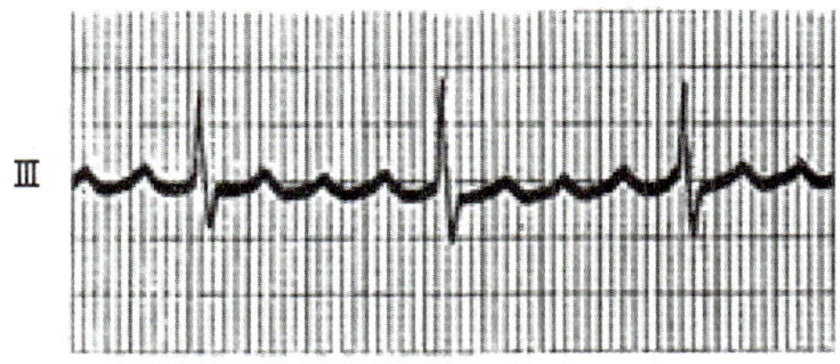

[그림 5-9] 심방조동

Base line이 톱니처럼 들쭉날쭉 흔들린다(그림 5-9). 이를 F wave(Flutter wave)라고 한다.

F wave는 약 300/분의 빈도이다. F wave 4개에 대하여 1회의 QRS complex가 나오는데, 이는 4 : 1의 AV block이 일어나고 있는 것을 의미한다. 즉, 심방 4회의 수축에 대하여 심실은 1회만 수축하는 것이다.

따라서, 심박수(심실의 수축 횟수)는 75/분이 된다. 심방조동/심방된떨림은 이러한 2 : 1, 4 : 1 AV block을 일으키는 경우가 많다.

6. 심방세동/심방잔떨림 Af ; atrial fibrillation

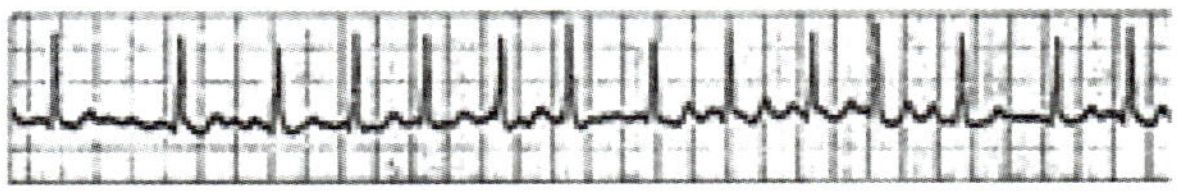

[그림 5-10] 심방세동

P wave는 소실되고 불규칙적인 base line의 흔들림으로 심방세동/심방잔떨림이 그려진다(그림 5-10). 이를 f wave(fibrillation wave)라고 한다. QRS complex의 출현도 불규칙적이다.

3 서맥성 부정맥의 심전도 판독

1. 동기능부전 증후군 Sick sinus syndrome

- Ⅰ군 : 규칙적, 지속적

  Ⅰ군 : 동성 서맥(sinus bradycardia)

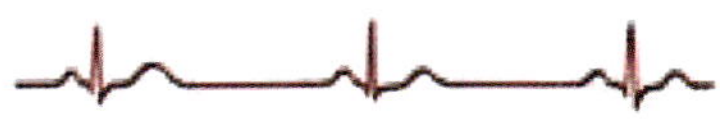

- Ⅱ군 : 불규칙적, 돌발적

  동정지

  Ⅱ군 : 동정지(sinus arrest)

  SA block

  Ⅱ군 : SA block

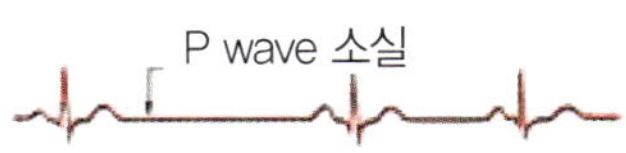

- Ⅲ군 : 서맥과 빈맥 양쪽을 모두 동반한다.

  (위의 Ⅰ군 or Ⅱ군) and (Af or AF or PSVT)

  Ⅲ군 : 서맥 빈맥 증후군

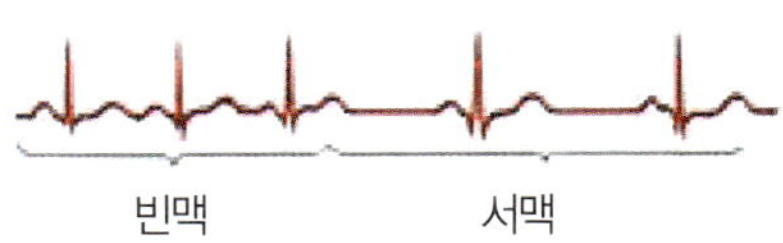

2. AV block

Ⅰ~Ⅱ도의 차이에 대해서는 p.87을 살펴보기 바란다. 여기에서는 실제의 심전도를 살펴보자.

1) 1도 AV block

PR interval의 연장이 나타난다(그림 5-11).

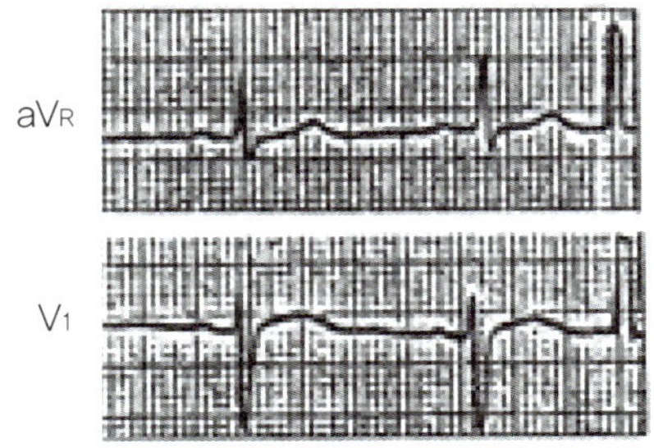

[그림 5-11] 1도 AV block

2) 2도 AV block

① Mobitz Ⅰ형(Wenckebach형)

PR interval이 서서히 연장되며 QRS complex 가 1회 쉰다. 그 후, PR interval은 다시 정상 간격으로 되돌아가 서서히 연장된다(그림 5-12).

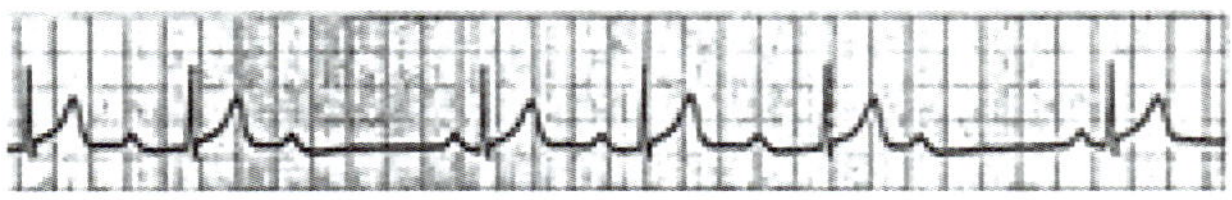

[그림 5-12] 2도 AV block, Mobitz Ⅰ형(Wenckebach형)

② Mobitz Ⅱ형

PR interval은 일정하며 3박에 1박의 비율로 QRS complex가 나타난다(그림 5-13). 3 : 1 전도의 Mobitz Ⅱ형 AV block이다.

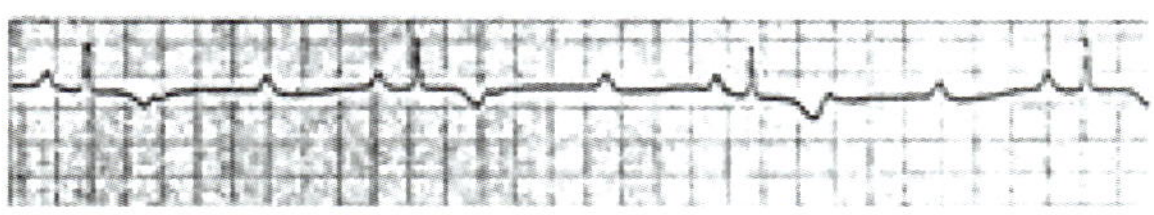

[그림 5-13] 2도 AV block, Mobitz Ⅱ형

3) 3도 AV block(완전 block)

QRS complex와 P는 연결되어 있지 않다.

P-P간격과 R-R간격은 각각 일정하며, 심방과 심실의 수축이 서로 독립되어 있다는 것을 알 수 있다(그림 5-14).

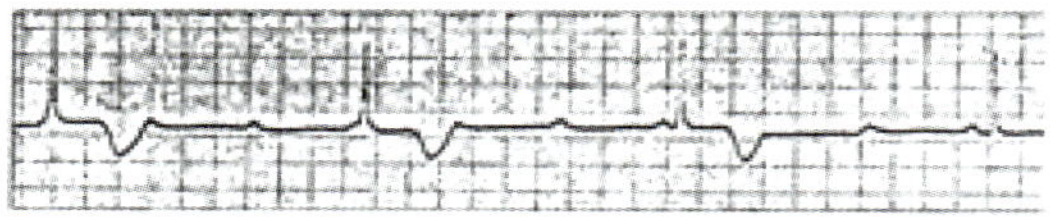

[그림 5-14] 3도 AV block

V

4 치료 및 간호

부정맥의 치료에는 다음과 같은 방법이 있다.

1) 물리적 요법

① 앞가슴 타격(고장난 기계에 타격을 주면 고쳐지는 현상과 동일)
② 미주신경자극
③ 전기적 제세동/전기적 세동제거(defibrillation)과 cardioversion
④ 심박조율기/심박동기(pacemaker) 삽입술

2) 약물요법

① 항부정맥제
② digitalis
③ atropine
④ isoproterenol, ephineprine

3) 외과적 요법(WPW syndrome의 accessory pathway 절제술 등)

부정맥 핵심정리

병태생리로 보는 부정맥

부정맥은 심장의 수축기능에 대해 중대한 영향을 미치는 이상상태이다. 부정맥이라는 단어에는 "맥이 일정하지 않은 질환"이라는 의미가 있지만, 정확하게는 심장자극의 형성이상이나 전도이상으로 일어나는 모든 병태를 포함하고 있다.

병 인	• **심근세포의 손상 및 심근의 국소빈혈** • **심장조직의 장애 :** 자극전도계 이외의 세포가 자동능을 갖게 됨 • **심질환 :** 심장판막증, 심근병증, 허혈성심질환, 심방중격결손증, 심부전 • **내분비질환 :** 갑상선 기능항진증 등 • **음주, 흡연, 카페인 등**
병 태	**자극형성이상** • 자극전도계의 자동능 항진과 저하 • 이상자동능 • 유발활동 **자극 전도이상** • 차단(심근허혈, 심근경색, 심근병증) • 회귀(연속적 탈분극)
증 상	**맥이 일정하지 않은 부정맥** • 기외수축(단발의 심박) • 심방세동 **느린 부정맥** • 자극형성이상(동서맥, 동정지, 동기능부전증후군) • 자극전도이상(방실차단) **빠른 부정맥** • 심실상성 빈맥(동성빈맥, 심방조동) • 심실성 빈맥(심실빈맥, 심실조동)

진 단 및 검 사	**진단** • 문진, 맥박, 심음청진 **검사** • 심전도(가장 정확), 홀터심전도, X-선 검사, 심장 초음파, 혈액·소변검사, 심장 카테터 검사
치 료	**심방세동** • 약물요법(β차단제, 칼슘길항제, 디지탈리스〈digitalis〉) • 전기쇼크(세동 제거의 방전) • 외과수술(Maze법, 인공심폐) • 카테터절제법 • 항응고요법(와파린) **서맥성 부정맥(느린부정맥)** • 심박동기(인공심박동기) 치료 • 약물요법(항콜린제, β자극제) **빈맥성 부정맥(빠른부정맥)** • 전기쇼크 • 고빈도조율 • 약물요법 • 카테터절제법

TIP

부정맥의 종류

종류	내용
심방조동	• 심방수축수 250~350회/분, 심실수축수 125~175/분 • P파의 기저선 위치에 톱니모양의 조동파(F파)가 생성된다.
심방세동	• 흔한 부정맥으로 노인에게 흔히 발생한다. • 가장 빠른 리듬을 보인다. • 심방수축수 350~600회/분, 심실수축수 100~150회/분
동성부정맥	• 가장 자주 나타나는 부정맥 • 청년층, 노년층에 호발 • 불규칙한 리듬으로 PP 간격 지연
동성서맥	• 미주신경의 활동증가 및 교감신경의 긴장 저하, 갑상선기능저하증, 점액수종 시 나타날 수 있음 • 정상 동성리듬과 동일한 특징을 지니고 속도만 느리게 나타남 • 심전도상 RR 간격이 점차 길어짐 • 40~60회/분의 규칙적인 심박동수가 나타남 • P파는 정상이고 QRS파 앞에 위치
동성빈맥	• 동방결절의 자동성이 높아져 분당 100회 이상의 빈맥이 발생 • 신체 운동 시 정상적인 생리적 반응으로도 나타남 • 부교감신경 차단제의 투여, 교감신경계의 자극, 카페인자극, 갑상선기능항진증, 쇼크 등의 전신적 장애가 있을 때도 나타남
방실연접부 전도 장애	• 동방결절에서 시작한 심장수축 자극이 방실결절에 도달한 후 His bundle branch로 전도가 지연되거나 차단되는 것 • 허혈, 류마티스 열, 약물 독성 등으로 인한 junction 손상이 원인 ① 1도 방실 차단 방실 결절에서의 전도장애로 심방과 심실의 전도시간 지연 ② 2도 방실 차단 간헐적인 방실 사이 전도 차단, QRS군이 가끔 탈락, 심방수축>심실수축 Mobitz 1 : PR간격이 길어짐, 결국 QRS군이 1회 탈락 Mobitz 2 : P파와 PR간격은 일정, QRS군 없음 ③ 3도 방실 차단 • 심방과 심실이 독립적으로 수축 • 심방수축수 60~100회/분, 심실수축수 20~40회/분 • P파는 정상이며 규칙적이지만 전도가 되지 않아 심실에 자극이 전달되지 않음 • QRS파는 P파와 상관없이 정상보다 지연되어 나타남
심실빈맥	• 3개 이상의 조기 심실수축이 분당 100회 이상으로 연속 출현 • 심실 수축 100~250회/분 • 무맥성 심실빈맥의 경우 즉시 CPR, 제세동
심실세동	• 심실 여러 부위가 불규칙한 수축, 이완하여 심박출량이 감소 • 조기(3~5분)에 적극적인 치료하지 않으면 사망 • 즉시 CPR, 제세동 • 제세동 효과 높이기 위해 에피네프린 및 바소프레신 주사

Ⅵ 심장판막병 Valvular heart disease

A 총론

심장판막병(valvular heart disease)은 심장병 중에서도 가장 중요한 질환 중의 하나이다. 그러나, 오늘날 그 발생 빈도는 차츰 줄어드는 추세에 있다.

4가지의 판막

① 승모판(mitral valve)
② 대동맥판막(aortic valve)
③ 삼첨판막/오른방실판막(tricuspid valve)
④ 폐동맥판막(pulmonic valve)

의 협착 및 역류와의 조합에 따라 다양한 형태의 병을 생각할 수 있다. 또한, 판막의 기능장애에는,

① 협착(stenosis) ; 판막이 열리지 않는다
② 역류(insufficiency) ; 판막이 닫히지 않는다

의 2종류가 있으며, 다음과 같은 작용을 한다. 즉,

- 협착은 순방향의 혈류를 방해하며,
- 역류는 역방향의 혈류(즉, 역류〈regurgitation〉)를 일으킨다.

그리고 협착이 생겼을 때는, 협착부위에 가까운 심방이나 심실에 압력부하가 가해지고, 반대로 역류가 생겼을 때는 그 부위의 먼 쪽 및 가까운 쪽 양쪽에 용적부하가 가해진다.

요컨대, 판막병의 병태는 위와 같은 압력부하 내지는 용적부하를 바탕으로, 심방 · 심실의 비대(확장)와 그에 이어 최종적으로 일어나는 압력상승이 전부이다.

1 병인

심장판막병의 병인으로서는 다음의 5가지를 생각할 수 있다.

① 류마티스성
② 선천성
③ 감염성 심내막염
④ 매독성
⑤ 기타 원인

여기에서는 ① **류마티스성**과 ⑤ **기타 원인**에 대해서 좀 더 자세히 살펴보자.

1. 류마티스성

심장판막병의 80~90%가 류마티스성인데, 오늘날은 현저하게 감소하고 있다. 연쇄상구균(streptococcus) 감염의 약 30%에서 급성 류마티스열이 발생하며, 그 중 약 절반에 해당하는 수에서 판막병이 발생한다. 가장 걸리기 쉬운 판막은, 승모판(MS>MR)이고, 그 다음이 대동맥판막이다(AS<AR). 연합판막병에서는 MS와 AR의 조합이 가장 많다.

2. 기타 원인

동맥경화, 심근병증, 결합조직질환 등에 동반되는 경우, IHD(허혈성 심장병 ; ischemic heart disease)에 의한 유두근기능상실 증후군(papillary m. dysfunction), 승모판탈출증(MVP) 등은 상대적으로 증가 경향에 있다.

이상, 병인별로 빈도를 본 것이 **그림 6-1**이다.

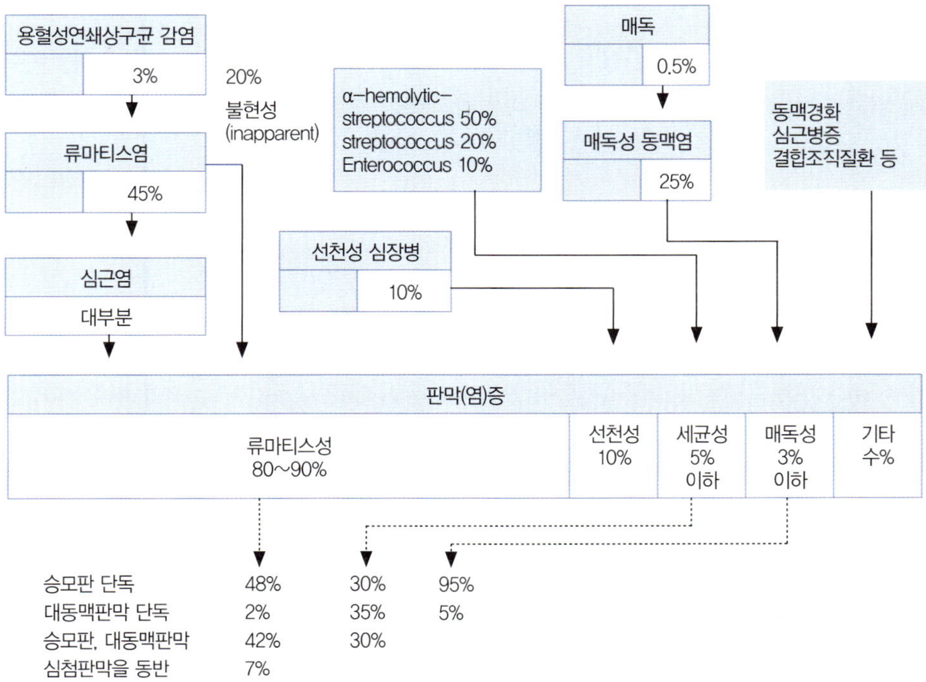

[그림 6–1] 심장판막병의 병인별 발생 빈도

B 승모판협착증 MS

1. 병인

승모판협착증(mitral stenosis ; MS)은 거의 류마티스성이지만, 그 중에 반수는 류마티스열에 대한 병력이 불명확하다고 알려져 있다.

2. 병태생리

본 질환에 대한 병태의 기본은 확장기(diastole)시에 좌심방에서 좌심실로 향하는 혈액의 유입이 저해되는 경우이다. 따라서 확장기 좌심방–좌심실 압력차를 유발하여, 좌심방압이 상승한다.

그 결과, 폐울혈이나 폐동맥압 상승, 우심실압 상승이 생기기 쉬운 것이다(심박출량의 저하, 폐혈관저항 증대, 우심부하가 특징이다).

3. 경과

초기에는 자각증상이 없지만, 얼마 지나지 않아 운동시 숨이 차오르기 시작한다. 이어 폐울혈/허파울혈로 인한 호흡기 증상을 보이며, 최종적으로는 우심부전/오른심장기능상실 증상을 보인다.

4. 신체소견

본 질환에 대한 신체소견을 각 항목별로 정리하면 다음과 같다.

① S_1 증가(p.103 플러스 코너 1.왜 MS에서 S_1이 증가하는가? 참조)
② 승모판 개방음(opening snap ; OS)
③ 확장기 조기 굴림성잡음(rumbling murmur)(early diastolic rumbling murmur)
④ 전수축기 잡음(presystolic murmur)
⑤ P_2 증가와 Graham Steel murmur(폐고혈압이 된 경우, PR murmur가 청취된다)

*** 전수축기 = 심방이 수축할 때이며, 좌심방에서 좌심실로 다량의 혈액이 보내지는 때이므로 MS가 강하면 잡음이 생긴다.**

5. 검사소견

1) 흉부 X-선 사진(chest X-ray)

본 질환의 흉부 X-선 소견에 대한 특징은 다음과 같다. 중요한 점은 승모판(mitral valve)이 좁기 때문에 그 앞에 있는 좌심방, 폐, 우심실에 혈액이 고인 모습이 보이는 것이다.

(1) 좌심방 확대

① 좌 제3궁/왼쪽 제3활(arch)의 돌출, 심장 좌연지/왼모서리가지의 직선화(삼각형 모양의 심장)
② 우변연의 double density

(2) 폐동맥압의 항진

① 폐혈관 음영은 폐윗부분에서 확대, 폐아랫부분에서 협소화(antler pattern)
② 사이질 폐부종
③ Kerley B line

(3) 우심실 확대

① 심첨부 융기(apex elevation)

② 옆에서 본 심음영은 전방으로 확대되어 retrosternal space는 작아진다**(그림 6-2)**.

2) 심전도

이 증상의 심전도소견에 대한 특징은 다음과 같다.

① mitral P wave

② RVH

③ 심방세동으로 진행되는 예가 많다.
(심방부하가 원인)

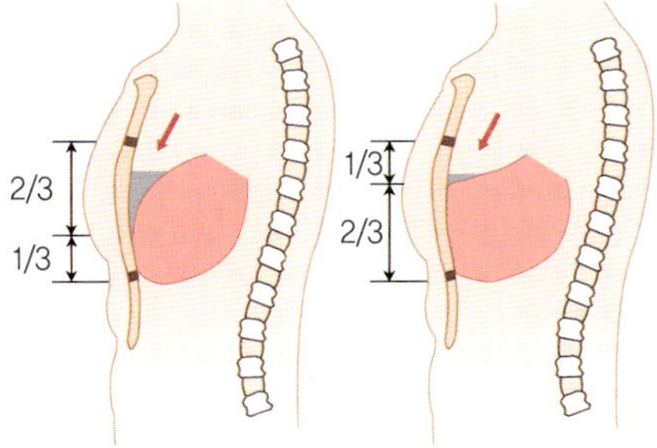

정상에서는 흉골의 아래 1/3에만 우심실벽이 접해 있다. 접해있지 않은 위 2/3의 공간을 retrosternal space(화살표)라 부른다

우심이 확대대면 접하는 면적이 커지고 접하지 않는 윗부분, 즉 retrosternal space(화살표)는 좁아진다

[그림 6-2]

3) 심장초음파소견

이 증상의 심장초음파소견에 대한 특징은 다음과 같다.

(1) M – mode mitral 심장초음파

- valve의 brightness 증가

  E wave 진폭 및 DDR(Diastolic descent rate, 확장기 판막 후퇴속도)의 감소

(2) 좌심실 단축 단층상

경계부의 유합, 판막입구면적(valvular orifice)의 협소화

4) 청진

본 질환의 청진소견에 대한 특징은 다음과 같다.

- diastolic murmur의 연장
- A_2 – OS 시간단축

  diastolic murmur의 연장, A_2 – OS 시간은 MS의 중증도를 나타내는 지표가 된다.

5) 심장카테터 검사 (그림 6-3)

본 질환의 심장카테터 검사에 대한 특징적인 소견은 다음과 같다.

① 좌심방압, 폐동맥 쐐기압(PCWP)이 상승하며, 따라서 좌심실과 압력차가 생긴다.

② 좌심방압 파형

a wave 높이 증가, y곡이 얕아짐

③ 좌심방 – 좌심실의 압력교차는 중증일수록 증대된다.

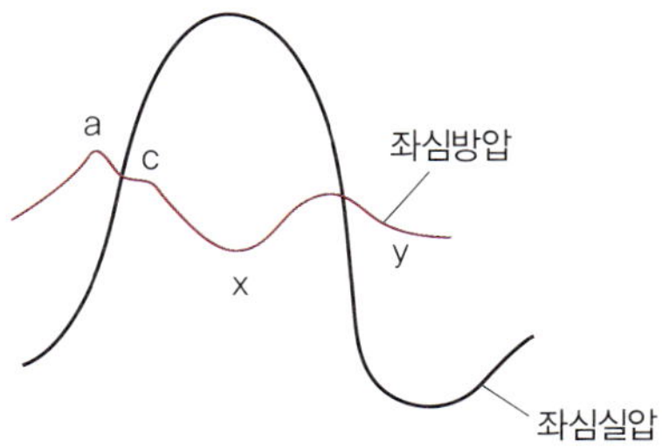

[그림 6-3] 승모판협착증(MS)의 좌심방압 파형

6. 진단

청진으로 심잡음을 청취하는 것이 진단의 실마리가 되며, 심장초음파로 확정진단이 가능하다.

감별진단

좌심방 점액종(LA myxoma)

승모판협착증(MS)에 가장 가까운 병상을 띤다. 종괴가 혈액의 유출을 방해하기 때문이다. MS형의 환자에게 원인불명의 발열, 빈혈, 백혈구 증가, ESR 증가, γ-글로불린 상승 등의 염증소견이 보일 때는 점액종이 의심된다. 종양 초음파영상이 확인되면 확정진단한다.

7. 치료 및 간호

1) 내과적 치료

본 질환에 대한 내과적 치료법은 다음과 같다.

① Penicillin

젊은 환자에게는 류마티스열의 재발을 예방하기 위하여 페니실린을 투여한다.

② **Salt 섭취제한, 이뇨제**

호흡곤란을 일으킨 환자에게 사용한다.

③ Digitalis

빈맥/빠른맥(tachycardia)이거나 심근의 기능이 저하된 환자에게 유효하다. 특히 빈맥성 심방세동/빠른맥 심방잔떨림은 서맥화/느린맥화하는 것이 우선이며, 이 약만으로 충분한 효과가 없으면, Ca-channel blocker나 β-blocker를 소량 병용하는 것을 고려해볼 만하다.

④ **심율동전환(cardioversion)**

가능하면, 심방세동에 대해서는 cardioversion을 실시하여 예방하는 것이 좋다.

⑤ **항응고제**

Warfarin 등의 항응고제는 색전의 병력이 있는 환자에게 예방적으로 사용하고 있다.

2) 외과적 치료

외과적 치료법으로 다음과 같은 것이 있다.

- closed mitral commissurotomy(폐쇄성 경계절개술/교련절개술)
- open mitral commissurotomy(개방성 경계절개술)
- mitral valve replacement(승모판막치환술)

폐쇄성 경계절개는, 판막의 석회화, chordae tendineae cordis의 유합이나 단축 등이 현저하지 않을 때, 또한 역류나 혈전이 없는 때는 가능하지만, 최근에는 이와 같은 경우에도 개방성 경계절개술을 실시하는 예가 많아지고 있다.

직시하 경계절개를 하면 확실히 경계를 절개하여 유합된 chorda tendineae cordis를 유리시켜, 혈전을 제거하는 것이 가능하다. 승모판막 치환은 판막의 변형이나 석회화가 현저한 경우, 혹은 승모판막 역류를 동반하는 환자에 대해서 실시한다. 수술적용은 판막입구면적(valvular orifice) 1.5cm²이하이며(정상 4~8cm2), 또한 NYHA 3도 이상의 경우가 된다. NYHA의 심기능 분류에 대해서는 p.14「C. 심부전」 항목을 참조하기 바란다.

VI

플러스 코너

1. 왜 MS(승모판협착증)에서 S_1이 증가하는가?

S_1은 주로 승모판이 닫힐 때와 일치하여 들리는 심음이다. S_1이 증가한다는 것은 승모판, 좌방실판막(mitral valve)이 세게 닫히고 있다는 것이다. 그러면, MS의 경우에 승모판이 세게 닫히는 이유와 그 큰 힘은 어디서 비롯되는가에 대하여 알아보자.

승모판을 닫는 힘의 원천은 좌심실의 내압이다. 심수축기에 좌심실이 수축을 시작하여 좌심실 내압이 급하게 상승하기 시작하면, 그 좌심실 내압이 좌심방 내압을 상회했을 때 승모판이 닫히는 것이다.

즉, 승모판을 닫는 힘의 원천은 좌심실 내압의 상승에 있는 것이다.

좌심실이 수축을 막 시작했을 때는, 아직 좌심실 내압의 상승도 그리 높지 않으므로 승모판은 천천히 닫힌다. 그러나 좌심실의 수축이 한껏 세게 일어날 때는 그만큼 좌심실 내압도 높고 승모판을 닫는 힘도 크므로 승모판은 큰 소리와 함께 닫힌다. 이러한 사실은 압력곡선을 그려 생각해 보면 더 쉽게 이해할 수 있을 것이다(**그림 A**). MS는 한마디로 확장기, 좌심방 좌심실의 압력차가 큰 질환이다. 확장기에서 좌심방압이 상승하기 때문에 좌심실압이 좌심방압을 역전할 때까지는 좌심실압이 상당히 상승하지 않으면 안 된다.

따라서 **그림 A**와 같이 승모판이 닫히는 시간이 늦고, 닫히는 시점에서의 좌심실압도 상당히 큰 것이다. 승모판이 닫히는 시점에서의 압력-시간 기울기(dp/dt)를 MS인 경우와 정상인 경우를 비교해 보면, 분명히 MS일 경우의 기울기가 급하다. 이 dp/dt가 클수록 승모판이 닫힐 때의 소리, 즉 S_1이 커진다고 볼 수 있다.

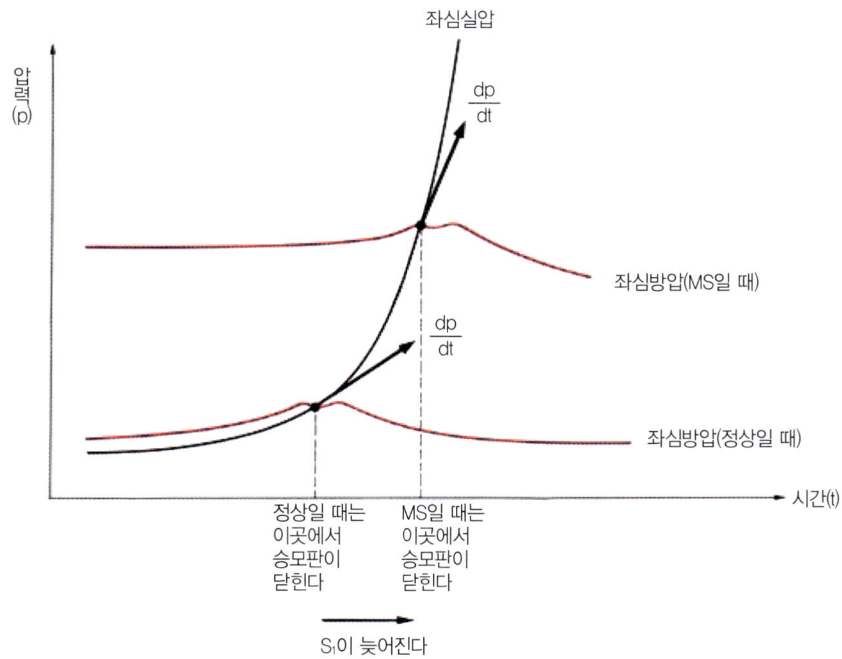

[그림 A]

C 승모판역류 MR

1. 병인

승모판역류(mitral regurgitation ; MR)은 과거에는 류마티스성이 대부분이었지만, 최근에는 다른 병인에 의한 것이 상대적으로 증가하고 있다. 그 병인은 대략 다음과 같이 분류된다.

1) 판막장애

① 류마티스성(급성 류마티스판막염도 포함)
② 감염성 심내막염
③ 선천성 심내막상 결손(endocardial cushion defect)

2) 판막 지지조직 장애

Chordae tendineae cordis나 papillary m.의 단열, papillary m.의 수축부전이다.

3) 판륜확대 annulus enlargement

① 좌심실확대
② 좌심부전

2. 병태생리

본증(MR)의 병태에 대한 기본은 좌심실에서 좌심방으로 향하는 수축기 혈액의 역류이다. 즉, 좌심실로부터 역류된 혈액(또는 이에 상응하는 혈액량이 그대로 좌심실로의 확장기 유입 혈액량이 된다) 때문에 좌심방 및 좌심실은 현저하게 확대된다. 그 때문에 좌심실에서 등용적 수축기(isovolumetric contraction phase)라는 현상이 없어져 버린다. 또한, 좌심방압 파형을 살펴보면, v wave의 현저한 높이 증가와 y곡이 급격한 경사를 볼 수 있다. 이에 맞추어 좌심실압은 수축기에 급속하게 상승한다(그림 6-4).

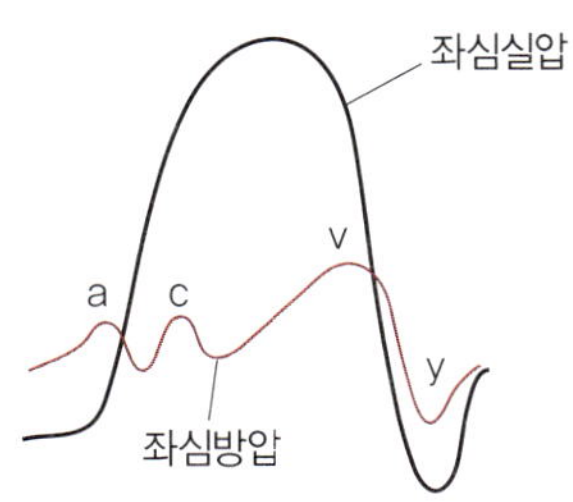

[그림 6-4] 승모판 역류의 좌심방암 파형

반대로 좌심방압을 살펴보면, 좌심방은 확대되었지만, 좌심방벽의 순응도(compliance)가 증가하기 때문에, 좌심방압은 그다지 상승하지 않게 된다. 그래서 좌심실의 수축기 혈액 ejection은 압력이 낮은 좌심방으로 향하게 되어 확장기에 좌심실이 확대되어도 수축기의 용적은 여전히 작은 상태에서 높은 박출률(ejection fraction)을 나타내게 된다.

이상과 같은 경위로 심실기능의 저하가 있어도 박출분율(ejection fraction)은 유지되므로, 승모판역류에서는 박출분율이 아주 가벼운 정도로 저하된 경우라도 상당히 심한 심근기능의 저하를 의미하는 것이다.

좌심방벽은 섬유조직화되어 심방세동(Af)을 동반하기 쉽게 되고, 그로 인해 좌심방용적은 한층 증가한다.

또한 급성의 승모판역류는 ① chordae tendineae cordis 단열, ② papillary m. 괴사, ③ 판막천공(valve perforation) 등을 동반하여 나타나며, 심방으로 향하는 혈액의 역류가 좌심방 유순도가 작은 상태에서 일어나므로, 좌심방압은 현저하게 상승하여 급격한 형상을 보이며 중증의 심부전에 빠진다.

3. 경과

비교적 장시간, 무증상인 상태로 경과하는 경우가 많으며, 운동시 숨이 차는 증상, 심계항진/두근거림, 피로감 등으로 시작된다. 좌심부전 증상, 우심부전 증상과 함께 일어나지만, 좌심방확대로 인한 완충작용이 있으므로 급성 폐부종/급성 허파부종은 적다. 또한, 색전증상은 승모판협착증(MS)보다 적게 나타난다.

4. 신체소견

본 질환의 신체적 소견에 대한 특징은 다음과 같다.

① 심첨/심장끝 박동은 오른쪽 아래로 이동하여 광범위하게 느껴진다.
② 심첨부에서 가장 강하게 들리고 겨드랑이에서 등으로 퍼지며 수축기 역류성 잡음(apical holosystolic murmur)이 청취된다.
③ S_3음과 그것에 이어지는 mid diastolic rumbling(Carey Coombs) murmur가 들린다(p.109 플러스 코너 2. 상대적인 MS란? 참조).
④ S_1은 류마티스성인 경우에는 감소된다.

5. 검사소견

1) 흉부 X-선 사진(chest X-ray)

본 질환의 흉부 X-선 소견에 대한 특징은 다음과 같다.

① 좌심방 확대

승모판협착증(MS)에 비하여, 보다 더 현저하며 좌심방 전체에 미친다.

② 좌심실확대

좌 제4궁 연장, 호 형태의 돌출

2) 심전도

본 질환의 심전도에 대한 특징적인 소견은 다음과 같다.

① Mitral P wave/좌심방성 P wave

② LVH

용적부하형이므로 왼쪽 흉부유도의 T wave는 상향하며 높다.

3) 심장초음파(echocardiogram)

본 질환의 초음파에서 특징적인 소견은 다음과 같다.

① 좌심실장축 단층도

좌심방, 좌심실의 확대상(LA, LV enlargement) ⇒ apex displacement

② M-mode 방실판막 초음파

E wave 진폭 및 DDR의 증대

4) 심장카테터 검사

심장카테터 검사에서는 다음과 같은 소견을 나타낸다.

① 좌심방압 파형

수축기 양성파(x곡의 소실, v wave 높이증가, y곡은 깊게 첨예화)

② 좌심실 조영에서 좌심방으로 향하는 역류에 대한 증명과 그 정도를 알 수가 있다.

6. 진단

해부학적인 진단과 생리학적인 진단은 청진, 흉부 X-선, 심혈관조영으로 이루어지지만, 병력, 경과, 합병증 등을 참고로 한 병인적 진단이 중요하다.

감별진단

본 질환과 감별해야 하는 질환은 다음 3종류이다.

① 특발성 비대성 대동맥판막하협착증(idiopathic hypertrophic subaortic stenosis ; IHSS)
승모판전엽(anterior cusp of mitral valve)의 이상 견인에 의해 승모판역류의 잡음이 들리는 경우가 있다.

② 삼첨판막역류(tricuspid valve regurgitation ; TVR), 심실중격결손증(VSD)
양쪽 질환 모두 잡음이 가장 강한 부위는 흉골좌연/복장뼈왼모서리 아래에 있다.

7. 치료 및 간호

1) 내과적 치료

심부전을 개선하기 위하여 digitalis, 이뇨제, afterload를 낮추어 주는 약제(nitroglycerin)를 사용하는 일반적인 요법을 행한다. 급성 증상에 대해서는 강심제(digitalis glycoside)를 사용하고 afterload 경감을 꾀하며, 역류량을 감소시키는 방법을 실시한다.

2) 외과적 치료

가장 먼저 판막치환술(valve replacement)을 고려한다. 그외 판막재건술 및 판륜재건술(valve reconstruction and/or annuloplasty)도 실시한다. 수술적용은 역류는 어느 정도인가, 심근기능은 어느 정도 유지되고 있는가, 관련된 판막장애가 있는가, 있다면 어느 정도인가, 관상동맥병변은 있는가 등을 잘 조사하여 결정한다. 외과적 치료가 적용되는 경우는, NYHA 3도 이상의 심근기능이 잘 유지되지 않는 상태이다.

플 러 스 코너

2. 상대적인 MS란?

아침 출근 시간에 지하철역의 rush 현상은 누구나 싫어하는데, 상대적 MS는 그 지긋지긋한 rush의 상황과 비슷하다고 본다.

예를 들면, 어떤 시각에 100명의 탑승객이 있어 그 100명을 충분히 통과시킬 만한 넓은 계단과 역사가 갖추어진 역에는 rush라는 현상은 일어나지 않는다. 그 역이 개축공사 때문에 계단의 폭을 좁히기라도 하면, 같은 100명의 승객이라도 rush현상은 생겨날 것이다. 이러한 경우가 일반적인 MS이다. 그런데, 지하철역은 평상시와 같이 정상으로 기능을 하고 있어도 rush 현상이 발생하는 경우가 있다.

만약에 그 역 근처에 있는 경기장에서 축구 시합이라도 있다면 rush 현상은 발생한다. 즉 한꺼번에 1000명이나 몰려든다면, 100명 밖에 처리할 수 없는 역사는 사람으로 넘쳐날 것이다. 아침 출근 러시와 같은 상태가 되어버리는 것이다. 상대적 MS도 이와 같은 현상으로, mitral valve의 기능은 정상이라고 해도, 그곳을 통과하려는 혈액이 평소보다 많으면 MS의 상태처럼 되어버린다. 그러나 실제는 본래의 MS와는 달라, mitral valve 자체는 정상이므로 그것과 구별하기 위하여 상대적 MS라고 한다.

Ⅵ

D 승모판탈출증 MVP

1. 병인

승모판탈출증(mitral valve prolapse syndrome)에서는 판엽조직이 점액종 형태의 변성을 보이며, 허혈성 심장병, Marfan syndrome, 심방중격결손(ASD, 2차 공결손), straight back syndrome(흉곽 변형-주로 누두흉〈funnel chest〉), Ehlers-Danlos syndrome을 동반하는 것으로 알려져 있다.

2. 병태생리

이 증후군의 명칭 그대로 승모판/방실판막, 왼방실판막(mitral valve)이 수축기에 좌심방 쪽으로 일탈하는 현상이다.

역류를 동반하지 않는 한, 혈행동태적으로는 의미가 없다. 무증상의 경우가 많지만, 가끔 흉통/가슴우리이나 부정맥이 나타나며, 또한 급사하는 경우도 있다.

3. 신체소견

심첨부에 mid systolic click과 그에 따르는 late systolic murmur가 청취된다.

4. 검사소견

1) 심장초음파 Echocardiography

Post. cusp(가끔 ant. post. cusp)의 수축중기 후방운동(mid systolic bucking), 또는 전체 수축기에 미치는 후방운동(pan systolic bowing)이 보인다(**그림 4-18 및 p.109 2. 상대적인 MS란? 참고**).

2) 심장카테터 검사

좌심실 조영을 하여 오른쪽 앞으로 기울인 위치에서 post. cusp의 일탈, 왼쪽 앞으로 기울인 위치에서 ant. cusp의 일탈을 볼 수 있다. 또한, 흉부 X-선 사진에서는 특징적인 소견은 보이지 않는다.

5. 치료 및 간호

1) 내과적 치료

무증상이면 감염성 심막염(pericarditis)에 주의하여 정기적인 관찰을 실시하는 것으로 충분하다. 그러나 증상이 있는 경우나 심계항진/두근거림, 현기증, 실신의 경험이 있었으면 부정맥의 출현에 대한 검사를 반드시 실시해야 한다. 따라서 이 경우에는 Holter 심전계에 의한 24시간 모니터나 운동부하 심전도를 실시할 필요가 있다.

E 대동맥판협착증 AS

1. 병인 및 분류

대동맥판협착증(aortic stenosis ; AS)에 대한 병인 및 분류는 다음과 같다.

1) 류마티스성 대동맥판협착증

판엽이 비후, 변형, 유착, 석회화를 일으켜 valve의 진행성 협착을 유발한다. 순수하게 단독으로 증상이 나타나는 경우는 적으며, 대동맥판 역류(AR)를 동반하는 경우가 많다. 또한, 승모판 및 삼첨판막의 장애도 보인다. 이러한 유형은 중년에 발생 빈도가 높다고 알려져 있다.

2) 동맥경화성 대동맥판협착증

대동맥의 경화성 병변으로 석회화가 보인다. 이러한 유형의 증상은 노년에 많다.

3) 선천성 대동맥판협착증

대부분은 대동맥 승모판막(bicuspid aortic valve)이다. 이러한 유형의 증상은 젊은 사람에게서 많이 보인다.

2. 병태생리

좌심실에서 대동맥으로 향하는 혈액 ejection이 장애를 받기 때문에 좌심실과 대동맥과의 사이에 수축기 압력차가 일어난다. 대동맥판 협착에 의하여 좌심실압이 상승하므로 좌심실벽은 구심성으로 비대해진다. 그러므로 좌심실 유순도의 감소를 초래하며, 좌심실확장 말기압이 상승하여 좌심방압파인 a wave의 높이도 증가하는 결과가 된다. 이렇게 하여 좌심실 확장기압 및 좌심방압 상승으로 인하여 좌심부전 증상(폐울혈/허파울혈, 폐부종/허파부종 등)이 생기게 되는 것이다.

3. 경과

경증의 경우에는 무증상이지만, 앞에서 설명한 바와 같이 판막입구 면적이 $0.5cm^2$ 이하가 되면, ① 흉통, ② 실신발작, ③ 호흡곤란의 3대 증상이 나타난다.

4. 신체소견

AS의 신체소견은 다음과 같다.

① 서맥(bradyrhythmia) · 소맥/약한맥박(microsphygmia)
microsphygmia와 bradyrhythmia이 동시에 보이는 것이 AS의 특징이다.

② 우 제2늑골/오른제2갈비 사이에서 우경부/오른쪽목부분으로 퍼지는 수축기의 진전(thrill)이 느껴진다(p.118 플러스 코너 6. 참고).

③ 가벼운 증상에서 S_2음은 정상 분열이지만, 중증에서는 기이 분열(paradoxical splitting)이 나타난다(p.33 참고).

④ S_1은 감소된다(p.115 플러스 코너 3. 참고).

⑤ S_4는 증가한다(좌심실에 압력부하가 걸리므로 S_4가 들린다).

⑥ 판엽경화가 원인이 되어 A_2는 감소된다(p.117 플러스 코너 5. 참고).

⑦ 수축기 박출성잡음(systolic ejection murmur ; 심기부(base) 오른쪽에서 잘 들리며 경부로 퍼지는, 점증점감하는 잡음)이 청취된다.

TIP

좌심실 유출로 협착을 유발하는 기타 병변

판막성 대동맥협착 외에 좌심실유출로 협착을 유발하는 증상으로서 다음의 3가지의 유형을 들 수 있다(그림 6-5).

① 특발성 비대성 대동맥판하부협착증(IHSS)

② 대동맥판하부 선천성 막성 협착증
판막 바로 아래에 있는 섬유륜으로 인한 협착

③ 판막상부 대동맥협착증 ; 관상동맥 높이의 바로 위에서 상행대동맥/오름대동맥이 협착을 유발하는 선천성 심장병이며, 지능 장애, 작은 요정모양 얼굴 등과 공존하여 Williams syndrome 또는 판막상성 대동맥협착 증후군이라고도 한다.

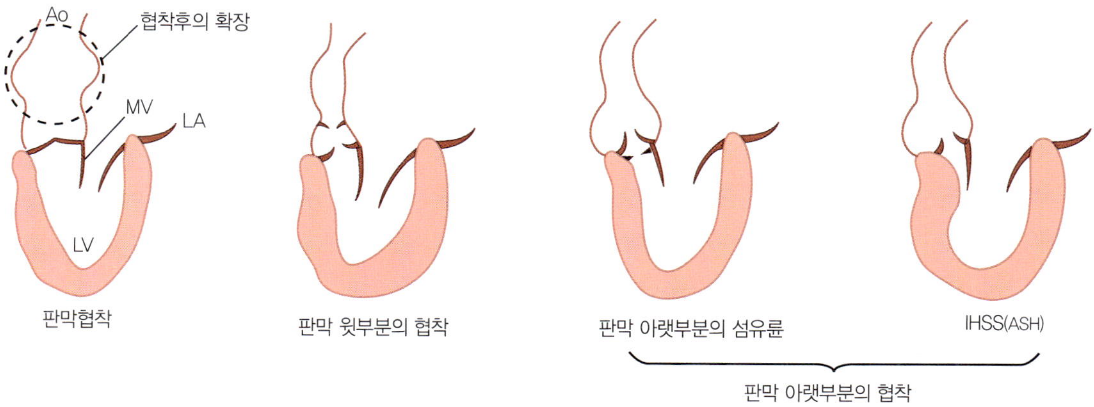

[그림 6-5] **대동맥 유출로 협착의 종류**

5. 검사소견

1) 흉부 X-선 사진

본 질환의 흉부 X-선 소견에 대한 특징은 다음과 같다.

① 판막성 협착에서는 상행대동맥/오름대동맥은 협착후 확장(poststenotic dilatation)이 나타나며, 우 제1궁/오른쪽 제1활을 형성한다.
② 좌심실 압력부하가 원인이 되어 구심성 비대를 유발하지만, 확대되지 않고, 좌 제4궁/왼쪽 제4활은 정상 내지는 구형의 변화가 보인다.

2) 심전도

심전도 변화로서는 LVH가 보인다.

3) 심장초음파 Echocardiogram

대동맥판막 초음파에서는 다중반사, 판막개방 부전 등이 보인다.

4) 심장카테터 검사

본 질환에 대한 심장카테터 검사에서의 특징적인 소견은 다음과 같다.

① 수축기에 대동맥압과 좌심실압과의 사이에 압교차/압력차가 나타난다(LV > aorta). 이는 중증도를 반영한다**(그림 6-6)**.

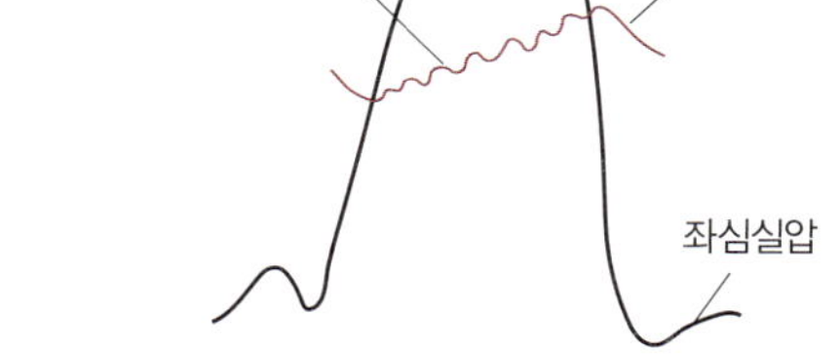

[그림 6-6] **대동맥판막협착증의 압력 파형**

② 좌심실-대동맥 사이에서 뽑아낸 압력곡선은 협착부위의 진단에 중요한 의미를 지니고 있다(그림 6-7).

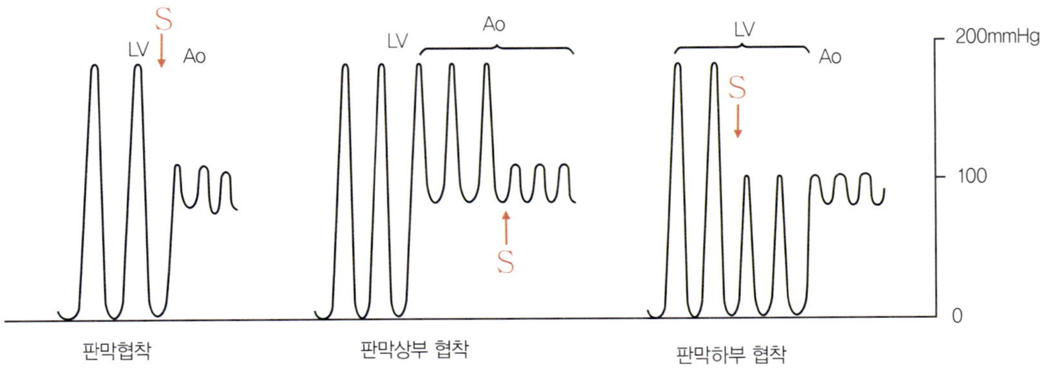

[그림 6-7] **각종 협착에서의 압력곡선과 협착부위**

6. 진단

심잡음을 통해 예측한 후, echocardiogram이나 color Doppler echocardiogram에 의해서 진단한다. 확정진단은 심장카테터 검사를 통해 내린다.

감별진단

감별해야 할 질환으로서는 다음 3종류를 들 수 있다.

① 특발성 비대성 대동맥판하부협착증(IHSS)

② 폐동맥판협착증(pulmonary stenosis ; PS)

③ 양성잡음/무해성 수축기잡음(innocent murmur ; 중음성으로 지속시간도 짧으며, 최고점이 분명하지 않은 잡음)

7. 치료 및 간호

1) 내과적 치료

증상이 발현된 후에는 대증요법이 주가 되지만, 그 이전에는 류마티스성이라면 류마티스열의 재발을 방지하고, 감염성 심내막염을 주의하는 데 중점을 둔다.

2) 외과적 치료

수술이 적용되는 경우는 다음과 같다.

① 판막입구 면적이 0.75cm^2 이하(정상 3cm^2)로 증상이 나타나는 경우
② 진행성 심장확대가 나타나는 경우
③ 압력차가 50mmHg 이상인 경우

이 외에 무증상인 경우라도 판막의 협착 정도가 고도인 경우에는 적용이 된다. 일반적으로는 대동맥판막 치환술(valve replacement)이 실시되는데, 석회화가 보이지 않거나 승모판(bicuspid valve) 협착의 경우에는 바로 밑의 경계절개술(commissurotomy)이 가능하다.

플 러 스 코너

3. AS에서는 왜 S_1이 감소되는가?

MS에서 S_1이 증가하는 이유는 이미 설명한 바 있다(**p.103 플러스 코너 1. 참고**). AS에서는 S_1이 감소된다. 이것은 그다지 특징적인 사항은 아니지만, MS일 때의 S_1증가 기전의 응용문제로 생각해보아도 좋을 듯 하다. **p.111의 「병태생리」**에서도 설명한 바와 같이, AS에서는 좌심실 확장기압이 상승하고, 좌심방압파의 α wave도 높이가 증가한다. 이를 압력곡선으로 그려보면 **그림 A**와 같다.

이 압력곡선을 보면 알 수 있듯이, 좌심실 확장기압을 증대시키면 좌심방압력곡선과의 교점이 위로 벗어남과 동시에, 그 시점에서의 기울기(dp/dt)가 더욱 수평에 가깝다는 것을 알 수 있다.

dp/dt 기울기의 크기는 S_1의 세기를 반영한다고 생각되므로, 이것은 S_1의 감소를 의미한다.

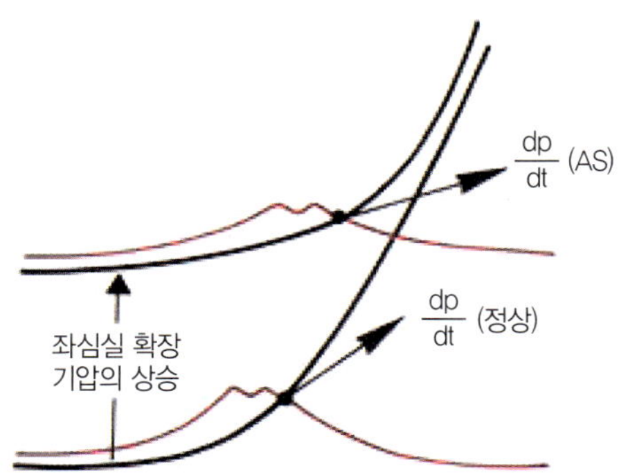

[그림 A]

4. 협착후의 확장은 왜 일어나는가?

대동맥판협착(AS)에서는 협착후 확장에 의해 오른쪽 제1활 돌출을 유발한다. 왜 협착후에 확장되는 것일까? 실생활에서의 간단한 모델로서, 고무호스 끝에서 물이 나오는 장면을 상상해보자. 일반적으로 **그림 B**와 같다.

그러나 손가락으로 고무호스 끝을 누르고 있으면, 물줄기는 양쪽으로 흩어지며 뿜어져 나온다 **(그림 C)**.

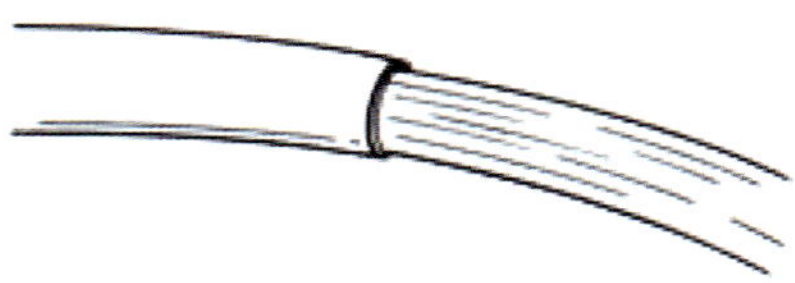

[그림 B]

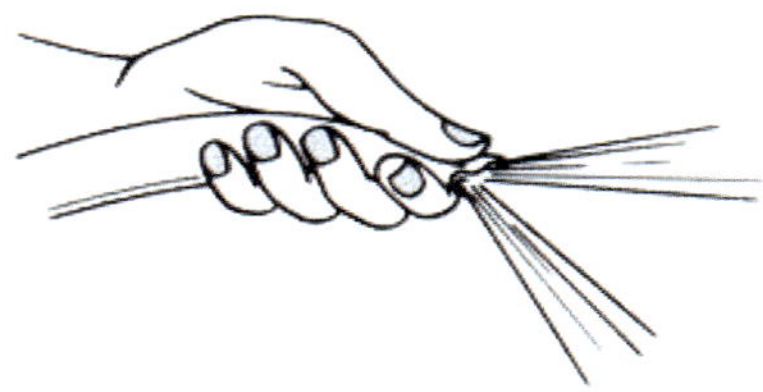

[그림 C]

이처럼 물줄기를 좁히면, 물은 흩어져 나온다. 만약, 손가락으로 누르고 있는 이 끝부분에 고무호스가 계속 연결되어 있다면 어떻게 될 것인가? 협착후에 흩어졌던 물은 관벽을 안쪽에서 압박한다. 즉, 협착후의 내압은 상승하고 관강을 밀어 확대하는 작용을 하게 된다. 이것이 협착후 확장을 일으키는 원인이 된다**(그림 D)**. 단, 판막아래부분 협착의 경우는 그렇게 되지 않는다. 협착후의 부분이 바로 판륜 부분이 되기 때문이다. 판륜부는 관 주변에 강인한 섬유속이 감겨 있어 확장되지 않도록 되어 있기 때문이다**(그림 E)**.

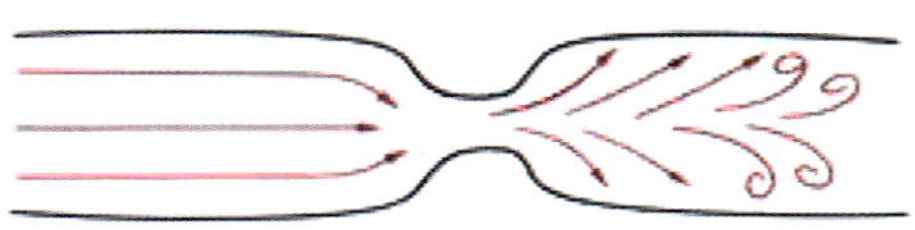

[그림 D]

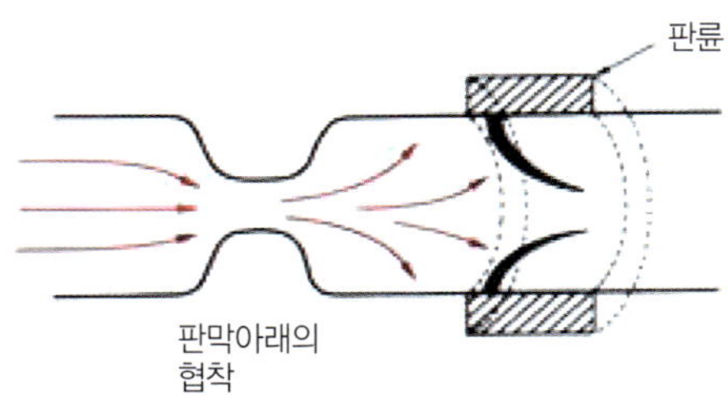

[그림 E] **판막아래부분 협착에서는 협착후에 확장되지 않는다**

5. 왜 A_2가 감소되는가?

AS에서는 A_2는 감소된다. 이를 쉽게 이해하기 위해서, MS 경우와 같이 팔을 판으로 가정하여 보디 퍼포먼스로 옮겨보자. **그림 F**와 같이 양팔을 위로 올려서 대동맥판을 만들어보자. 지금은 수축기이다. 지금, 여러분은 AS의 대동맥판이 되어 있다. 대동맥판은 열려 있지만, 정상보다 좁다.

ejection되는 혈액도 좀처럼 나오기 어려워 졸졸 흐른다. 대동맥압의 상승도 그 기세가 매우 약하다. 그런데, 여기에서 확장기가 돌아온 것이다. 그러면서 대동맥압은 정상 때만큼은 강하지 않으므로 판막이 닫히는 힘도 약하다. 따라서 대동맥판이 닫힐 때의 소리인 A_2도 약해진다(**그림 G**).

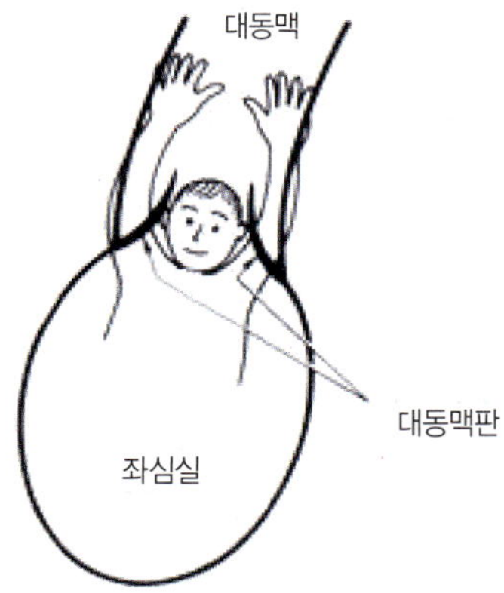

[그림 F]

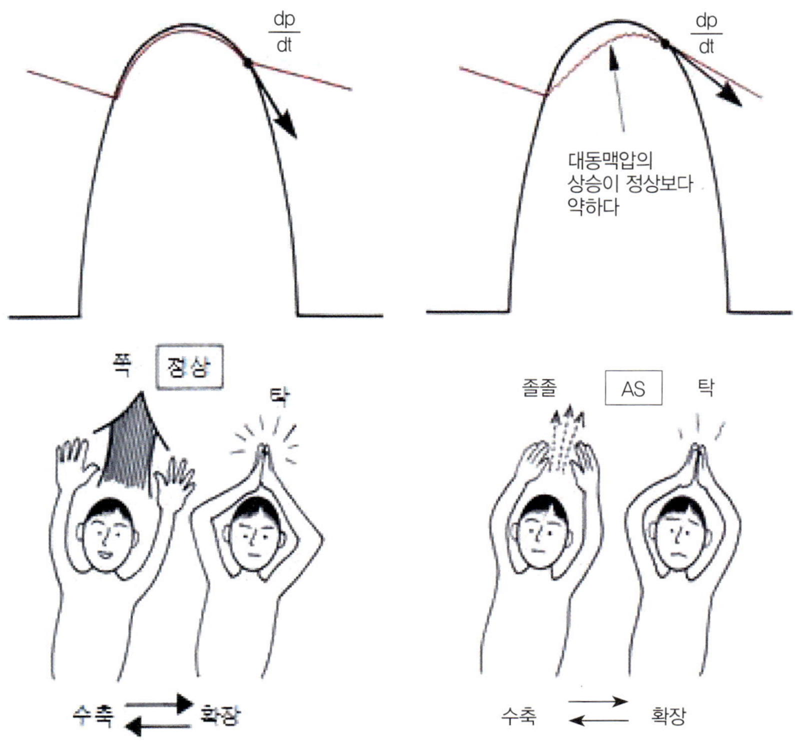

[그림 G]

6. 심잡음의 최고점에 대하여

잡음이 퍼지는 방향에 대하여 살펴보자. AS의 잡음은 오른쪽 제2 늑간으로 퍼지고, 한편 PS의 잡음은 왼쪽 제2 늑간으로 퍼진다. 나중에 언급하겠지만, AR 잡음의 최고점은 제3 늑간 흉골좌연/복장뼈왼모서리이다.

이들은 심장의 해부와 크게 관련되어 있다.

즉, **그림 H**와 같이 대동맥은 오른쪽 위를 향하고, 폐동맥은 왼쪽 위를 향하여 심장에서 나오기 때문이다.

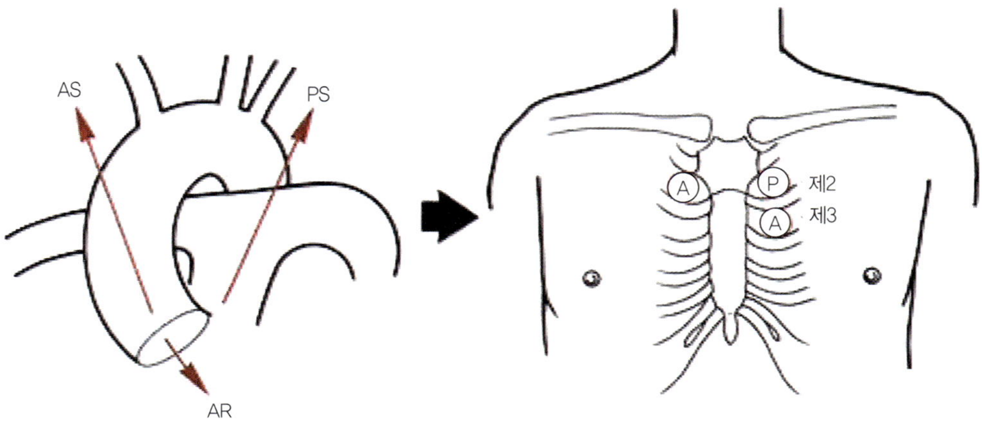

[그림 H]

F 대동맥판역류 AR

1. 병인

대동맥판역류(aortic regurgitation ; AR)의 병인으로서는, 류마티스성이나 매독성에 의한 판막장애는 감소하고, 대동맥 병변에 의한 것이 주목되고 있다. 기억해두어야 할 것은 류마티스성, 매독성인 것 이외에, Marfan syndrome과 aortic dissection(대동맥 파열/박리)이 있다.

VI

2. 병태생리

확장기에 있어서, 대동맥에서 좌심실로 향하는 혈액의 역류가 본 질환의 병태의 중심이 된다. 따라서 대동맥으로부터 역류한 혈액에 의해 좌심실 확장기 용적이 증대하고, Frank-Starling 법칙에 의하여 심수축력이 증대하며, 보상적으로 심박출량이 유지된다.

대동맥도 수축기에는 혈액이 대량으로 밀려들어오기 때문에 현저하게 확대된다. 그러나 확장기가 되면 급속하게 저하된다. 이렇게 하여 좌심실이 가진 보상 기능이 작용하지 않게 되면, 좌심부전/왼심장기능상실의 상태가 되어버리는 것이다.

3. 경과

장기간에 걸쳐 무증상인 상태로 경과하여, 병태의 진행과 함께 몸을 움직일 때, 숨가쁜 현상이나 심계항진/두근거림 등이 나타나게 된다. 가끔 급속하게 악화되어 기좌호흡/앉아서 숨쉬기(orthopnea), 발작야간호흡곤란(paroxysmal nocturnal dyspnea ; PND), 발한과다가 일어난다. 또한, 약 50%의 환자에게 흉통이 나타난다.

흉통/가슴통증은 AS의 경우에도 나타나는 증상이다. AS에서는 좌심실에 압력부하가 강하게 걸려 있기 때문에, 특히 심내막 쪽이 ischemia에 빠지기 쉬워져, 흉통을 야기시키는 것이다. AR의 경우는 같은 흉통이라도 증상발현에 대한 기전이 다르다. AR에서는 왜 흉통이 일어나는 것일까? 관상동맥의 혈액을 흐르게 하는 힘의 원천은 어디에서 오는지를 생각해 보기 바란다.

관상동맥 혈류는 주로 확장기(이완기)에 흐른다. 확장기압의 힘으로, 관상동맥에 혈액이 흐르는 것이다. 따라서 AR일 때, 확장기압이 저하되면, 관상동맥 혈류가 저하되어 버리는 것이다. 이것은 심근에 대한 산소 공급의 감소를 의미한다. 따라서 AR에서 흉통/가슴통증이 일어나기 쉬워지는 것이다.

4. 신체소견

본 질환에서는 다음과 같은 신체소견이 보인다.

1) de Musset sign

경동맥의 강한 박동 때문에 심장주기에 맞추어 머리가 흔들리는 현상이다(p.125 플러스 코너 8. 참조).

2) 모세관 박동 ; Quincke sign

손톱을 압박했을 때, 손톱아래의 빨간 부분과 흰 부분의 경계선(unguis)이 박동하는 현상이다(p.125 플러스 코너 8. 참조).

3) Pulsus celer et magnus(속맥 · 대맥)

① 상행각이 급한 경우(water–hammer pulse)
② 하행각이 급한 경우(collapsing pulse)
③ 상행각, 하행각 모두 급한 경우(Corrigan pulse)
이것은 시진으로도 관찰할 수 있다.

4) Pulsus bisferiens(이봉맥, 그림 6–8의 a)

대동맥판막 역류의 경우, 제1의 percussion wave에 이어지는 제2 wave(tidal wave)의 상행각은 정상이거나 급격하다.

5) Dicrotic pulse(그림 6–8의 b)

이것도 이봉맥이라는 의미인데, 확장기에 제2 wave가 나타나는 것을 말한다.

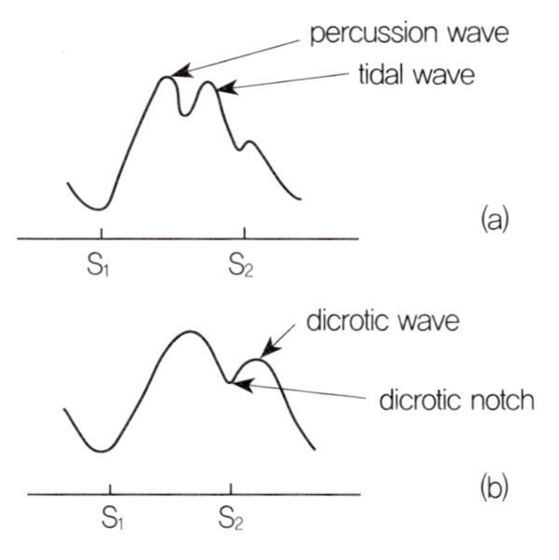

[그림 6–8] 대동맥판막역류의 경동맥파

6) 팔 혈압 < 다리 혈압(Hill의 sign)

혈압차(mmHg)에 따라 경증~중증으로 분류되는데 다음과 같다.

- 경증 : 20~40mmHg
- 중등증 : 40~60mmHg
- 중증 : 60mmHg 이상

7) Pistol shot phenomenon(Traube sign)

대퇴동맥상에서 권총 발사음 또는 Traube의 이중음이 들린다.

8) A_2가 증가하는 경우는 경증 혹은 중등증, A_2가 감소하는 경우는 아주 심한 중증에 해당한다.

9) S_3음 증가

좌심실 용적부하가 원인

10) Ejection sound

11) 확장기 역류성 잡음(early diastolic, high-pitched, decrescendo murmur)

제3 늑간 흉골좌연/제3 갈비사이 복장뼈왼모서리(Erb 영역)에서 심첨부/심장끝부분로 전달되는 고음성인 동시에 점감성인 확장기 잡음으로, 취명성(whiffling murmur), 관수성(물이 흐르는 듯한 잡음) 등으로 표현되며 때때로 고른 음양이 된다.

또, 이 잡음은 가끔 흉골좌연/복장뼈왼모서리에 최고점으로 전달되는 경우가 있으며, 대동맥질환으로 인한 대동맥판막륜의 확대에 의하여 잡음이 발생하는 경우도 생각할 수 있다(right- sided aortic insufficiency murmur).

VI

12) 수반성 수축기 박출성 잡음(midsystolic ejection murmur, 제2 갈비사이에서 최고점)

13) Austin Flint murmur(심첨부 확장기 굴림성잡음(rumbling murmur))

5. 검사소견

1) 흉부 X-선 사진

본 질환의 흉부 X-선 소견에 대한 특징은 다음과 같다.

- 좌심실 확대
- 대동맥의 확대

  우 제1궁/오른쪽 제1활은 상행대동맥/오름대동맥에서 돌출하고 좌 제1궁/왼쪽 제1활의 확대도 보인다.

2) 심전도

좌심실 용적부하의 소견을 나타낸다. 그러나, 중증이 되면, 압력부하상이 더해져 ST-T의 변화를 볼 수 있게 된다.

3) 심장초음파 Echocardiogram

본 질환에 대한 특징적인 심장초음파소견은 다음과 같다.

① 좌심실장축 단층도

좌심실, 대동맥의 확대

② M-mode 좌심실 초음파
hyperkinesis(중증에서는 벽운동 저하), 심실중격/심실사이막의 확장기 세동

③ M-mode 승모판 초음파
ant. cusp의 확장기 세동

4) 심장카테터 검사(그림 6-9)

본 질환의 심장카테터 검사에서는 다음과 같은 특징이 보인다.

① 대동맥 압력곡선은 급격히 정점에 이르고, 급속하게 하강을 보인다.
② 좌심실 확장기 말기압의 상승
③ 대동맥 조영으로 좌심실로 향하는 역류에 대한 증명과 그 정도를 알 수 있다.

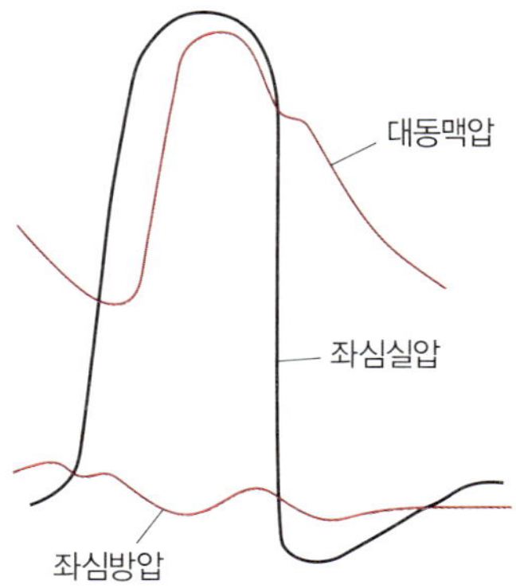

[그림 6-9] 대동맥판역류의 심장카테터 검사 (승모판 확장, 조기 폐쇄의 중증 케이스)

6. 진단

일단, 청진으로 진단은 되지만, 확정진단은 도플러초음파, 대동맥조영으로 내린다.

감별진단

감별해야 할 질환은 다음과 같다.

〈폐동맥판막 역류〉

① 확장기 역류성 잡음의 최대점은 좌 제2 늑간
② 확장기 역류성 잡음이 P_2에서 시작된다.
③ Rivero - Carvallo sign
④ 맥압증대 소견이 부족하다.

7. 치료 및 간호

1) 내과적 치료

심부전/심장기능상실에 대한 치료가 중심이 된다. 증상이 있을 때는, 강심제, 이뇨제와 함께 afterload 경감제를 투여한다. 물론 부정맥은 치료하지만, 무증상인 경우에도 현저한 확대가 나타나는 병례에서는 digitalis를 사용한다. 또, 당연한 것이지만, 류마티스열이나 감염성 심내막염, 매독성 등의 원질환이 있으면, 그 재발 방지에 힘쓴다.

2) 외과적 치료

일반적으로 판막치환술(valve replacement)을 실시한다. 그러나 심실중격결손에 동반하는 병례에 대해서는 판막성형술(valvuloplasty)을 실시하는 경우도 있다. 수술적용은, NYHA 3도 이상의 증상, 또는 "LV function의 지속적 악화" 즉, LVEF < 45~50%인 경우가 된다. 증상이 없어도 역류량이 극단적으로 많은 병례에서는 수술을 고려한다.

VI

플러스 코너

7. 확장기에 심장이 수축되지 않는 상태에서 왜 혈액이 흐르는가?

확장기에는 심장은 수축되지 않는다(당연한 것이다). 그런데, 대체 왜 확장기에 혈액이 흐르는 것일까? 심장의 수축력에 의해 흐르고 있지 않다는 것만은 확실하다. "수축기 때의 기세 그대로 관성력에 의해 확장기에도 계속 흐르고 있는 것은 아닌가"하고 생각할 수 있을지도 모르겠다.

그러나 그러한 관성력은 말초 쪽으로 가면 매우 약해진다. 확장기에 혈액이 흐르는 구동력으로써 가장 크게 공헌하고 있는 것은 대동맥의 탄성 수축력이다.

탄성 수축력이란 간단히 말하면 "고무가 수축하려는 힘"이다. 대동맥은 마치 고무관과 같이 탄성을 가지고 있다. 따라서 수축기에 심장에서 대동맥으로 혈액이 확 밀려나오면, 대동맥은 그 힘으로 확장되는 것이다(**그림 A의 b**).

대동맥이 확장한다는 것은 마치 고무밴드를 잡아당겼을 때와 같다고 생각하면 될 것이다. 이윽고 수축기가 끝나고 확장기가 돌아오면 좌심실압은 제로로 돌아온다. 이때 잡아당겨진 대동맥은, 일시에 원래 상태로 되돌아가려고 한다. 이때의 힘이 탄성 수축력이다. 그런데 이 힘은 혈액을 일정한 방향으로 흐르게 하려는 힘은 아니다.

즉, 만약 대동맥판이 없으면 좌심실이나 전신쪽, 어느 쪽이나 상관없이 혈액을 내보내도록 작용하는 힘이다. 그러나 정상일 때는 대동맥판이 있는 덕분에 좌심실 쪽으로 역류하지 않고, 모든 탄성 수축력이 혈액을 전신으로 내보내도록만 작용하는 것이다. 이상과 같이 수축기에서 박출력의 일부가 대동맥의 탄성 확장이라는 형태로 보존되어, 그 수축이 확장기에 발휘됨으로써 확장기에도 혈액이 흐르는 것이다. 대동맥판은 제2의 심장인 것이다.

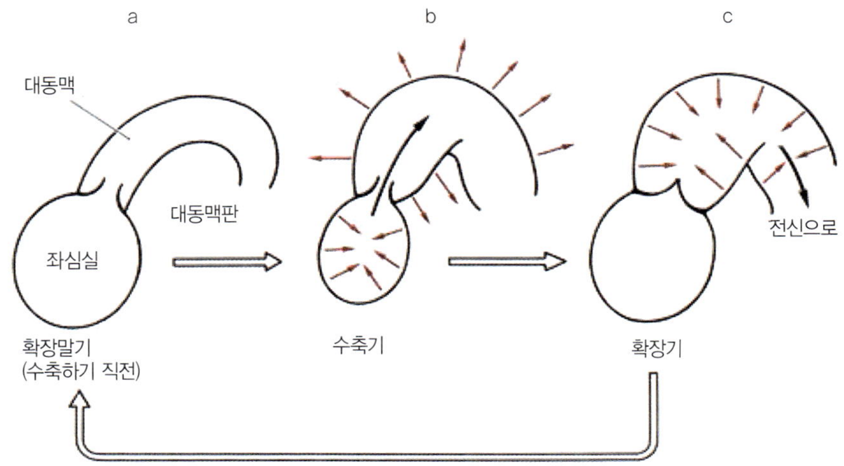

[그림 A]

8. 대동맥은 혈압의 완충 시스템이다

이 기전을 알게 되면 여러 가지 병태생리가 눈에 들어온다. 예를 들면, AR의 상태에서는 어떠한 현상이 일어날까? 대동맥판이 파손되었으므로, 대동맥의 탄성 수축력은 혈액을 전신으로 보내기 위해서 뿐만 아니라 좌심실로 역류시키기 위해서도 사용된다. 바꾸어 말하면, 전신으로 혈액을 ejection하기 위하여 힘들여 저장되어 있던 힘이, 대동맥판이 파손되면 마치 밑 빠진 독과 같은 상황이 되어 모두 좌심실 쪽으로 도망가 버린다. 따라서 전신에 대한 박출력은 저하된다. 그래서 이것은 "확장기압의 저하"로 특징지어진다. 또한 대동맥압 곡선을 보면 여러 가지 재미있는 현상을 알 수 있다.

대동맥압(단순히 혈압이라고 해도 되겠지만)은 정상적이라면 120mmHg(수축기)와 80mmHg(확장기) 사이에서 변동한다. 그러나 AR의 상태가 되면, 확장기압이 밑 빠진 독과 같은 상황이므로 일시에 저하되어(가령, 50mmHg), 좌심실 확장기 용적의 증대 → 심수축력의 증대로 수축기압이 상승(가령, 150mmHg)한다.

요컨대, 맥압(수축기 혈압과 확장기 혈압의 차, pulse pressure)이 증대하는 것이다**(그림 B)**.

또 다른 견해로 보면, AR에서의 혈압 변동은 좌심실압의 변동에 더욱 가깝다고 할 수 있다. 즉, 혈액이 흐르는 때와 그렇지 않은 때와의 차이가 심하다는 것이다.

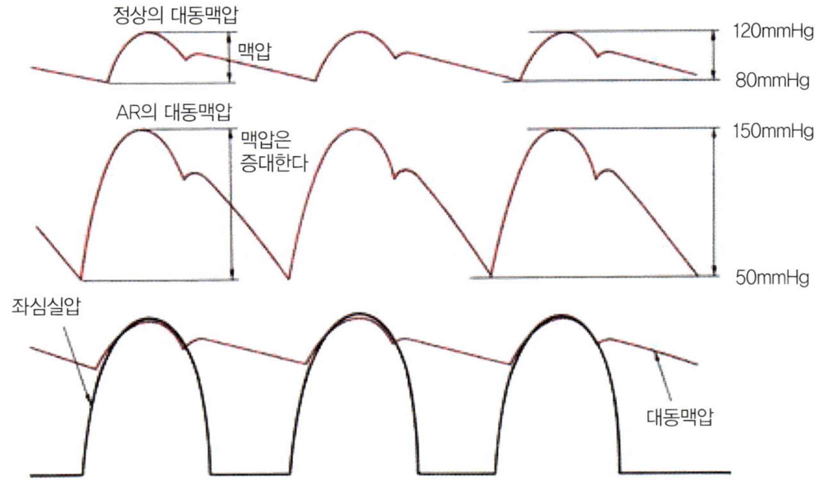

[그림 B]

이것은 de Musset sign이나 Quincke sign으로 나타난다. 쉽게 말하자면, 혈액이 전신으로 보내지는 수축기에는 막힘없이 시원스런 모습인데 반하여, 확장기가 되면 축 처진 꼴이 된다. 이와 같은 심한 차이가 매 박동마다 반복되는 것이다**(그림 C)**.

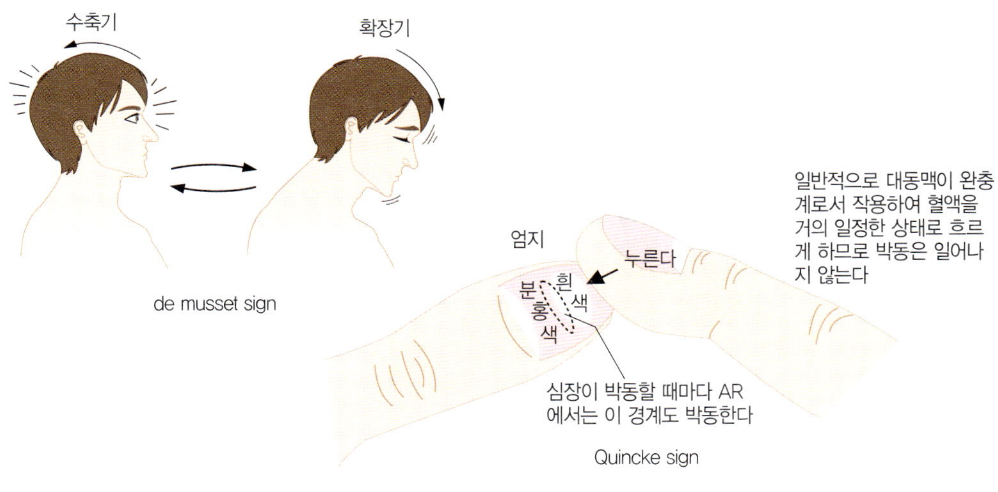

[그림 C]

이상과 같은 병태생리에 의한 맥압의 증대는, AR뿐만 아니라 PDA(동맥관열림)이나 Valsalva 동맥류 파열에서도 마찬가지로 나타난다. 다른 점은 AR은 대동맥판이 밑빠진 독과 같은 상황(압력이 좌심실로 도망간다)이 원인이 되어 일어나는 데 비해, PDA는 동맥관이 밑빠진 독과 같은 상태(압력은 주로 폐동맥으로 도망간다)가 됨으로써 일어나며, Valsalva 동맥류 파열은 대동맥류가 밑빠진 독같은 상태(압력은 주로 우심실로 도망간다)가 됨으로써 일어난다는 점이다. 3가지 모두 압력이 도망가는 장소가 다르다. 압력이 도망가는 곳(즉, 혈액이 역류되어 가는 곳)에는 용적부하가 걸린다(**그림 D**).

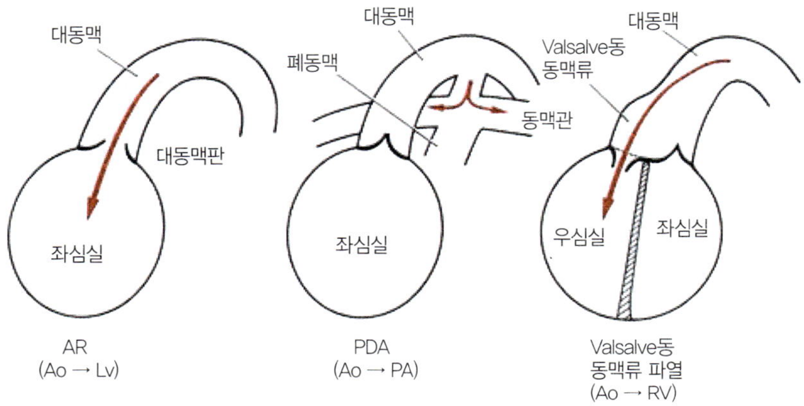

[그림 D]

9. 대동맥의 탄성수축력 그 자체가 없어지는 질병이 존재하는가?

대답부터 하자면, 있다. 그것도 주변에서 흔하게 볼 수 있다. 탄성이 없어지면 압력이 저장되지 않으므로, 역시 완충작용이 약해지고 맥압은 증대하는 것이다. 그러나 실제는 맥압증대라고까지 할 정도는 아니며 확장기압이 조금 저하하는 정도이다. 어떤 병이냐 하면, 바로 '동맥경화증(arteriosclerosis)'이다. 동맥경화는 정상에서도 25세 앞뒤에 시작된다. 가장 먼저 침해되는 혈관이 대동맥이다. 즉, 20대 중반에 대동맥의 탄성을 조금씩 잃어가기 시작한다. 여기에서 조금 이상하다고 생각하는 사람이 있을 것이다.

동맥경화가 있는 사람은 혈압이 상승하는 법인데, 확장기압이 저하한다니 이상하지 않은가. 그러나 지금까지의 설명은, 동맥경화의 극히 초기에는 확장기압이 저하할 것이라는 설명에 불과하다. 경화가 진행되어 대동맥에서 말초 동맥으로 확대되어 가면, 혈관저항이 높아지기 때문에 확장기압은 상승한다. 즉, 경화가 대동맥에만 한정되는 극히 초기에는 확장기는 저하하고, 말초 동맥으로도 확대된 진행기에서는 확장기는 상승한다. 그래서 일반적으로 동맥경화라고 하면 후자의 상태를 일컫는다.

10. 판막병에서의 심잡음에 대한 정리

지금까지 MS, MR, AS, AR 등 대표적인 4종류의 판막병에 관한 설명을 하였다. 이들의 잡음에 대해서 다시 한번 정리하여 보자(**그림 E**).

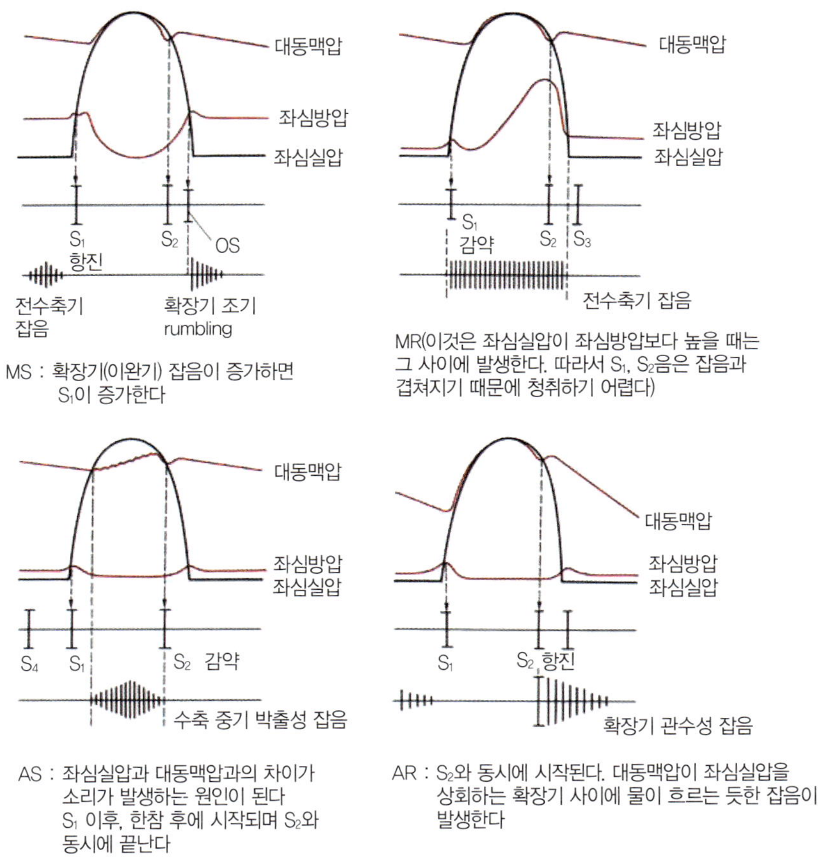

[그림 E]

G 우심계 판막병

우심계/오른심장계통 판막병에는 삼첨판협착증(TS), 및 역류(TR), 폐동맥판협착증(PS), 및 역류(PR)가 있다. 그 병태생리 등에 대해서는 기본적으로 좌심계의 판막병과 같다.

다만, Rivero-Carvallo sign에 대해서는 기억해 두어야 한다.

Rivero-Carvallo sign은 요컨대, 삼첨판막병에 있어서 잡음의 크기가 흡기에 한층 증가한다는 소견이다. 그 이유는 다음과 같다.

흡기의 정맥환류가 증대함으로써, 우심실로 향하는 혈액 유입량이 증대한다. 그 결과, 우심실에서의 ejection양과 혈액량이 모두 증가하여 협착 잡음과 역류 잡음도 크게 들린다는 것이다. 그러므로 이 신호는 일반적으로 우심계의 잡음으로 나타난다.

H 복합 판막병

1. 개념

복합 판막병(combined valvular disease)은 2개 이상의 판막이 동시에 장애를 받는 경우를 일컫는 것인데, 일반적으로 2개 이상의 판막에 기질적 병변이 있는 경우를 가리킨다(단, 한쪽이 기능적인 판막부전인 경우도 해당된다).

2. 병인 및 병형

일반적으로 이 질환에 대한 병인은 류마티스성인 경우가 반 이상을 차지한다. 가장 빈도가 높은 증상은 승모판협착증(MS)과 대동맥판역류가 함께 있는 것이다.

동맥경화증 핵심정리

병태생리로 보는 동맥경화증

동맥경화란 다양한 요인에 의해 혈관의 구조에 장애가 일어나 동맥벽 안에 지질이나 세포외기질의 비정상적인 축적이 일어나는 경화성 변화를 말한다.

병 인	• 지질이나 세포외기질의 비정상적인 축적(경화성 변화) • 동맥 내피세포의 손상
병 태	• 동맥벽으로의 LDL 침입 • 산화스트레스에 의한 변화(산화 LDL) • 내피에서의 시토카인의 형성 • 혈관 내피에 백혈구의 접착 침입 • 지방선조(지방줄무늬)의 형성 • 동맥경화성 플라크의 형성(혈관내막)
증 상	• 두통, 구토 • 의식장애, 마비 • 언어장애 **＊동맥경화의 위험인자** – 고지질혈증 – 고혈압 – 당뇨병 – 여성호르몬(에스트로겐)의 감소 – 흡연

VI

진단 및 검사	**진단** • 가족 병력 조사 • 생활습관(흡연, 음주 등)조사 **검사** • 혈액검사일반 • 혈액생화학검사 • 흉부X-선검사 • 심전도 • CT, MRI 검사
치료	**식사요법** • 저콜레스테롤, 저칼로리, 저포화지방산의 식사, 염분제한 **운동요법** • 적당한 운동 **약물요법** • 강압제의 지속적인 투여

심장판막증 핵심정리

병태생리로 보는 심장판막증

심장에는 판막이 있어 심장의 수축운동에 의해 방향성을 가진 혈류로 변환시키는 작용을 한다. 따라서 이 판막에 이상이 발생하면 심장의 펌프기능이 장애를 일으키게 된다. 이런 판막의 이상을 심장판막증이라고 한다. 심장에는 네 개의 판막이 있으며, 각각 협착과 역류가 존재하기 때문에 총 8가지의 판막증이 있다. 그러나 판막증이 일어나는 원인은 공통된 부분이 있으므로, 두 개 이상의 판막증이 합병되거나(연합판막증), 하나의 판막에 협착과 역류가 합병되는 경우도 있다.

VI

병 인	• 심장의 판막에 이상이 발생하여 심장 펌프기능이 장애를 일으킨다.
병 태	• 판막의 협착과 역류에 의한 혈행동태의 변화와 그것에 동반된 심장이나 대동맥의 구조변화가 병태의 중심이 된다.
증 상	• 운동 시 호흡곤란, 기침 • 협심통, 실신발작, 심부전 • 권태감 • 간비대, 부종
진 단 및 검 사	• 병력과 신체소견 • 심전도 • 흉부 X-선 사진 • 심장초음파 • 심장카테터 검사

치 료	**승모판막질환** • 약물요법 : 이뇨제, 항부정맥제 • 외과적 치료 – 경피적 승모판막경계절개술 – 직시하 승모판막경계절개술 – 승모판막치환술 **삼첨판막질환** • 약물요법 : 염분제한, 이뇨제 • 외과적 치료 – 삼첨판막성형술 – 판막치환술 **대동맥판막질환** • 약물요법 : 염분제한, 이뇨제, ACE억제제 • 외과적 치료 – 대동맥판막치환술 – 대동맥판막성형술 **폐동맥판막협착** • 약물요법 : 디지탈리스, 이뇨제 • 외과적치료 : 폐동맥판막치환술

TIP

판막성 심장질환의 종류

종류	내용
승모판막 협착증	•류마티스열 이후 발생 •운동 및 활동 시 호흡곤란, 기좌호흡, 피로감 •기침, 객혈, 심방세동 등의 증상 •경정맥 확대, 혈압저하, 청진 시 이완기 잡음 •전신정맥계 울혈, 복부불편감, 간비대, 말초부종 •판막교환술 •이뇨제, 디곡신, 항생제, 항응고제 등 투여 •염분제한
승모판막 폐쇄부전증	•좌심실에서 좌심방으로 혈액이 역류 •수축기 잡음, 심방세동, 색전 •이뇨제, 디지탈리스, 혈관확장제, 판막성형술
대동맥판막 협착증	•노인에게 호발 •활동 시 발작적인 호흡곤란, 실신, 피로 •심박출량 감소, 협심증 •폐부종, 간 비대 •운동제한, 염분제한 •인공판막대치술 •디곡신, 이뇨제, 혈관확장제
대동맥판막 폐쇄부전증	•선천성 기형, 류마티스열 후, 감염성 심내막염으로 발생(대표적인 원인은 류마티스열) •무증상인 경우가 많다. •활동 시 호흡곤란, 기좌호흡, 흉통, 현기증, 이완기 잡음 •운동제한 •디곡신, 이뇨제 •인공판막교체술

TIP

심장판막증에 동반되는 대표적 합병증

합병증	합병이 일어나기 쉬운 판막증	진단
심방세동(AF)	• 승모판협착(MS) • 승모판역류(MR)	• 심전도
혈전에 의한 색전증	• MS에 많다. (좌심방 내 혈전에 기인한다)	• AF의 존재 • 신경학적 소견(의식장애, 편마비 등)
감염성 심내막염	• MS 이외의 판막증에 합병한다.	• 발열 • 심장잡음 • 혈액배양 • 심장초음파(vegetation 확인)
폐울혈이나 심부전	• 대동맥판협착(AS) • 대동맥판역류(AR) • MR이 MS보다 많다.	• 흉부 X-선 • 심장초음파 • BNP
심장차단	• 대동맥판협착(AS)에 많다.	• 심전도

※ 장애를 받은 판막의 구조와 판막 전후의 심장속공간의 압력·혈행동태를 생각하면 이해하기 쉽다.

VII 심근병증 Cardiomyopathy

A 총론

심근병증/심근증(cardiomyopathy)은 원인불명의 심근병증인 '특발성/원발성(primary/idiopathic) 심근병증'과 어떤 병 이후에 계속되어 생기는 '2차성/속발성(secondary) 심근병증'으로 나뉘어진다.

'심근병증'이란 심근세포가 변성 · 위축되거나, 간질결합조직이 증식하거나 함으로써, 심근 본래의 기능이 장애를 받는 상태라고 생각할 수 있다. 전신을 자동차에 비유한다면, 심근병증은 원동력인 '엔진' 고장이라 할 수 있을 것이다(**그림 7-1**).

[그림 7-1] 심근병증은 엔진고장?

1 분류

1. 특발성 심근병증 Idiopathic cardiomyopathy

특발성 심근병증이란, 아직 원인이 분명하지 않은 심근병증으로 알려져 있다. 다음은 특발성 심근병증에 대한 분류이다.

① **확장형 심근병증**(dilated cardiomyopathy ; DCM) : 이는 과거에 Goodwin이 '울혈형 심근병증(congestive cardiomyopathy)'이라 부른 것과 같은 질환이다.

② **비대형 심근병증**(hypertrophic cardiomyopathy ; HCM)

ⓐ **비대형 폐쇄성 심근병증**(hypertrophic obstructive cardiomyopathy ; HOCM) : VI장 「심장판막병」의 장에서 좌심실 유출로협착을 유발하는 질환으로서 언급한 "특발성 비대성 대동맥판막아래협착증(idiopathic hypertrophic subaortic stenosis ; IHSS)"이 이 HOCM의 일종이라고 할 수 있다.

ⓑ **비대형비폐쇄성심근병증**(hypertrophicnon-obstructivecardiomyopathy ; HNCM)

③ 제한성 심근병증(restrictive cardiomyopathy) : 심근 심내막/심장속막의 병변으로 인하여 심실의 확장기 충만이 장애를 받는 상태로서, 심내막 심근섬유증(endomyocardial fibrosis)이나 Löffler 심내막염이 이에 속한다.

2. 속발성 심근병증

속발성 심근병증은 현재로서는 병변이나 다른 질환과의 관련 부분에 대해서는 특정 심근병증으로 분류된다. 그 분류에 대해서 간단히 살펴보면 다음과 같다.

1) 심근염(myocarditis)

① 바이러스성 : coxsackie virus, ECHO virus, poliovirus
② rickettsia성 : coxiella 등
③ 세균성 : diphtheria 등
④ 진균성 : aspergillus 등
⑤ 원충성 : Trypanosoma cruzi에 의한 Chagas병 등
⑥ 후생동물성 : filaria 등

2) 신경근질환 : Ducheune형 근육 퇴행위축
Friedreich 실조증
근긴장성 퇴행위축

3) 결합조직질환 : SLE
결절성 다발동맥염(polyarteritis nodosa)
만성 관절류마티스(RA) 등

4) 대사성질환 : Pompe병(당원병 Ⅱ 형) 등
5) 내분비질환 : 갑상샘질환, 부신질환 등
6) Amyloidosis
7) Sarcoidosis

그러면, 이들 심근병증에 대해서 자세히 살펴보기로 하자.

B 확장형 심근병증 DCM

1. 병태생리

확장형 심근병증(dilated cardiomyopathy ; DCM)의 기본적인 병태는 '심장의 확장'이다. 이로 인해 심근의 수축력은 저하하고 심실 전체의 펌프기능이 저하하는 상태라고 할 수 있다. 이는 '늘어나 버린 고무줄'에 비유할 수 있다(**그림 7-2**).

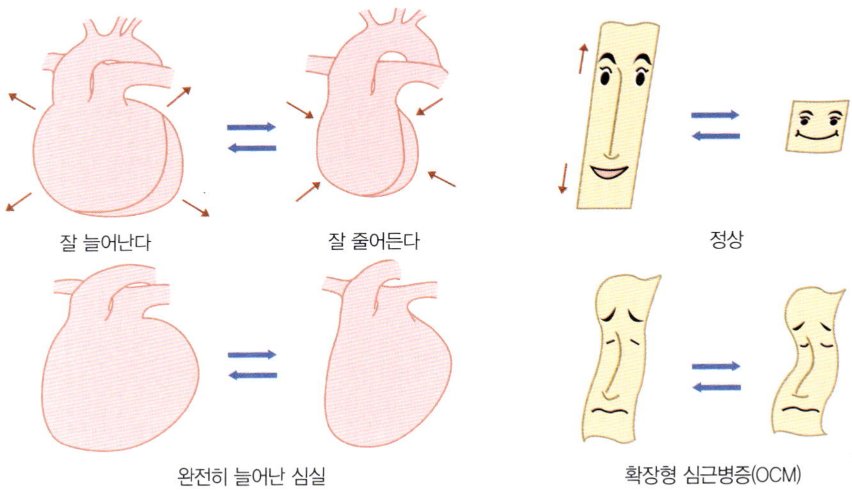

[그림 7-2] 심장은 고무주머니!?

2. 경과

기침이나 호흡곤란 등의 좌심부전/왼심장기능상실 증상과 이들 증상에 이어지는 부종이나 간비대(hepatomegaly) 등의 우심부전/오른심장기능상실 증상이 나타난다. 좌심실벽의 현저한 비대는 보이지 않고, 울혈성 심부전 증상을 나타낸다. 또한, 혈전으로 인한 각종의 색전증상도 나타날 수 있다.

3. 역학

중년 남성에게 많이 나타난다.

4. 신체소견

DCM에 대한 신체소견으로 다음과 같은 증상이 있다.

① 경정맥 확장, 간비대, 부종

② 심첨 박동이 약하다.

③ S_3, S_4가 청취되고, 빈맥일 때에는 summation gallop(S_3, S_4음이 동시에 들리는 현상)이 된다.

④ 상대적인 삼첨판막 또는 승모판역류로 인한 수축기 역류성 잡음(apical holosystolic murmur : 심실 확장에 동반되는 판륜확대가 원인)

5. 검사소견

1) 흉부 X-선 사진

확장형 심근증에 대한 흉부 X-선 소견의 특징은 다음과 같다.

① 심음영의 현저한 확대

② 정맥성 폐고혈압(좌심방압↑ 때문에 폐정맥압이 상승이 되며 따라서 폐고혈압이 된다)의 소견

2) 심장초음파소견

확장형 심근증에 대한 심장초음파 소견은 다음과 같다.

① E wave 진폭 및 DDR의 감소, A/E비의 증대, B-B′step(승모판 폐쇄운동의 중단)

② 좌심실 확대

③ 중격/사이막과 후벽/뒤벽의 운동 저하

④ ejection fraction의 감소

3) 심장카테터 검사

DCM에 대한 심장카테터 검사소견은 다음과 같다.

① LVEDP, 좌심방압, PCWP는 상승한다.

② 심혈관조영법에서는 양측 심실의 확장, ejection fraction의 저하, 승모판의 역류 등이 나타난다.

③ 관상동맥에는 협착 병변이 나타나지 않는다.

6. 진단

감별진단들을 제외함으로써 진단한다.

① 판막병
② 고혈압증
③ 허혈성 심장병
④ 선천성 심장병
⑤ 속발성 심근병증
⑥ 압축성 심막염
등이 모두 제외되는 경우에 내린다.

7. 치료 및 간호

본 질환은 원인불명이기 때문에, 치료는 심부전에 대한 대증요법으로 실시할 수 밖에 없다. 단, 알콜 남용이나 영양장애 등 의심되는 원인이 있다면, 당연히 그것들을 제거해야 한다.

또한 심부전이 분명한 현상에 대해서는 장기간 안정을 취해 누워 있게 하고, 몸의 움직임을 제한하며, 소금 섭취를 줄이는 외에 digitalis, 이뇨제 투여도 실시한다. 근래 주목되고 있는 것으로는 혈관확장제 투여에 의한 치료가 있다. 이들을 열거하면 다음과 같다.

① nitroglycerin : 전부하/예비하중(preload) 경감작용
② hydralazine : 후부하(afterload) 경감작용
③ prazosin : 전부하/예비하중(preload) · 후부하(afterload) 경감작용
④ ACE inhibitor : 전부하/예비하중(preload) · 후부하(afterload) 경감작용

본 질환에 대한 예후는 극히 나쁜 것으로 알려져 있다. 5년 생존율은 40% 전후이다.

C 비대형 폐쇄성 심근병증 특발성 비대성 대동맥판하부협착증

특발성 비대성 대동맥판하부협착증(idiopathic hypertrophic subaortic stenosis ; IHSS)은 중요한 부분이므로, 여러분에게는 어느 정도 '낯익은 질환'일 것이다.

이미 언급했듯이, 이 IHSS는 비대형 폐쇄성 심근병증(hypertrophic obstructive cardiomyopathy ; HOCM)과 같은 형태의 질환이다.

1. 병태생리

기본적인 병태는 '비정상적인 심근비대'에 있다. 좌심실 심근비대가 주로 심실중격/심실사이막에 일어나, 판막아래에서 좌심실 유출로 협착을 초래해 '폐쇄성'이 되는 것이다.

덧붙이자면, '비대형 비폐쇄성 심근병증(hypertrophic nonobstructive cardiomyopathy ; HNCM)'도, 기본적으로는 본 질환과 같은 병태이지만, "좌심실 심근비대가 주로 좌심실 자유벽(free wall)에 일어난다"는 점이 다르다. 그 때문에 비대한 심근이 유출부를 협착하지 않으므로 "비폐쇄성"이라고 한다. 이를 그림으로 나타내면 다음과 같다(그림 7-3).

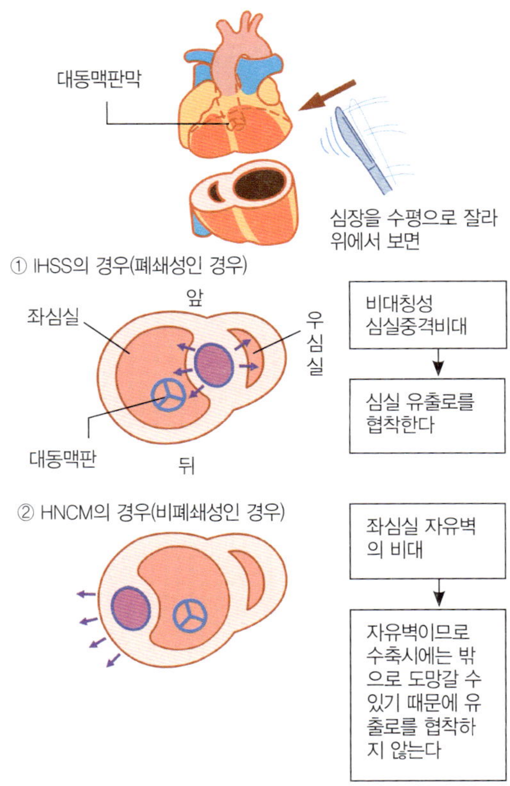

[그림 7-3] IHSS와 HNCM의 비교

2. 경과

HISS에서는 무증상의 경우도 많지만

① 폐울혈/허파울혈이나 체혈류량 감소로 인한 심계항진/두근거림, 호흡곤란, 피로감
② 관혈류 저하로 인한 흉부 압박감, 흉통
③ 뇌혈류 저하로 인한 현기증, 실신 등을 호소한다.

3. 역학

비대형 심근병증(HCM)의 대부분은 산재성으로 나타나지만, 높은 비율로 상염색체 우성유전(AD)을 한다.

즉, 가족성이 강하다는 것이다. 또한, 젊은 환자에서는 돌연사(sudden death)하는 경우도 적지 않다.

4. 신체소견

1) 경동맥파형은 이봉성[pulsus bisferiens(peak and dome type)]을 나타낸다.

2) S_4음 증가

3) S_2음의 모순 분열

4) 흉골좌연/복장뼈왼모서리에 수축기 박출성 잡음(ejection murmur)

① 대동맥판 협착과는 달리 경동맥으로 퍼지지 않는다. 이는 대동맥판하부 협착 때문이다.

② 대동맥성 박출음(aortic ejection sound)을 동반하지 않는다.
판막하부 협착 때문에 협착후에 대동맥판을 통과하므로, 대동맥판이 협착부는 아니기 때문에 대동맥판에 의한 ejection sound는 발생하지 않는다.

③ 점증점감형의 잡음이며, ejection이 수축 조기에 방해를 받으므로 S_1이 들리고 나서 한참 후에 시작된다.

④ 잡음을 증강하는 방법

ⓐ 심근수축을 증대한다
digitalis와 β-agonist 투여

ⓑ 심실용적을 감소시킨다(즉 전부하/예비하중(preload)를 줄인다)
Valsalva maneuver *
nitroglycerin, amyl nitrite, 빈맥

⑤ 잡음을 감소시키는 방법

ⓐ 심실용적을 증대한다
phenylephrine, methoxamine 투여에 의한 동맥압 상승, 사지를 들어올림으로써 정맥환류의 증대

ⓑ 심근수축을 약화시킨다
β - blocker 투여

* 숨을 참으면, 흉강(thoracic cavity)내압의 음압이 작아지고 정맥환류량이 감소하기 때문이다.

5) 심첨부/심장끝부분에 승모판역류(MR)가 원인이 되어 수축기 역류성 잡음(apical holosystolic murmur)이 청취되는 경우가 많다.

5. 검사소견

1) 흉부 X-선 사진

HISS는 심음영/심장음영은 정상이거나, 약간의 확대를 나타낼 뿐이다.

2) 심전도

심전도소견의 특징은 다음과 같다.

① 좌심실 비대(left ventricular hypertrophy ; LVH)
② abnormal Q wave, V_1의 R wave 높이 증가
이들은 심실중격/심실사이막의 비정상적인 전기생리학적 성질로부터 비롯된 것으로 보인다.
③ ST-T 변화

3) 심장초음파 Echocardiogram

심장초음파(echocardiogram) 소견에는 다음과 같은 특징을 볼 수 있다.

(1) M-mode 승모판 초음파

① E wave 진폭 및 DDR의 감소
② A/E비 증대
③ B- 'B step

(①~③: 확장형 심근병증과 마찬가지로 좌심실의 신전성이 결핍되기 때문)

④ 승모판 앞첨판/전엽의 수축기 전방운동(systolic anterior movement ; SAM〈systolic hump〉)

(2) M-mode 좌심실 초음파

① 비대칭성 중격비후/비대칭성 사이막비대(asymmetric septal hypertrophy ; ASH)
심실중격비후/좌심실고위후벽비후(좌심실후벽비후)≧1.3
② 벽운동(wall movement)의 저하

(3) M-mode 대동맥판막 초음파

대동맥판막의 수축중기 반폐쇄(mid systolic closure)

4) 심장카테터 검사

심장카테터 검사소견의 특징은 압력곡선에서, 좌심실 유출로에 수축기압 교차가 나타나는 것이다.

6. 진단

경동맥파의 이봉맥(pulsus bisferiens), 큰 S_4 음, 수축기 잡음이 있으면 HISS가 의심되며, 심장초음파(echocardiogram)나 심장카테터 검사에 의해서 확정진단을 내린다.

7. 치료 및 간호

앞에서도 언급했듯이, 젊은 연령의 환자에서는 돌연사를 가장 주의해야 한다. HISS에서는 심근이 자칫 비대해지기 쉬우므로 심장에 대하여 필요 이상의 부하를 걸지 않도록 하는 것이 중요하다.

약물 치료법으로서는 β – blocker를 투여한다.

HISS의 본질적인 병변은 compliance 저하에 있는데, 이 compliance 개선에 유효하다고 알려진 약제는 현재로서는 없다.

그러나 최근에는 그 작용기전은 명확하게 알려져 있지 않지만 verapamil이나 diltiazem 등의 Ca-channel blocker가 유효한 것으로 알려져 있다. 또한, 유출로 협착을 증강하는 약제, 즉, digitalis, nitroglycerin, isoproterenol 등은 물론 금기이다.

예후는 개인차가 커서 각각 다르지만, 가족력이 강한 젊은 연령의 경우는 돌연사를 종종 볼 수 있다. 사인은 운동중의 돌연사이다.

TIP

비대형 심근병증의 병태생리

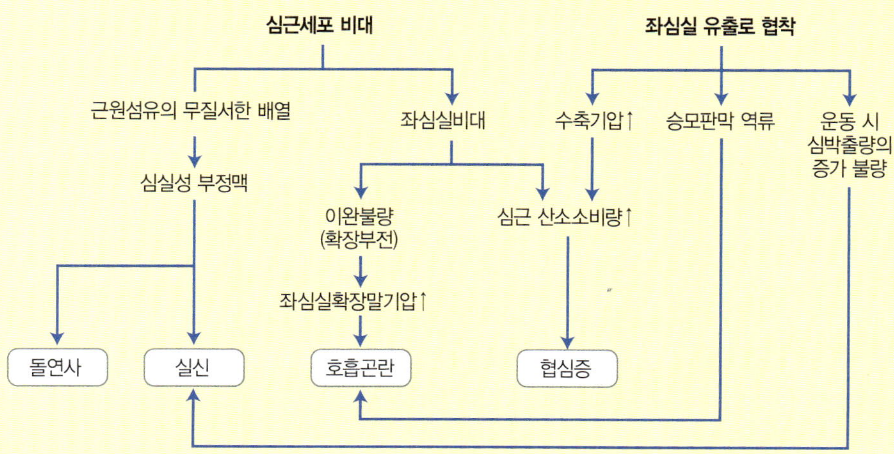

심근병증 핵심정리

병태생리로 보는 심근병증

심장을 구성하는 심근에 변성이 일어나면 심장은 펌프로서 만족스럽게 작동하지 못하고, 심부전 증상을 일으킨다. 고혈압이나 선천성 혹은 후천성 판막, 관상동맥, 심막의 이상에 기인한 것이 아닌 심장 근육 자체의 일차적 이상으로 심근장애가 일어나는 것을 심근병증이라고 한다.

	확장형 심근병증(DCM)	비대형 심근병증(HCM)	제한형 심근병증(RCM)
병 인	• 유전자 변이 • 심근세포의 변성 → 탈락과 섬유화 초래 → 특히 왼심실의 확대가 현저	• 유전자 변이	• 심근세포의 변성 → 섬유화되어 심실벽이 단단하게 변화된 조직상으로 나타남
병 태	• 심근세포의 변성에 의해 서서히 불가역성으로 조직 재형성 진행, 심실벽 확장 진행 → 심장의 심근수축력 저하, 심박출량 저하 (울혈성 심부전 유발)	• 변이를 일으킨 단백질이 근육원섬유마디에 편입됨으로써 이상을 나타낸다. → 상염색체 우성유전 → 2세는 50%의 확률로 비대형 심근병증을 앓는다. • 젊은 환자의 경우 돌연사 주의	• 확장기압은 양쪽 심실 모두 상승하여 울혈성 심장기능 상실 소견이 나타난다.
증 상	• 운동 시 호흡곤란 • 기좌호흡 • 발작성 야간호흡곤란 • 심계항진	• 심박출량 저하 • 심계항진 • 호흡곤란 • 협심통 • 동요성 어지럼증, 실신	• 심박출량 저하 • 운동 시 호흡곤란 • 폐영역 수포음 • 경정맥 확장 • 복수, 종아리 부종

	확장형 심근병증(DCM)	비대형 심근병증(HCM)	제한형 심근병증(RCM)
진단 및 검사	• 흉부 X-선 사진 (심장음영확대 및 폐울혈) • 심전도 • 심장초음파(심실의 비정상적인 확장, 수축력 저하, 승모판막 역류) • 심장카테터(왼심실 확장말기압과 폐동맥 쐐기압의 상승, 심박출량 저하)	• 심전도 • 심장초음파(왼심실벽 비대) • 심장카테터(왼심실 확장말기압의 상승)	• 심전도 • 심장초음파 (두께가 증가한 왼심실 벽) • 심장카테터 (dip and plateau)
치료	• 혈행동태의 개선 - 약물요법 : 안지오텐신 변환효소억제제, ARB, β차단제 - 심실 재동기요법(CRT) • 부정맥 예방 - 항부정맥제 (아미오다론 등) - 이식형 제세동기(ICD) • 혈전증 예방 - 항응고요법(와파린 등)	• 혈행동태의 개선 - 약물요법 : β차단제, 칼슘길항제, 이뇨제 등 - 경피적 에탄올주입요법 : 중격분지에 풍선카테터 삽입하여 에탄올 주입 - 심근절제술 • 부정맥 예방 - Ia군 항부정맥제 - 아미오다론 - 운동이나 알코올 섭취 제한	• 유효성이 높은 원인치료는 아직 없다. • 기초질환의 치료가 중요하다.

Ⅷ 선천성 심장병

A 총론

선천성 심장병/심질환(congenital heart disease)에 대해서 설명하기 전에 태아와 출생 직후의 순환동태에 대해서 간단하게 복습해 보자.

태아기의 순환동태를 도식화하면 다음과 같다(**그림 8-1**).

출생 직후, 호흡이 개시됨과 동시에,

① 폐혈관 저항의 감소
② 폐혈류량의 증대
③ 좌심방으로 돌아오는 혈류의 증가
④ 좌심방압의 상승
⑤ 난원공/타원구멍(foramen ovale)의 기능적인 폐쇄(생후 수분 이내)
⑥ 태반순환의 정지와 그에 동반하는 체혈관 저항의 증대
⑦ 우심방으로 향하는 환류혈액의 저하
⑧ 동맥관(ductus arteriosus)의 폐쇄(생후 12시간 이내)(PaO_2의 상승으로 인해 일어난다)

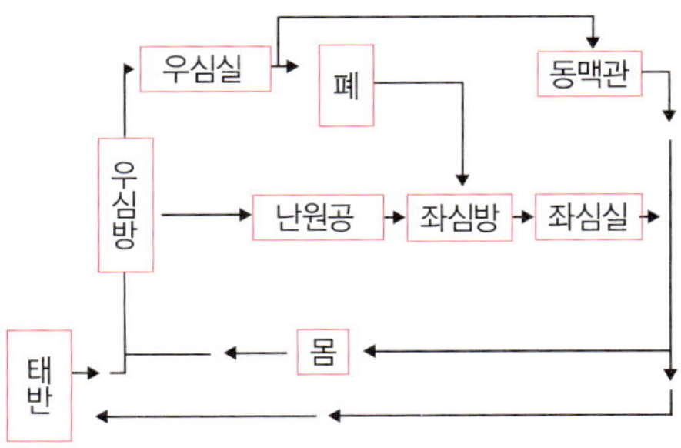

[그림 8-1] **태아기의 순환동태**

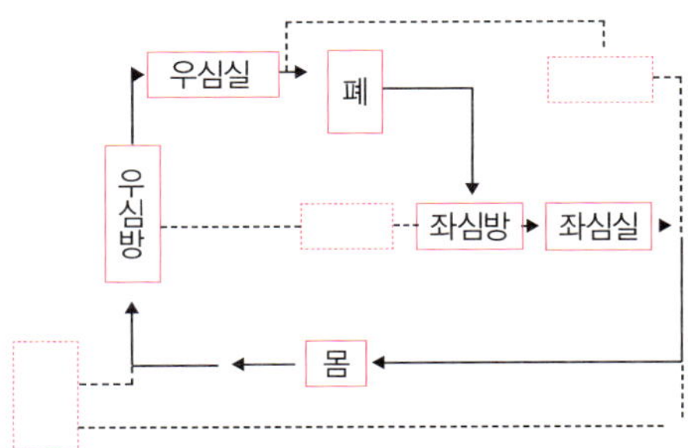

[그림 8-2] **생후의 순환동태**

등이 일어나고, 차례로 순환동태는 변화하여, **그림 8-2**처럼 되는 것이다.

그림 8-1의 도식을 보아도 알 수 있듯이, 태아의 순환계는 대정맥계에서 대동맥계로 통로가 있기 때문에 폐와 좌심계/왼심장계통을 우회할 수 있다. 즉, 폐와 좌심/왼심장이 직렬로 연결되어 하나의 circuit으

로 존재하는 것이 아니라, 병렬식 연결이 되어 있으므로 정맥혈은 어느 쪽으로도 우회하여 흐를 수가 있는 것이다.

따라서 태아는 중증 심기형이 있어도 심부전에 이르지 않는다.

그러나 태어난 후는, 태반에서 산소공급이 없어지므로 스스로 폐로 호흡하여 산소공급을 하지 않으면 안 된다. 이렇게 되었을 때 비로소 심부전/심장기능상실 증상을 보이게 되는 것이다.

1. 역학

1) 빈도

선천성 심장병을 빈도순으로 열거하면 다음과 같다.

① 심방중격결손증/심방사이막결손증(ASD ; atrial septal defect)
② 심실중격결손증/심실사이막결손증(VSD ; ventricular septal defect)
③ 동맥관개존증/동맥관열림증(PDA ; patent ductus arteriosus)
④ Fallot 4징후(TOF ; tetralogy of fallot)
⑤ 폐동맥판협착증(PS ; pulmonary stenosis)
⑥ 대동맥축착증(CoA ; Coarctation of Aorta)
⑦ 대동맥판협착증(AS ; aortic stenosis)
⑧ 대혈관전이증(TGA ; transposition of great arteries)
⑨ 삼첨판폐쇄증(TA ; tricuspid atresia)
⑩ 기타

그리고, 청색증성 선천성 심장병 중에서는 Fallot 4징후(TOF)가 가장 많다.

2. 분류

임상적으로 유용한 선천성 심장병에 대한 분류의 하나로,

- 청색증의 유무와
- 폐혈류량의 정도(증가, 정상, 감소)

에 따라 6개의 그룹으로 나누는 방법이 있다(**표 8-1**). 우연하게도 청색증 타입에는 'T'로 시작되는 것이 많다.

폐 혈류량	비청색증성	청색증성
증가	① VSD ② PDA ③ ASD ④ ECD	⑤ TAPVR(total anomalous pulmonary venous return) ⑥ TGA ⑦ TAC ⑧ DORV
정상	⑨ AS ⑩ CoA ⑪ 심근병증	⑫ anomalous systemic venous drainage
감소	⑬ PS ⑭ Ebstein anomaly	⑮ TOF ⑯ TA ⑰ Eisenmenger syndrome ⑱ Ebstein anomaly

[표 8-1] 선천성 심장병에 대한 분류

T로 시작되는 것은 5가지가 있다.

- TAPVR
- TGA
- TAC
- TOF
- TA

이 5T는 반드시 암기하기 바란다. 여기에다 '2E'도 추가하여 암기하자. '2E'는 Ebstein anomaly와 Eisenmenger syndrome이다. 비청색증성은 'T'로 시작되지 않는 것들이다.

우선 이런 식으로 개략적인 것을 기억해 두자. ①, ②, ③은 독립된 항목으로 자세히 설명하겠다.

④ ECD(심내막상결손증, endocardial cushion defect)

ECD는 심방중격결손(단, 일차공형 결손) 때문에 ③ASD와 같이 비청색증성인 폐혈류 증가의 질환으로 분류된다.

⑤ TAPVR(모든 폐정맥환류 이상증)

모든 폐정맥이 체순환계로 환류하며, 체동맥혈류는 난원공개존/열린타원구멍(patent foramen ovale) 또는 심방중격결손/심방사이막결손(ASD)을 통하여 Rt to Lt shunt에 의존한다.

⑥ Complete TGA(완전 대혈관 전이증)

우심실에 대동맥, 좌심실에 폐동맥이 생기는 심장기형이며, 동맥관개존증/동맥관열림증(PDA), 심방중격결손증(ASD), 심실중격결손증(VSD) 등의 shunt를 지닌 질환을 동반하지 않으면 출생후에는 생존이 불가능하다.

⑦ DORV(양대혈관 우심실기시증, double outlet right ventricle)

폐동맥 뿐만 아니라 대동맥도 우심실에서 기시되는 심장기형이며, 심실중격결손/심실사이막결손이 항상 존재한다.

⑧ TAC(총동맥간 유잔증, truncus arteriosus communis)

양쪽 심실에서 한 개의 대혈관이 기시(deja vu)되어 그곳에서 체동맥, 폐동맥, 관상동맥이 분지되는 질환이다.

⑩ CoA.(대동맥축착증)

대동맥 협부(동맥관삭부착부 부근)의 협착을 유발하는 질환이다.

⑫ Anomalous systemic venous drainage(체정맥환류 이상증)

ⓐ 상대정맥/위대정맥 또는 하대정맥/아래대정맥이 직접 좌심방으로 개구되는 경우

ⓑ 좌상대정맥/왼위대정맥의 분지가 직접 좌심방으로 개구되는 경우

⑯ TA(삼첨판 폐쇄증)

Tricuspid valve가 폐쇄되어 있으므로 체정맥환류는 모두 난원공/타원구멍 또는 심방중격결손(ASD)을 통하여 좌심방으로 유입한다. 심실중격결손(VSD)을 동반하는 증례가 대부분이다.

⑰ Eisenmenger syndrome
⑱ Ebstein anomaly

⑰, ⑱은 모두 Rt to Lt shunt가 있으므로 청색증이 나타난다.
그러면, 다음으로 선천성 심장병증에 대해서 자세히 살펴보기로 하자.

B 심방중격결손증 Atrial septal defect ; ASD

먼저, 심방중격/심방사이막의 형성과정을 **그림 8-3**을 통하여 간단히 살펴보자. 그런데, 심방중격결손증은 그 발생과정에서 이상이 생겨 일어나는 현상임을 기본적으로 이해하여야 할 것이다.

1차 중격과 2차 중격의 2가지 중격은 생후 얼마 지나지 않아 융합하여 폐쇄되는데, 난원공개존/열린타원구멍(patent foramen ovale)은 정상인의 20%에 존재한다. 단, 이 경우는 좌심방과 우심방 사이에 shunt가 생기지 않기 때문에 임상적으로는 문제가 되지 않는다.

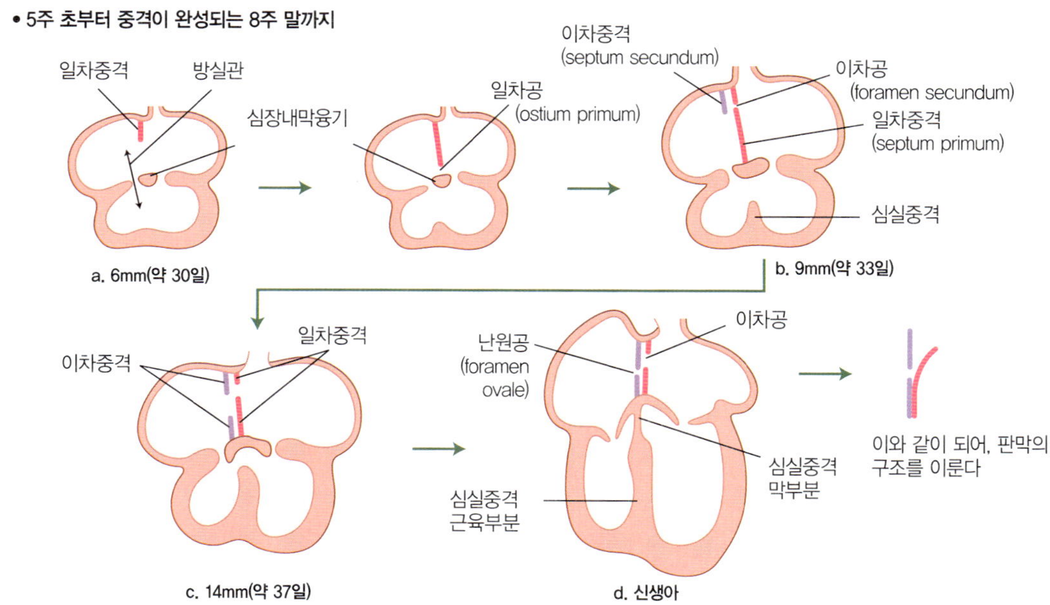

[그림 8-3] 심방중격의 형성과정

1. 분류

심방중격결손증(ASD)은 결손 부위에 따라 다음의 1)~3)형으로 분류된다. 그리고 일반적으로 ASD라는 명칭은 이차공형결손/2차공 결손에 대하여 사용된다.

1) 정맥동형결손(sinus venous defect)

심방중격결손증의 5% 정도에서 볼 수 있다.

2) 이차공형 결손/2차공 결손(ostium secundum defect)

이차공형 결손은 심방중격결손증의 90%를 차지한다. 이는 2차 중격이 정상으로 발생하지 않기 때문에 이차공형이 폐쇄되지 않고, 난원와/타원오목(fossa ovale) 부근(중격 중앙부)에 결손공이 개구하는 현상이다. 난원공개존/열린타원구멍과 혼동하지 않도록 주의하기 바란다.

3) 일차공형 결손/1차공 결손(ostium primum defect)

일차공형 결손은 심방중격결손증/심방사이막결손증의 5% 정도를 차지한다. 이는 중격 아래의 결손이며, 승모판의 역류를 동반한다.

VIII

1 심방중격 이차공형 결손

1. 병태생리

ASD에 있어서는, 우심방 쪽의 압력이 낮기 때문에, Lt to Rt shunt가 심방의 레벨에서 생긴다. 따라서 우심방 → 우심실 → 폐동맥 → 폐로, 용적부하를 초래한다. 또한, 좌심방의 깨끗한 혈액이 우심방으로 흐르므로 우심방 레벨에서의 O_2 분압이 높게 나타난다.

이들의 혈행동태는 진찰소견에 반영된다. 예를 들면, 우심방에서 우심실로 흐르는 혈류가 증가하므로, 삼첨판막이 상대적으로 협착을 유발하며, 상대적 TS(삼첨판막협착)의 잡음을 청진으로 들을 수 있다. 마찬가지로 상대적 PS(폐동맥막협착)가 되기도 한다. 또한 우심실 용적부하가 현저해지면, 우심장계통 S_3음을 듣게 되는 경우도 있다.

여기에서 중요한 것이 fixed splitting of S_2(제2심음의 고정성 분열)이다. 우심실 → 폐동맥혈류가 증가하므로 폐동맥 폐쇄의 시간이 길어져 P_2가 늦어지는 데다가 흡기/들숨 우심방으로의 혈액 환류량이 증가하므로 P_2가 더욱 늦어진다. 그러나 흡기에, Lt to Rt shunt량은 감소하므로, 좌심방 → 좌심실→ 대동맥계를 흐르는 혈액이 호기/날숨 때보다 증가하기 때문에 A_2도 동시에 늦어지는 것이다. 이것이 고정성 제2심음 분열이 일어나는 이유이다(**그림 8-4**).

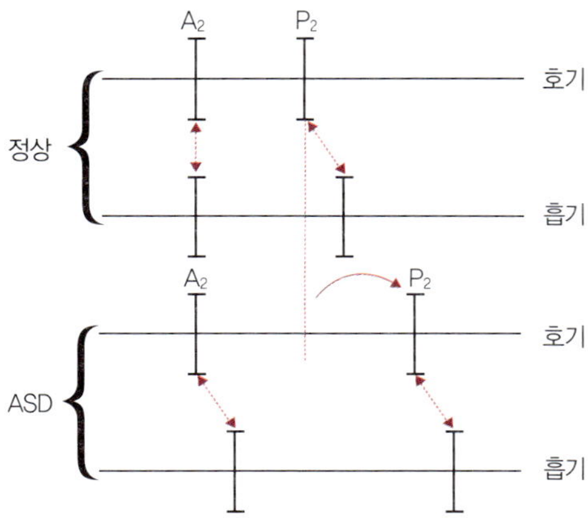

[그림 8-4] **고정성 제2심음 분열**

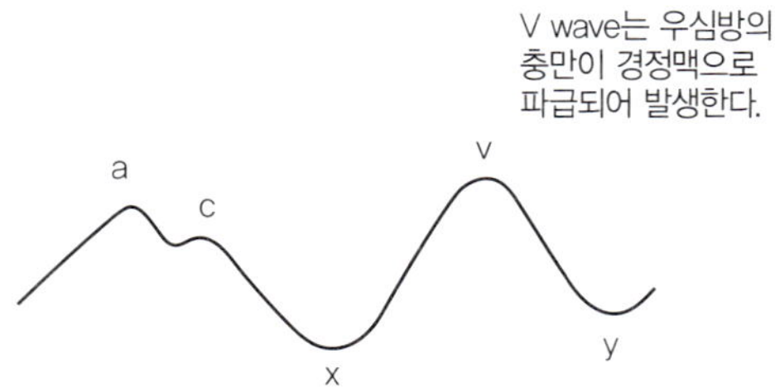

[그림 8-5] **심방중격 이차공형 결손(ostium secundum defect)의 경동맥파**

2. 경과

심방중격 이차공형 결손(ostium secundum defect)은 무증상으로 경과하는 경우가 많은데, 병태의 진전에 따라 피로감, 호흡곤란, 잦은 호흡기 감염, 심계항진/두근거림 등을 호소한다.

3. 신체소견

① 경정맥파에서 v wave 높이 증가(**그림 8-5**)
② parasternal heave(흉골 박동) : 명료
③ fixed splitting of S_2(S_2의 고정성 분열)
④ 삼첨판막개방음(tricuspid opening snap)
⑤ S_1 증가(삼첨판막 폐쇄음의 증가)
⑥ 좌 제2 늑간/왼쪽 제2 갈비사이에 systolic ejection murmur(상대적 폐동맥협착)
⑦ 흉골좌연/복장뼈왼모서리 아래에서 diastolic rumbling murmur(상대적 삼첨판협착)

4. 검사소견

1) 흉부 X-선 사진

① 우심방, 우심실, 폐동맥의 확대
② 대동맥궁/대동맥활은 협소

③ 폐혈류 증가
폐동맥은 중추부에서 말초부까지 굵고, 폐영역에서는 폐혈관 음영이 증강된다.

2) 심전도

① 약 90%에서 불완전 RBBB가 나타난다.
② RVH, RAD
③ pulmonic P wave(P-pulmonale), 우심방성 P wave(P-dextrocardiale)

3) 심장초음파 검사소견(echocardiogram)

① 4강 단층상
우심방 · 우심실 확대
② M-mode 좌심실 초음파
심실중격의 모순 운동
③ M-mode 승모판 초음파
D점 고위의 pseudo SAM

Ⅷ

4) 심장카테터 검사

① 우심방에서 O_2 분압의 상승
② 카테터가 우심방으로부터 결손공을 통하여 좌심방으로 빠져나간다.

5. 감별진단

① 부분 폐정맥환류 이상증(partial anomalous pulmonary venous drainage ; PAPVD)
심장카테터 검사 이외의 방법으로는 감별이 곤란하다.
② 일차공형 결손/1차공 결손
이것은 다음 항목에서 설명하도록 한다.

6. 치료 및 간호

앞에서 언급했던 임상증상을 띠는 증례는 수술적용이 된다. 위에 서술한 증상의 경우는 대부분이 Lt to Rt shunt율이 50% 이상이고, 또한 폐체혈류비(Qp/Qs)가 2.0 이상인 경우가 많다. 이차공형 결손/2차공 결손을 폐쇄하는 수술은 안전하며, 20세 전후에 실시하는 것이 좋다고 한다.

2 심방중격 일차공형 결손/불완전형 심내막상 결손 partial ECD

심방중격 일차공형 결손/1차공 결손(ostium primum defect)과 불완전형 심내막상 결손과는 다음에 서술한 내용으로 보면 같은 의미로 볼 수 있다.

1. 발생

방실관(AV canal)의 분할에 있어서, 심내막상(endocardial cushion)은 다음 3가지 사항에 관여한다.

① 일차공형의 폐쇄
② 승모판의 분할
③ 심실중격 기부의 형성

위의 ①이 주로 장애를 받으면, 불완전형 심내막상 결손(일차공형 결손)이 되어, 승모판역류를 동반하고, 때로는 삼첨판막의 역류도 동반한다.
완전형 심내막상 결손은, 위의 ①~③의 모두가 장애를 받기 때문에, 일차공형 결손/**1차공 결손**, 심실중격 결손, 공통 승모판(승모판과 삼첨판막이 분리되어 있지 않은 상태)이 보이며, Down syndrome의 합병증으로 나타나는 경우가 있다.

2. 신체소견

본 질환에서는 이차공형 결손의 sign에 승모판(때로 삼첨판막)의 역류에 의한 소견이 겹쳐 나타난다.

3. 검사소견

1) 흉부 X-선 사진

본 질환의 흉부 X-선 사진에서는 이차공형 결손상의 특징에, 좌심방 · 좌심실 확대의 소견이 첨가된다.

2) 심전도

① 불완전 RBBB + LAD

② PR interval의 연장

3) 심장초음파 검사

① 우심방 · 우심실 확대

② 심실중격의 모순 운동

③ 승모판 초음파의 E점이 심실중격/심실사이막에 접한다.

4) 심장카테터 검사

심장카테터 검사에서는 이차공형 결손/2차공 결손의 소견 외에 좌심실 조영으로 다음과 같은 소견이 나타난다.

① goose neck sign(그림 8-6)
승모판 ant. cusp의 부착 위치가 좌심실쪽으로 처지고, 우심실 유출로가 좁아진다(불완전형, 완전형).

② AV canal의 separation

③ 좌심방 쪽으로 역류

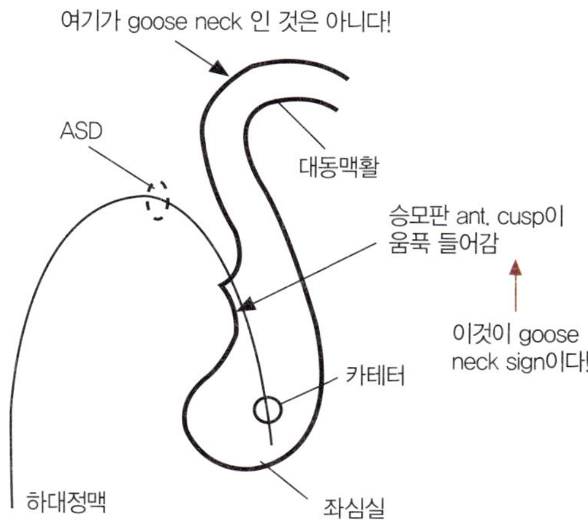

[그림 8-6] ECD에 있어서 goose neck sign

4. 치료

본 질환은 개심술을 실시함으로써 회복할 수 있다. 그러나 외과적으로 완전 AV block을 발생시킬 위험성이 있는 점, 승모판의 균열을 어떻게 처리하는가 하는 점, patch를 붙였을 때의 용혈빈혈의 문제 등 복잡한 점이 많기 때문에 위험률은 이차공형 결손에 비해 조금 높은 것으로 알려져 있다.

TIP

뤼탕바쉬에 증후군(Lutembacher syndrome)

이 증후군은, 심방중격결손증(ASD)에 승모판협착증(MS)이 동반된 증상을 말한다. 따라서 심방중격결손증만의 경우보다도 Lt to Rt shunt가 강하다고 할 수 있다. 승모판 협착 때문에 좌심방압이 상승하여도 심방중격 결손을 통하여 우심방으로 혈액유출이 생기기 때문에 승모판 협착증 특유의 증상은 나타나지 않는다. 그리고 이 증후군에서는 조기에 폐고혈압이 나타나고 Af가 호발한다.

플 러 스 코너

1. ECD에서는 왜 LAD(왼축편위 ; Left axis deviation)가 되는가?

ECD에서는 진찰소견이 ASD, VSD, TR, MR 등이 복합되어 나타나므로, 매우 복잡하게 되어 버린다. 원칙적으로 ASD, VSD, TR, MR인 때의 심음, 잡음의 특징이 모두 겹쳐지는데, 반드시 모두가 그렇다는 것은 아니라는 점에 주의해야 한다.

오히려 여러 가지로 너무 많아 특징이 없다는 점이 진찰소견의 특징일지도 모른다.

그렇다면, 진단은 어떻게 내리는가 하고 걱정하는 사람이 있을지 모르겠다. 그러나 걱정할 필요가 없다.

ECD에는 매우 특징적인 검사 소견이 있다. 그것은 심전도에서 볼 수 있는 "LAD + 불완전 RBBB"에 대한 소견이다. 젖먹이와 어린이는 기본적으로 RAD가 정상이므로, LAD를 취한다는 것은 분명히 이상한 것이다.

따라서 만약 유아기의 심전도가 LAD를 나타내면 반드시 이 ECD와 삼첨판 폐쇄증(tricupsid valve atresia ; TA)의 2가지 경우를 생각해야 한다. 그러면, 왜 TA와 ECD에서는 유아기에 LAD를 보이는가에 대하여 알아보자.

먼저 TA의 경우인데, TA는 삼첨판이 폐쇄된 상태이기 때문에 우심방으로 돌아온 혈액이 우심실로 흘러 들어갈 수가 없다. 따라서 반드시 심방중격에 구멍이 뚫려 있어서 우심방에 고여 있던 혈액은 좌심방으로 흘러간다. 그러나 이것만으로는 우심실에서 폐로 흐르는 혈액이 없기 때문에, 혈액은 아무리 시간이 지나도 산소화되지 않는다. 그래서 VSD나 PDA중 어느 한쪽이 존재하여 좌심계의 혈액을 폐쪽으로 돌려줄 필요가 있는 것이다.

이렇게 하여 산소화된 혈액은, 다시 좌심방으로 돌아오기 때문에, 좌심방, 좌심실은 우심방에서 흘러온 혈액과 합쳐져 상당한 용적부하가 되는 것이다. 이 좌심방 · 좌심실 용적부하가 원인이 되어 TA에서는 LAD를 초래하는 것이다**(그림 A)**.

다음으로 ECD가 LAD를 취하는 이유에 대하여 알아보자.

TA때와 같이 혈행동태의 영향으로 LAD가 되는 것은 아니다. ECD에서는, 문자 그대로 심내막상(endocardial cushion)이 결손된 상태이므로 심방과 심실을 전기적으로 연결하는 흥분전도로가 존재할 장소가 없다.

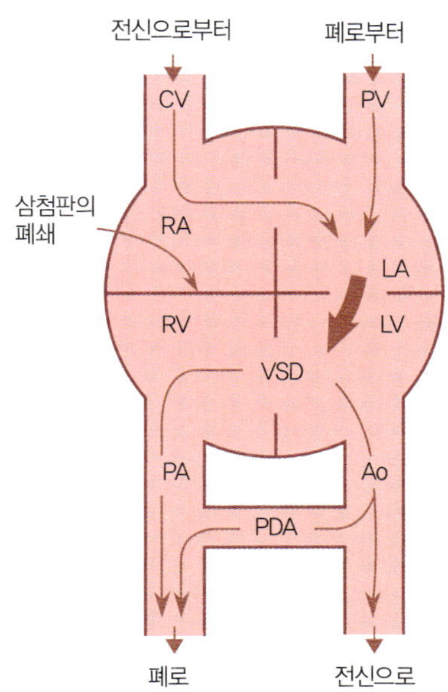

[그림 A] TA에서 LAD가 되는 이유

그래서 어쩔 수 없이 흥분전도로는 결손 상태가 아닌 장소로 우회하는 형식을 취하게 된다. 이는 심실계, 특히 좌심실의 전방으로 뻗은 Lt. ant. fascicle이라는 전도로에 영향을 주어 그 가지를 취소시켜버리는 현상으로 나타난다. 따라서 흥분 전달방식은 항상 Lt. ant. fascicle이 차단된 것과 같은 패턴이 되는 것이다. 그런데, Lt. ant. fascicle block은 심전도상에서는 LAD로 기록된다. 따라서 ECD에서는 LAD를 일으키는 것이다**(그림 B)**.

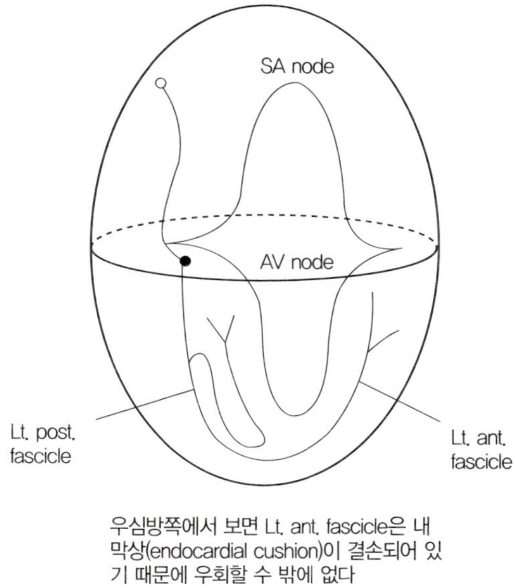

[그림 B] 왜 ECD에서 LAD가 되는가?

C 심실중격결손증 VSD

먼저, 심실중격/심실사이막의 해부를 이해하도록 하자(**그림 8-7**). 그림에 나타나듯이, 심실중격은 다음 3가지 부분으로 형성되어 있다. 이들 어느 부분에서도 결손은 일어날 수 있다.

① 막성부/막부분(perimembranous type)
② 누두부/원추부(subarterial type)
③ 근성부/유입부(muscular type)

이들 중, ①의 막성부에 결손이 생기는 경우가 가장 많다.

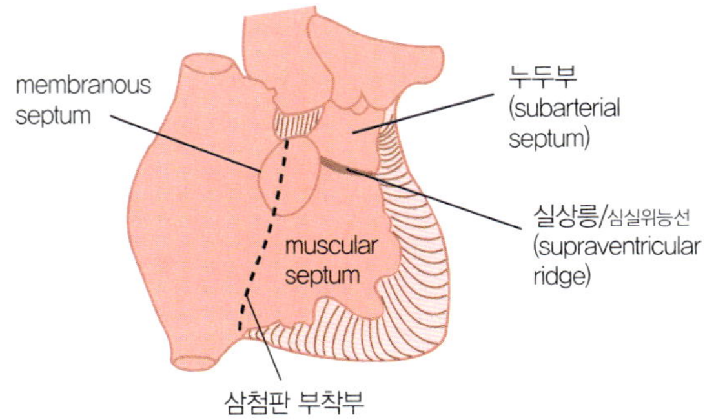

[그림 8-7] 심실중격의 해부도

1. 신체소견

본 질환의 증상은 결손공의 크기와 폐체혈류비(Qp/Qs, 폐혈관 저항)에 의해서, 즉, shunt량에 의해 좌우된다는 점을 알아두는 것이 중요하다.

2. 검사소견

1) 흉부 X-선 사진

Lt. to Rt. 단락(shunt)을 일으키기 때문에 폐혈류량이 증가한다. 그 때문에 좌심방으로 향하는 환류량이 증가하므로 좌심방, 좌심실의 확대를 야기시킨다. Eisenmenger화하게 되면 우심실도 비대해진다는 것과 흉부 X-선의 상에서 폐영역의 말초가 밝아진다는 사실을 알아두자.

2) 심장초음파

심실중격에 결손공이 나타나며, color Doppler 심장초음파(echocardiogram)에서 shunt flow가 나타난다.

3) 심전도

주로 좌심실의 압부하(LVH) 소견이 나타난다. Eisenmenger화하면 우심실의 압부하(RVH)를 보인다는 것은 앞에서 설명한 바와 같다.

4) 심장카테터 조영

우심실에서 O_2 분압이 높게 나타난다. 또한 좌심실조영으로 우심실도 조영된다.

5) 청진

① 흉골좌연/복장뼈왼모서리의 수축기 역류성 잡음(apical holosystolic murmur)

② 좌심계 S_2

③ 폐고혈압이 되면, P_2 증가 등이 나타난다.

그 외에 S_2음의 splitting이 나타난다. 이것은 좌심실에서 혈류의 도주가 있기 때문에 대동맥 판막이 빨리 닫혀버리므로 A-P의 사이가 더욱 크게 열리는 현상이다.

3. 진단

먼저, 강한 진전을 동반한 범수축기 잡음/전수축기 잡음(pansystolic murmur)을 청취하고, 그 외에 다른 특별한 소견이 없을 때에 VSD를 의심한다.

그리고 위의 「검사소견」에서 나타난 심전도소견, 흉부 X-선소견, 심장카테터 검사소견을 참고로 확정진단을 내린다.

심실중격결손증에 대한 병태는 단일한 것이 아니라, 예를 들면, 잡음이 들리지 않는 경우도 있기 때문에 ejection sound, S_2의 증가 등에도 충분히 주의하여, 병형에 따라 진단을 내릴 필요가 있다 (p.160, 플러스 코너 2. 심실중격 결손증이란? 참조).

감별진단

VSD와 구별을 해야 하는 질환을 열거하면 다음과 같다.

① 승모판역류(MR)

② 특발성 비대성 대동맥판하부협착증(IHSS)

③ 폐동맥판협착증(PS)

④ 우심실 심방 성교통증

4. 경과 및 예후

본 질환에서는 경증의 경우는 예후가 양호하여 거의 무증상으로 경과하여 천수를 누리지만, 유아기에 발병하는 경우는 중증으로 폐감염증, 심부전으로 조기에 사망할 수 있다. 그런데, 최근에는 심실중격 결손(VSD)의 자연폐쇄가 30~50%의 높은 비율을 차지하기 때문에, 그 대다수는 1~2세까지 폐쇄된다고 한다.

5. 치료 및 간호

수술적용은 폐체혈류비(Qp/Qs)가 2.0이상인 경우가 되며, 또한 5~15세에 수술하는 것이 좋다. 수술은 결손공을 patch로 폐쇄하는 것인데, pulmonary hypertension이 있으면 즉시 수술한다. 또, subarterial type인 경우에는 거의 자연 폐쇄가 없기 때문에 시기에 관계없이 즉시 수술한다(p.161, 3. VSD의 치료 참조).

플러스 코너

2. 심실중격결손증(VSD)이란?

VSD는 유아가 되는 과정에서 자연 폐쇄되는 경우가 30% 정도라고 생각하면 된다. 일반적으로 shunt가 작은 경우는 수술을 늦추고 자연 경과를 관찰한다. 단, shunt가 작은 경우라도 우심실압이 매우 높아져서 좌심실압과 같은 정도로 되었기 때문에 shunt가 감소하는 경우도 생각해야 할 것이다. 즉, Eisenmenger화이다. Eisenmenger가 유발된 경우도 역시 수술은 할 수 없다(왜냐하면, 수술을 하여 심실중격결손/심실사이막결손 부위를 patch로 덮으면, 우심실로 돌아온 혈액은 그때까지는 좌심실로 도망갔는데 이제는 도망을 갈 수가 없게 되므로 결국은 어디에도 못 가고 정체되게 된다. 폐는 혈관저항이 지나치게 높아 혈액이 흘러 들어갈 수 없으므로 결국 정맥울혈을 초래하고, 우심부전으로 사망에 이르게 되기 때문이다). VSD의 청진상 소견 뼈왼모서리 제4 갈비사이에 있어서의 수축기 잡음이다. 이는 좌심실이 수축함과 동시에 시작되어, 좌심실 수축이 완전히 끝날 때까지 계속된다(그림 A). 따라서 S_1, S_2가 잡음으로 인해 분명하지 않고, 소리로서는 MR의 상태와 아주 비슷하다. 단 MR의 경우는 최고점이 좌쇄골/왼빗장뼈 중심선상 제4~5 갈비사이, 즉 심첨부에 있으므로 부위의 차이에 의해 감별이 가능하다(또한, MR의 소리는 등쪽으로 퍼지는 수가 있는데, VSD의 소리는 그런 경우가 없다). 또한, VSD에서는 좌심실 용적부하로 인해 좌심계 S_3이 청취되며 S_1의 감소가 나타나는 경우가 있다.

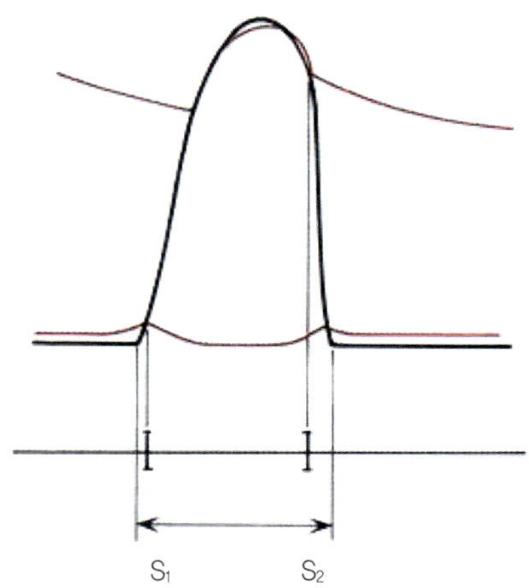

잡음이 계속되는 시간…S_1, S_2에 완전히 겹친다

[그림 A] VSD일 때의 잡음

흉부 X-선 사진에서는 좌심장비대 · 확장이 특징으로 좌 제4궁/왼쪽 제4활이 돌출된다. 물론 폐영역의 혈관음영도 증가한다. 심전도에서는, 좌심실 확대를 반영하여 LAD와 LVH의 소견(V_1S'

가 깊고, V_5, $_6R$이 높다)이 나타난다. 단, VSD는 시간이 경과함에 따라, 폐혈류량의 증가로 Eisenmenger화의 경향을 나타내게 되고 우심실에 압력부하가 걸리게 된다.

따라서 VSD의 경과로서는 처음에는 LVH였던 것이 이윽고 양쪽심실비대를 초래하여, 최종적으로 Eisenmenger화하면 RVH를 초래하는 형태가 되는 것이다. 심전도나 chest X-ray에 대한 소견도 이러한 시기에 따라 변하므로 일률적으로 LVH라고만 할 수 없다.

마지막으로, 확진으로 연결되기도 하는 심장카테터 검사인데, 이는 일반적으로 우심실에서 O_2 분압의 상승이나 압력상승으로 알 수 있다. 심장초음파검사에서 결손 부위를 확인하는 것도 확진의 수단이 된다.

3. VSD의 치료

앞에서 설명했듯이, VSD는 전부를 수술하는 것은 아니다. 일단 수술을 함에 있어서 Q_P/Q_S > 2.0~1.8이라는 기준이 있다. 이 의미는, 폐혈류량이 체혈류량의 1.8~2배가 아니면 수술할 수 없다는 것이다. 그 이유는 앞에서 설명한 바와 같이, 이 비가 낮을 때는 shunt가 작다. 이것은 ① 결손부위가 작아 그대로 방치해두어도 자연히 치유가 된다, ② Eisenmenger화의 경향에서 무리한 수술은 우심부전/오른심장기능상실을 유발시킬 위험이 있다는 2가지 사실을 의미한다.

그러나 subarterial type의 경우는 거의 자연폐쇄의 경향이 없으므로 즉시 수술을 한다. 또한 pulmonary hypertension이 있으면 Eisenmenger화가 될 가능성이 높으므로 즉시 수술을 해주는 것이 좋다.

Ⅷ

D 동맥관개존증 PDA

1. 병태생리

동맥관개존증/동맥관열림증(patent ductus arteriosus ; PDA)은 앞에서 서술한 기전에 의해 생긴다.

일단, 출생과 동시에 폐호흡이 개시되면, ductus arteriosus는 그 기능을 상실하고 생후 12시간까지 기능적으로 폐쇄되며, 1~6주간까지는 기질적으로 폐쇄된다. 이 폐쇄되어야 하는 동맥관이 열린 채로 남아 대동맥과 폐동맥 사이에서 생긴 Lt to Rt shunt가 기본적인 병태이다. Lt to Rt shunt가 원인이 되어 폐혈류량은 증대한다.

또한, 대량의 혈액이 폐에서 좌심방, 좌심실로 되돌아오기 때문에 좌심실 용적부하를 초래한다. 좌심실에서 대동맥으로 대량의 혈액이 박출되므로 수축기 혈압은 높아진다. 그러나, 확장기가 되면 대동맥의 혈액은 전신으로 흐르기보다도 폐동맥 쪽으로 shunt해버리기 때문에 전신의 확장기 혈압은 저하된다. 따라서 맥압(pulse pressure)이 증가하고, 맥을 짚었을 때 급격하게 올라가는 맥이 된다. 이것을 튀는 맥, corrigan맥/bounding pulse라고 한다. 속맥과 같은 의미이다.

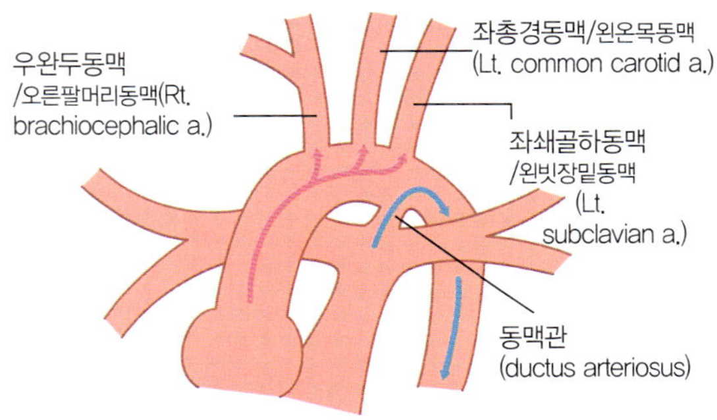

[그림 8-8] 동맥관의 부착 위치

임신 3개월경의 임산부가 풍진에 걸린 경우에 본 질환의 출현 빈도가 높은 것으로 알려져 있는데 (선천성 풍진 증후군 : 작은 머리 · 작은 눈 · 백내장), 그 원인은 확실히 밝혀지지 않고 있다. 동맥관개존증은 일반적으로 청색증은 보이지 않는다. 그러나 폐혈관 폐색성 병변(pulmonary vascular obstructive change)으로 진행하여 폐고혈압이 분명해지면, Rt to Lt shunt를 일으켜 하반신에만 청색증, 즉 differential cyanosis가 출현한다(p.27). 왜 하반신에만 청색증이 일어나는가? 이것은 동맥관이 부착된 위치와 관계가 있다. **그림 8-8**을 살펴보자.

동맥관은 대동맥이 3개의 혈관, 즉 우완두동맥/오른팔머리동맥(right brachiocephalic a), 좌총경동맥/왼온목동맥(left carotid a.), 좌쇄골하동맥/왼빗장밑하동맥(left subclavian a.)을 낸 후에 나온다. 대동맥이 폐동맥보다 압력이 높은 경우는 동맥관을 흐르는 혈액은 대동맥 → 폐동맥으로 향하는데, 폐고혈압이 뚜렷해져 폐동맥압이 높아지면 압력이 역전되어, 폐동맥 → 대동맥으로의 Rt to Lt shunt가 일어난다. 그러면, 폐동맥의 더러운 혈액은 동맥관을 통하여 대동맥으로 흘러 들어가는데, 이때 흘러 들어온 혈액은 3개의 동맥이 나온 후에 유입되므로 팔과 머리 쪽으로는 흐르지 않는다. 즉, 더러운 혈액은 상반신으로 흐르지 않고 하반신으로만 흐르는 것이다. 따라서 하반신에만 청색증이 일어나는 것이다.

2. 진단

동맥관 열림증은 특징적인 연속성 잡음(continuous murmur)을 청취할 수 있으므로 쉬운 편이다. 오히려 다음 항목인 감별에 유의해야 할 것이다.

감별진단

그 밖에 본 질환과 유사한 심음 이상을 나타내는 질환에는 다음과 같은 것이 있으므로 확실한 감별을 필요로 한다.

① **정맥성 잡음(venous hum)**
경부 압박과 누운 자세에서는 소실 또는 감소

② **폐동정맥루(pulmonary A-V fistula)**
일반적으로 심장에서 조금 떨어진 부위에서는 목의 잡음 청취

③ **관동정맥루**
보다 아래쪽에서 최고점의 잡음 청취

④ **Valsalva동 동맥류 파열**
돌발성, 다양성 우하방으로 전파성이 있는 잡음

⑤ **대동맥 중격결손**
대동맥과 폐동맥 기부에 교통성이 있으므로, 제4 늑간 부근에서 최고점의 잡음 청취한다.

3. 치료 및 간호

본 질환의 수술적응은 30% 이상의 Lt to Rt shunt가 있고, 폐동맥-대동맥 압력에 대한 비가 70% 이하인 경우이다. 수술은, 동맥관 결찰술(the ligation of small PDA) 또는 결찰-이단술(division and suture closure)을 실시한다.

E Eisenmenger syndrome

앞에서 Eisenmenger syndrome의 증후와 진찰소견 일부를 조금 다루었지만(p.27), 여기에서는 각론으로 들어가 좀더 자세히 살펴보자.

1. 병태생리

이 증후군은 원래 Lt to Rt shunt였던 질환이 폐혈관 저항의 증대에 의하여 Rt to Lt shunt (역shunt)를 띠게 되는데, 병태의 기본은 폐순환과 체순환 사이의 결손공이 크다는 점이다.

2. 경과

이 증후군은 원인질환이 무엇이든 유사한 임상소견을 나타낸다. 운동시 호흡곤란, 심계항진/두근거림이 가끔 나타나며, 흉통/가슴통증과 실신발작을 일으키는 경우도 있다. 또 상기도감염에 걸리기 쉽고 폐경색이 동반되면 객혈이 나타나는 경우도 있다.

3. 신체소견

이 증후군에서는 다음과 같은 신체소견이 보인다.

1) 유아기 때부터 청색증(cyanosis)이 나타나며 차츰 증가한다(지발성, 진행성 청색증).
2) clubbed finger
3) 청진소견
   : 청진에서는 원질환의 전형적인 심잡음은 감소 내지 소실되고, 폐고혈압으로 인한 심음과 심잡음이 주로 들린다.

   ① 단일 P_2 증가
   ② 우심성 S_4
   ③ 폐동맥 ejection sound와 ejection murmur
   ④ 상대적 폐동맥판막 역류로 인한 Graham Steell murmur
   ⑤ 상대적 삼첨판막 역류로 인한 전수축기 잡음(presystolic murmur)

4. 검사소견

1) 흉부 X-선 사진

이 증후군의 흉부 X-선 소견은 원질환에 따라 다소 다르지만, 공통되는 소견으로는 다음과 같은 증상을 들 수 있다.

① 우심방 · 우심실의 확대
② 폐동맥의 돌출(좌 제2궁/왼쪽 제2활 돌출)
③ 폐고혈압증(폐문부에서 폐동맥이 현저하게 확대되며, 말초에서는 작고 가늘어진다 → 밝은 폐영역 말초)

2) 심전도

이 증후군에서는 다음과 같은 심전도 소견이 나타난다.

① pulmonic P wave(P-pulmonale), 우심방성 P wave(P-dextrocardiale)
② 우심실 비대(RVH) 혹은 좌 · 우심실비대

3) 심장카테터 검사

우심계의 압력이 현저하게 높고, 역방향의 shunt가 판명된다.

5. 진단

지연성 청색증이 보이면 의심을 가지고 진단을 해 나가며, 원질환을 포함한 최종 진단은 심장 카테터 검사로 내린다.

6. 치료 및 간호

치료는 대증요법이다. 현재는 폐혈관 저항을 내리는 유력한 약제는 없다고 보며, 또한 수술법도 효과는 기대할 수 없는 것으로 알려져 있다.

임신, 경구피임약(혈전을 만들기 쉽다), 항응고제(anticoagulant)는 금기이다.

F Fallot 4징후 TOF

1. 병리

Follot 4징후(tetralogy of Fallot ; TOF)는 심실중격결손(VSD), 대동맥기승/대동맥말타기(overriding of aorta), 폐동맥협착(RV outlet outflow obstruction), 우심실비대(RVH)의 4종류의 심내 기형에 의한 선천성 심장병이다. 위의 4종류의 기형에 대하여 간단히 살펴보면 다음과 같다.

① 심실중격결손/심실사이막결손(VSD) : 큰 고위중격결손으로, 상심실능(supraventricular crest) 하방에 위치하는 경우가 가장 많다.

② 대동맥기승 : 대동맥이 확대되어 우심방으로 편위한다.

③ 폐동맥유출로 협착(PS) : 판막아래 협착이 가장 많다(50%). 따라서 우심실유출로의 협착이다.

④ RVH : 압력부하로 인한 2차적인 현상

2. 병태생리

그러면, 위에 서술한 ①~④를 그림으로 나타내보자. 먼저, ①의 VSD인데, 고위(高位)가 많으므로 **그림 8-9**와 같이 된다.

다음으로 ② 대동맥의 우심실기승(overriding)이 있으므로 대동맥이 폐동맥 쪽으로 가까이 가게 한다. 오른쪽으로 벗어나면 폐동맥을 압박하여 폐동맥도 오른쪽으로 벗어나는 듯한 느낌이 든다. ③ PS의 **그림 8-10**을 보아도 알 수 있듯이, 폐동맥판막 아래서 심근이 밖으로 나와 유출로를 협착하고 있다. 이것이 판막하부 협착이다. ④ PS의 결과, PV에 압력부하가 걸려 RVH가 생긴다. 이것이 TOF의 병태이다(**그림 8-11**).

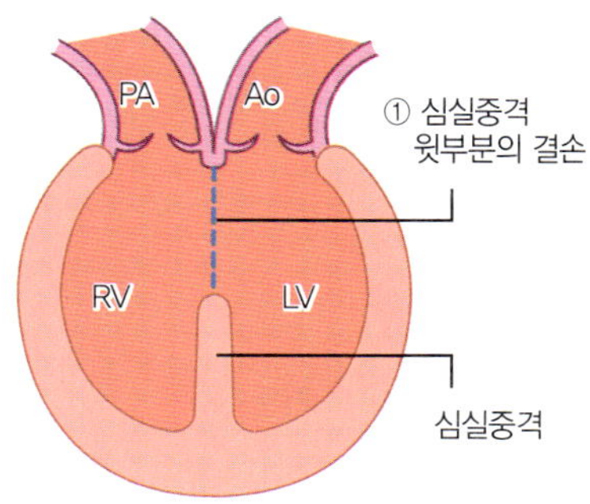

[그림 8-9] VSD

이 그림을 보면 알 수 있듯이, 대동맥이 중심선을 벗어나 오른쪽으로 옮겨가 있기 때문에 우심실에서 나오는 혈액은, 폐동맥뿐만 아니라 대동맥으로도 유출되게 된다.

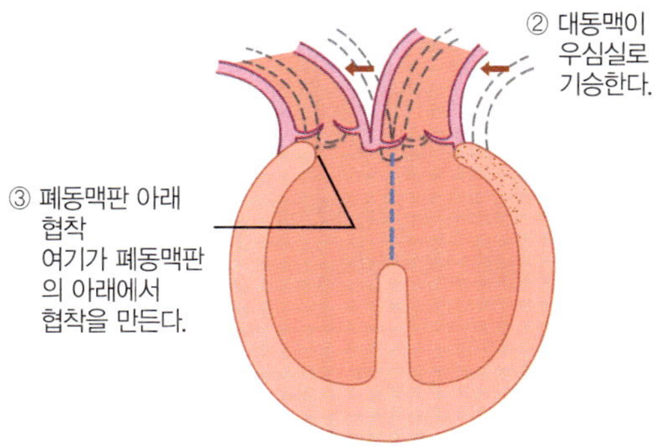

[그림 8-10] **폐동맥유출로 협착**

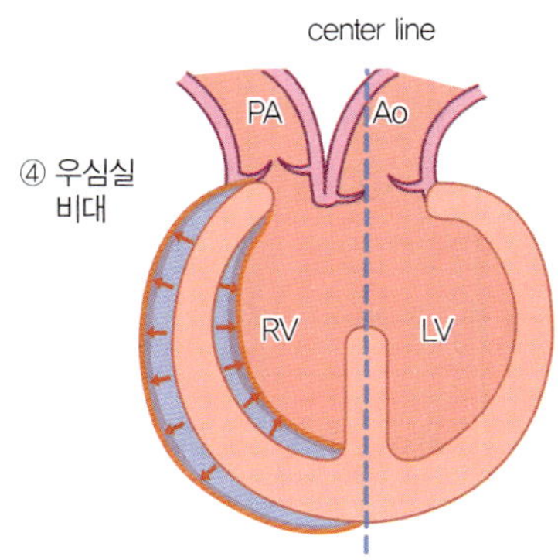

[그림 8-11] RVH

이것이 TOF가 Rt to Lt shunt를 초래하는 이유이다. 우심실에 조영제를 넣으면, 이 혈행동태는 더욱 확실히 알 수 있다. 왜냐하면, 조영제가 폐동맥 뿐만 아니라 대동맥으로도 흘러가는 것이 보이기 때문이다(**그림 8-12**). 우심실조영을 했을 뿐인데 양대 혈관이 조영된다. 이것을 기능적 단일심실이라고 한다. TOF의 병태를 단적으로 표현하는 아주 적당한 단어이다.

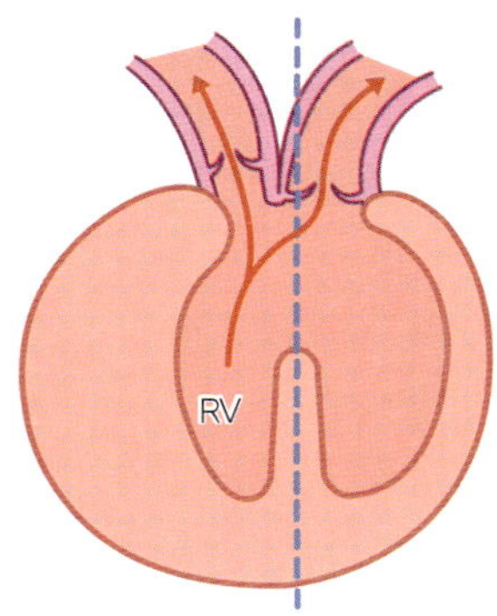

[그림 8-12]

VSD가 있음에도 불구하고, PS가 존재하기 때문에 Lt to Rt shunt가 일어나지 않고, 좌심실압 ≒ 우심실압의 상태가 된다. 또한, 폐혈류가 적으므로 Eisenmenger화가 되기는 힘들기 때문에 예후는 상당히 좋은 편이다. 그러나, 폐혈류가 지나치게 적어 혈액의 산소화가 불충분하게 되고, 우심실의 더러운 혈액이 그대로 대동맥 쪽으로 흘러나가기 때문에 전신 청색증이나 무산소 발작(anoxic spell) 등을 보이는 것이 특징이다.

저산소 상태의 보상기전으로서, 적혈구 증가증과 측부혈행로(기관지 동맥 등에서 폐동맥으로)의 발달이 보인다.

3. 경과

본 질환에 대한 경과는 다음과 같다.

① 호흡곤란
② 피로감, 운동능력의 저하
③ 실신
④ squatting(쭈그리고 앉는 자세)

TOF의 유아는 울기만 하면 전신 청색증이 나타난다. 이것은 울음으로써 흉강내압/가슴안내압(thoracic cavity)이 상승하기 때문에 적은 폐혈류가 더욱 더 적어져 혈액이 충분히 산소화되지 않기 때문에 일어난다. 그리고 더 자라게 되면, TOF의 소아는 달리기를 할 경우에도 도중에 고통을 느껴 주저앉아 버리게 된다(squatting). 이것은 달림으로써 말초혈관이 열리게 되고, 저항이 작아지기 때문에 좌심실로부터의 ejection이 쉬워지므로 우심실과 좌심실 사이의 힘의 균형이 깨져, 우에서 좌로 혈액이 흐르기 쉽기 때문에 일어나는 현상이다.

즉, 우심실의 더러운 혈액이 좌심실로부터 전신으로 흐르게 되므로 고통스러워진다. 그리고, 주저앉아 버리는 것은, 그렇게 함으로써 afterload를 높이는 것이다. 이렇게 하여 좌심실은 혈액을 ejection하기 어려워지고 좌심실압이 상승하여 Rt to Lt shunt를 감소시킴으로써 우심실과 좌심실의 힘이 균형을 회복하는 것이다.

4. 신체소견

본 질환에 대한 주된 신체소견은 다음과 같다.

① 생후 수개월 지나 청색증(cyanosis)이 나타난다.
② 성장 · 발육의 지연
③ 곤봉지/북채손가락(clubbed finger)
④ parasternal heave(흉골방/복장옆 박동) : RVH를 의미한다. 제3 늑간에서 제4 늑간 사이에서 보이지만 약하다.
⑤ 단일 S_2(A_2 증가)
⑥ 폐동맥협착으로 인한 수축기 박출성 잡음(systolic ejection murmur, 좌 제2늑간/왼쪽 제2갈비사이에서 좌 제3늑간 사이)

우심실 유출로의 폐색이 강해지는 만큼 잡음의 세기는 약해지며 지속시간은 짧아진다.

5. 검사소견

1) 흉부 X-선 사진

RVH로 인한 심첨부 융기, 좌 제2궁/왼쪽 제2활의 함요, 대동맥의 우심실로의 기승으로 인한 우 제1 궁/오른쪽 제1활의 돌출에 의하여 장화모양 심음영(coeur en sabot)을 형성한다.
폐혈관 음영이 감소하고 폐영역은 밝게 보인다.

2) 심전도

본 질환의 심전도 소견은 다음과 같다.

① pulmonic P wave(P-pulmonale), 우심방성 P wave(P-dextrocardiale)

② RVH

3) 심장카테터 검사

본 질환에 대한 심장카테터 검사에서 주요한 소견은 다음과 같다.

① 우심실압은 좌심실압과 같다.

② 폐동맥보다 우심실로 뽑아낸 압력곡선에서, 폐동맥협착의 부위와 정도가 판명된다.

③ 좌심실, 대동맥에서 O_2 분압이 낮아진다.

6. 진단 및 감별진단

4세 이상의 청색증을 띤 심장병 증례의 대부분은 이 증상이라 생각하고(즉, 청색증성 심장병의 전부가 감별의 대상이 된다), 후에 감별진단을 실시한다.

Ⅷ

7. 치료 및 간호

1) 내과적 치료

내과적 치료로서 다음과 같은 조치를 실시한다.

① 감염증을 방지한다.

② 무산소 발작에 대해서는 흉슬위/무릎가슴자세(knee-chest position) 내지는 복와위/엎드린자세(ventral decubitus)를 취하게 하여 산소를 공급한다. 중증에는 morphine을 투여한다.

③ 발작의 예방으로서는, β-blocker를 연속 투여한다.

2) 외과적 치료

본 질환에 대한 모든 예가 수술의 대상이 되는 것으로 생각해도 좋은데, 병상에 따라 고식수술과 근치수술 중에서 선택하여 결정한다.

(1) 고식수술 : 폐동맥 혈류의 증가가 나타날 때

① Blalock-Taussig operation(쇄골하동맥/빗장밑동맥 - 폐동맥 문합)

② Waterston operation(상행대동맥/오름대동맥 - 폐동맥측 측문합)

③ Potts operation(하행대동맥 - 폐동맥 문합)

④ Brock operation

⑤ Glenn operation

(2) 근치수술

① 심실중격결손의 폐쇄

② 폐동맥판막, 판막하협착부의 확대

적용은 젖먹이와 어린이의 중증 케이스에서는 고식수술을 행하는데, 원칙적으로는 근치수술을 한다. 또한, 심실중격결손/심실사이막결손의 자연폐쇄가 보이는 경우나, 무산소 발작이 자주 보이는 경우는 긴급수술을 요한다.

G 총폐정맥환류 이상증 TAPVR : total anomalous pulmonary venous return

1. 혈행동태

이 기형은, 한 마디로 표현하면 '폐정맥과 좌심방의 융합부전'이다. 폐에서 깨끗하게 된 혈액은 좌심방으로 돌아가야 하는데 이 혈액이 돌아갈 곳인 좌심방으로 연결이 되어 있지 않은 상태인 것이다. 이는 근육으로 이루어진 부분인 좌심방과 혈관부분인 폐정맥이 잘 붙어 있지 않기 때문에 일어난다.

그러면 좌심방으로 되돌아가지 못한 폐정맥의 혈액은 대체 어떻게 되는 것일까? 돌아가는 길은 3가지가 있다. 하나는, 수직정맥(vertical v.)이라는, 정상적인 상태에서는 존재하지 않는 좌상대정맥을 이용하는 방법이다. 이 정맥은 위쪽에서 좌완두정맥/왼팔머리정맥과 합류해 있으므로 혈액은 좌완두정맥 → 상대정맥 → 우심방으로 돌아갈 수가 있는 것이다(그림8-13).

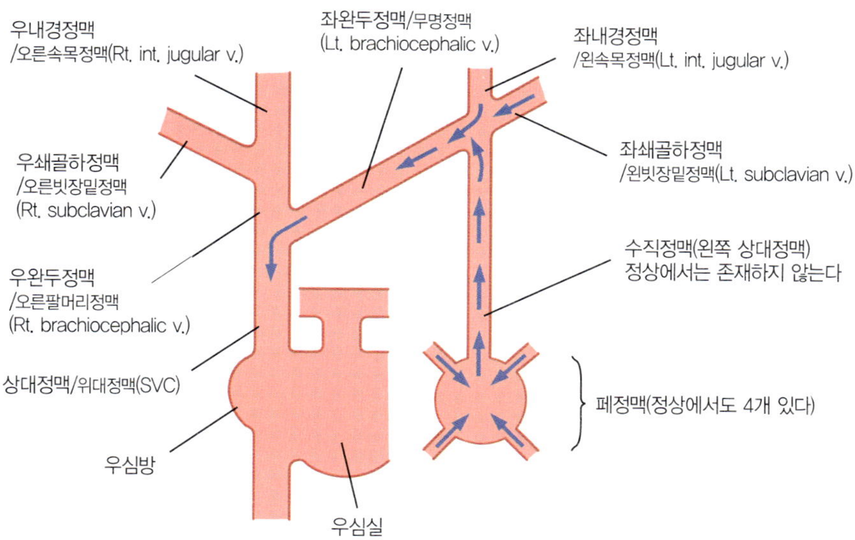

[그림 8-13] TAPVR(상심장형)의 혈행동태

또 한 가지 방법은 직접 우심방으로 돌아가는 방법이다. 그리고 마지막 방법은 횡격막/가로막을 넘어서 아래쪽으로 가는 방법이다. 아래쪽으로 가서, 문맥계와 하대정맥/아래대정맥과 문합하여 이 하대정맥(IVC)을 경유해서 우심방으로 돌아가는 것이다.

그 경로를 각각 상심장형(supracardiac), 심장형(intracardiac), 하심장형(infracardiac)이라고 한다. 이중에서 가장 예후가 나쁜 것이 하심장형(infracardiac type)이다. 그 이유는 횡격막/가로막이라는 '저항'을 중간에 두고 있기 때문이다. 폐에서 돌아오는 혈액은, 이 저항을 넘어 우심방으로 돌아와야 하기 때문에, 매우 힘든 것이다. 따라서 폐는 울혈되기 쉽고 이것이 장기간 계속되면, Eisenmenger화를 일으키는 원인이 된다.

2. 소견

폐에서 깨끗하게 된 혈액은 모두 우심방으로 돌아오므로, 이 상태에서는 좌심계/왼심장계통 쪽으로 깨끗한 혈액이 흐를 수 없다. 그래서 TAPVR에서는 100%의 예에서 ASD가 동반된다.

우심방으로 돌아온 혈액의 일부는 ASD를 매개로 하여 좌심방으로 흘러간다. 이렇게 하여 좌심실대동맥 쪽으로 깨끗한 혈액이 공급되는 것이다.

그러나, 우심방 · 우심계는 상당한 용적부하 상태이므로 병태로서는 우심방 · 우심실 용적부하를 초래하는 ASD와 비슷하다는 것이다.

따라서 진찰소견도 ASD와 마찬가지로 고정성 S_2의 분열을 보이며, 상대적 PS, TS가 청취된다. 또한 흉부 X-선 사진에서도 ASD와 같은 상태를 볼 수 있다. 심전도에서도 'RAD + 불완전 RBBB'를 보여 감별이 되지 않는다.

감별방법으로서는 심혈관 조영이 유효하다. 상심장형의 경우는, 수직정맥 → 좌완두정맥/왼팔머리정맥 → 상대정맥/위대정맥이 차례로 보이며, 이른바 눈사람모양의 음영이라든가 8자 모양의 음영을 나타낸다.

그 외의 type에서도, 조영하면서 모니터를 관찰하여 폐에서의 혈액환류가 우심방으로 흘러가는 과정을 확인할 수 있으면, 진단을 내린다.

3. 치료 및 간호

외과적 수술을 실시한다. ASD를 막고 폐정맥과 좌심방을 융합시켜주면 된다.

H TGA(완전 대혈관전위증)

1. 개념

간단히 말하면, 대동맥과 폐동맥이 바뀐 현상의 병이다. 따라서 우심실/오른심실에서 대동맥이, 좌심실/왼심실에서 폐동맥이 나오는 것이다. 이렇게 되면, 우심실의 더러운 혈액이 대동맥을 통하여 전신으로 흘러가는데, 그것은 다시 우심방으로 되돌아온다. 한편 좌심실의 깨끗한 혈액은 폐동맥을 통하여 폐로 보내진다. 그곳에서 다시 깨끗해진 혈액은, 좌심방 → 좌심실로 순환하므로 깨끗한 혈액은 언제나 깨끗한 채로, 더러운 혈액은 언제나 더러운 채로 흐르는 상태가 된다. 따라서 체순환계/온몸순환계와 폐순환계 사이의 어딘가에 shunt를 만들어, 양쪽의 혈액이 잘 섞이도록 하지 않으면, 살 수가 없다.

이러한 shunt에는 ASD, PDA, VSD 등을 생각할 수 있는데, TGA의 소아 환자는 태어나면서부터 이러한 shunt중 한가지를 동반한 상태가 되는 것이다. 그래서 TGA의 분류도 shunt의 종류에 따라 나뉘어진다(표 8-2).

	VSD	PS
TGA I형	(−)	(−)…ASD/PDA를 갖는다
TGA II형	(+)	(−)
TGA III형	(+)	(+)

[표 8-2] TGA의 분류

먼저, VSD의 유무로 크게 2종류로 나눌 수 있다. VSD가 있으면 Ⅱ형, 혹은 Ⅲ형이며, 없으면 Ⅰ형이다. VSD가 없는 Ⅰ형은 ASD나 PDA 중 한쪽이 없으면 살 수 없으므로 반드시 어느 쪽이든 존재한다.

다음으로 Ⅱ형과 Ⅲ형의 구별인데, 이는 PS의 유무로 결정된다. PS(폐동맥판협착증)가 있으면 Ⅲ형이고 없으면 Ⅱ형이다. 그런데, TGA의 경우의 PS는 우심실과 좌심실 어느 쪽에 있는 것일까?

PS는 폐동맥판막의 협착이기 때문에 TGA의 경우, 폐동맥은 좌심실에서 나오므로 PS도 좌심실에 있다. Ⅲ형의 경우, VSD에 더하여 PS가 있는 것이다. 그렇다면, VSD를 통과하는 혈액은 Rt to Lt이겠는가? Lt to Rt이겠는가? PS가 좌심실에 있으므로 좌심실압 쪽이 높아지는 것은 당연할 것이다. 압력이 높은 쪽에서 낮은 쪽으로 혈액은 흐르므로, 좌심실 → 우심실로 흐른다. 그런데, 좌심실로는 폐에서 깨끗해진 혈액이 좌심방을 통하여 돌아오므로 좌심실 → 우심실 shunt의 결과, 깨끗한 혈액이 우심실로 흐르게 된다. 따라서 우심실에서 전신으로 깨끗한 혈액이 흐르기 쉬워지므로, Ⅲ형에서는 청색증을 일으키기 어렵게 된다.

2. 병태생리

가장 예후가 좋은 유형은 Ⅲ형이다. 이것은 PS가 존재하기 때문에 폐혈류가 작아 폐울혈/허파울혈을 일으키기가 어렵고, Eisenmenger화가 진행되기 어렵기 때문이다. 또한, 위에서 서술했듯이 비교적 깨끗한 혈액이 전신으로 흐르므로 청색증도 가볍기 때문이다.

따라서 반대로 말하면, Ⅱ형과 같은 경우도, PA banding(폐동맥 교액술) 등을 실시하여, 고의로 PS를 만들어 폐울혈을 감소시키면, 예후가 좋아지는 것이다.

또한 Ⅰ형에 대해서도 ASD와 PDA가 있으면 문제없지만, 이들이 불충분할 때는 BSA(baloon atrioseptostomy)를 실시하여 심방중격/심방사이막의 구멍을 크게 해주거나 prostaglandin을 투여하여 동맥관이 열린 상태를 유지하게 하는 등의 내과적 치료가 시도되고 있다. 어쨌든, shunt는 있으면 좋은 현상으로, 그것을 유지해 가지 않으면, 바로 청색증이 유발된다.

3. 치료 및 간호

「병태생리」에서도 언급했듯이 고식적 치료방법 외에 근본적인 치료가 있다. 유명한 것은 Mustard, Senning, Jatene, Rastelli 등의 이름이 붙은 술식이다. 각각의 적용은,

Ⅰ ┐
  ├ M, S, J
Ⅱ ┘
Ⅲ → R

이 된다. 즉, TGA Ⅰ·Ⅱ형은, Mustard, Senning, Jatene operation, TGA Ⅲ형은 Rastelli operation이 사용된다.

각 수술에 대하여 간단히 언급하면, Mustard와 Senning은 심방 레벨에서 혈류를 교환하는 방법이다. 또 Mustard는 심막 patch를 사용하는데, Senning은 인공물을 사용하지 않고 시술하는 방법이며, Rastelli는 심실의 레벨에서 혈류를 교환하는 방법이다.

"VSD + PS의 Ⅲ형"에 사용하기 때문에, Rastelli operation은, Fallot4 sign에도 적용이 된다. Jatene operation은 양대 혈관을 잘라서 본래대로 되돌려놓는 방법이다.

I 엡스타인병 Ebstein anomaly

1. 개념

삼첨판 중에서 post. cusp과 septal cusp이 심첨부로 처지는 발생 이상이 원인이 되는 질환이란 것은 심장초음파검사에서 언급한 바 있다. 그 밖에 우심방화 우심실, 우심방의 확장이 나타난다. 이들로 인해서 우심실의 펌프기능이 저하된다.

2. 소견

1) 시진

청색증 : 70%에서 나타난다. 난원공개존/열린타원구멍(patent foramen ovale)과 심방중격결손(ASD)에 의한 Rt to Lt shunt로 인한 것이다.

2) 청진

심잡음 : 삼첨판막역류에 의한 것이다.

3) 심전도

완전 RBBB : 우심계의 발생 이상에 동반되어 생긴다.

WPW syndrome type B : 10%로 동반된다. 우심계/오른심장계통 발생 이상의 질환이므로, 정상에 비하여 우심측/오른심장쪽의 절연체 형성부전을 동반하기 쉬워「type B」의 WPW syndrome이 된다.

4) 흉부 단순X-선

심음영의 확대 : 우심방과 우심실의 확대를 본다. 삼첨판역류가 있으므로 당연하다.

5) 심장초음파상

- 삼첨판의 심첨부 편위와 역류
- 우심방화 우심실
- 우심방의 확장
- 심방중격결손/심방사이막결손(ASD)이나 난원공개존/타원구멍(patent foramen ovale)

3. 치료 및 간호

심부전이 나타나면, 진행성으로 예후가 급격하게 나빠지므로 조기 수술을 실시한다.

플러스 코너

4. 태아순환에 대하여

태아순환의 가장 큰 특징은 태반에 혈액이 흐른다는 점이다. 혈액은 태반을 통과함으로써 노폐물을 제거하고 영양과 산소를 공급받는다. 태아순환을 공부할 때, 태반에서 깨끗해진 혈액이 태아의 어디로 흐르는 것이 가장 좋은 것인가를 생각하면, 아주 쉽게 이해될 것이다. 그러면, 대체 어디로 흐르는 것이 가장 좋을까? 그곳은 바로 "뇌"이다. 태반에서 깨끗해진 혈액이 가능한 깨끗한 그대로 뇌로 운반되는 과정을 좇아가면서 태아순환을 공부하면, 왜 정맥관과 난원공/타원구멍, 동맥관이 필요해지는지 알 수 있다.

그 흐름을 순서대로 좇아가 보자(**그림 A**).

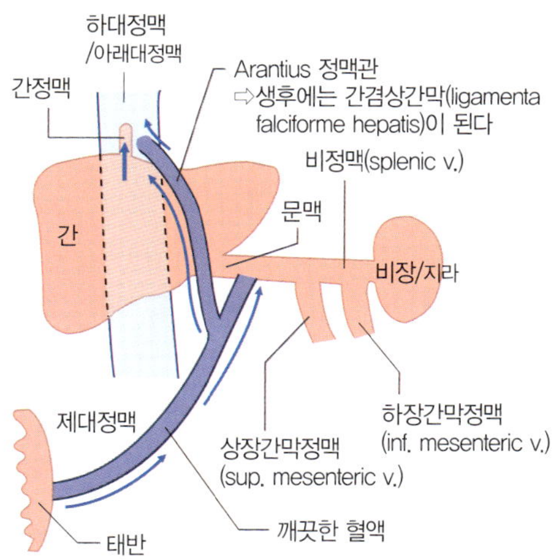

[그림 A]

① 태반에서 깨끗해진 혈액은, 제대정맥(umbilical vein)(1개)을 흘러 태아로 되돌아온다.

② 제대정맥은 태아 속으로 들어가면 문맥에 합류된다.

③ 문맥의 혈류는 간으로 향한다. 만약 그대로 두면, 힘들게 합류한 깨끗한 혈액은 결국 간에서 더러워지고 만다.

④ 그래서 간을 통과하지 않도록 하기 위해서 bypass를 만드는 것이다. 그것이 바로 Arantius 정맥관이다. Arantius 정맥관은 제대정맥에서 나와 하대정맥으로 들어간다. 깨끗한 혈액은 Arantius 정맥관을 흐름으로써 간장을 통과하지 않고 하대정맥/아래대정맥까지 갈 수 있다.

⑤ 그리고, 다음으로 우심방으로 들어간다. 우리들의 몸에서 혈액은 우심방에서 우심실, 폐동맥, 폐로 흐른다. 그러나, 만약 태아도 그러하다면 폐를 통과할 때에 깨끗한 혈액이 더러워

질 것이다. 그러니 역시 이곳도 bypass로를 만들어 회피하는 것이다.

⑥ 폐를 통과하지 않도록 하기 위해, 난원공/타원구멍을 열린 상태로 둔다. 그렇게 함으로써 하대정맥에서 우심방으로 유입된 깨끗한 혈액은 폐를 통하지 않고 직접 좌심방, 좌심실, 대동맥으로 흐르는 것이 가능하다.

⑦ 대동맥에서는 뇌로 가는 혈관이 분지된다. 이로써 깨끗한 혈액이 뇌까지 어떻게든 도달할 수 있는 것이다.

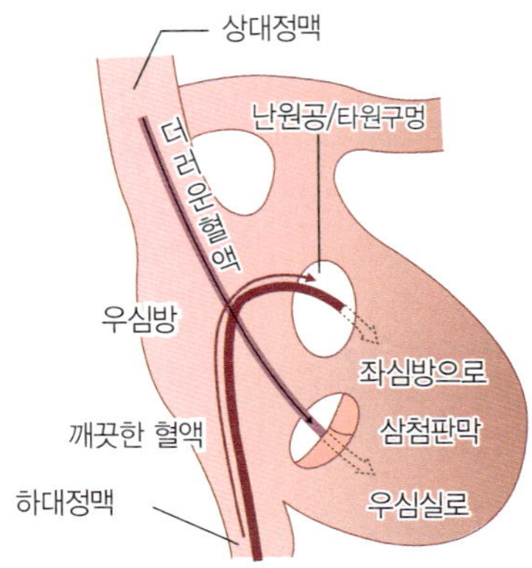

[그림 B]

⑧ 그리고 뇌를 통과하여 조금 더러워진 혈액은, 이번에는 상대정맥에서 우심방으로 돌아온다. 여기에서 조금 곤란한 일이 생기는데, 하대정맥에서 온 깨끗한 혈액과 섞여버리는 것이다. 이것으로 지금까지 모처럼의 노력이 수포로 돌아가 버린다.

⑨ 그러나, 여기서 난관을 잘 헤쳐 나가보자. 상대정맥/위대정맥에서 유입된 혈액은 우심방 → 우심실로 흐르는 것이다. 즉, 난원공 → 좌심방 쪽으로는 흐르지 않도록 하는 것이다. 그런데 혈액의 흐름을 완벽하게 나눌 수는 없고, 다소는 섞여 있다. 그러나 사용이 끝난 더러워진 혈액이 다시 뇌로 가지 않도록 어느 정도는 억제할 수가 있다(**그림 B**).

⑩ 다음으로 사용이 끝난 혈액은 우심실 → 폐동맥 → 폐로 흐르는데, 폐 → 폐정맥 → 좌심방 → 좌심실로 흐르면 또 다시 같은 문제가 생긴다. 좌심실에서 뇌로 보내져야 하는 깨끗한 혈액이 더러워지는 것이다. 그러나 이것은 문제가 되지 않는다.

⑪ 실은, 팽창하기 전의 폐는 혈관저항이 크고, 폐동맥 → 폐로는 아주 조금의 혈액밖에 흐르지 않는다. 따라서 ⑩과 같은 염려는 거의 필요가 없다. 그러면, 폐쪽으로 가지 않는 혈류는 어디로 흐르는 것일까?

⑫ 그것을 흐르게 하기 위해 등장하는 것이 바로 동맥관(ductus arteriosus)이다. 동맥관은, 폐동맥의 혈액을 대동맥으로 흐르게 한다.

⑬ 대동맥으로 흐르게 한다고 표현했는데, 대동맥 → 뇌로 흐를 염려는 없는 것일까? 그러한 염려는 없다. 왜냐하면, 동맥관이 대동맥에 합류되는 장소는 뇌로 향하는 혈관을 분지한 후의 하류에 있기 때문이다. 따라서 동맥관에서의 혈액은 하행대동맥/내림대동맥으로만 흐른다. 그리고 신장과 그 밖의 내장에 영양을 공급한다(**그림 C**).

⑭ 이제, 더러워진 혈액을 다시 태반으로 되돌려 깨끗하게 하지 않으면 안 된다. 태반으로는 어떻게 보내주는가? 장기에 영양을 공급한 후의 혈액은 정맥을 흐른다. 그러면, 정맥에서 태반으로 흐르겠는가? 대답은 NO이다.

⑮ 태반으로는 제대동맥(2개)을 통하여 보내진다. 동맥이라고 할 정도이니, 동맥으로부터 분지하지 않는다면 이상할 것이다. 실은, 제대동맥은 좌 · 우내장골동맥/왼 · 오른속엉덩동맥(int. iliac a.)의 한 줄기이다. 왼 · 오른쪽에서 한 줄기씩 나오므로 2개가 있는 것이다. 즉, 하행대동맥/내림대동맥 → 좌우총골동맥 → 좌우내장골동맥 → 제대동맥으로 흘러 태반으로 혈액이 운반되는 것이다(**그림 C**).

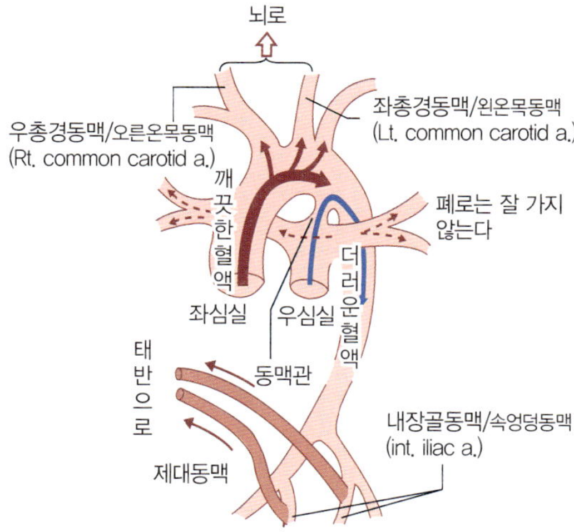

[그림 C]

IX 허혈성 심장병
Ischemic heart disease

A 심전도

1 허혈성 심장병에 대한 3가지 병리학적인 현상

허혈성 심장병에는 ischemia, injury, infarct의 3가지 병리학적인 현상이 있다.

① ischemia : 관류 감소의 결과, 산소가 결핍된 상태
② injury : ischemia 정도가 심하지만 심근이 괴사에는 이르지 않은 상태
③ infarct : 국한적인 심근조직의 괴사

그러면, 위의 각 현상들이 심전도상에서 어떻게 변화하는지 살펴보자.

1. Ischemia에서의 심전도 변화

탈분극은 정상으로 일어나는데, ischemia부의 재분극에 시간이 걸리므로 T wave에서만 이상이 나타나는 점이 포인트이다.

이것을 좀더 자세하게 도식화하여 살펴보자.

① 재분극은 정상으로 일어난다(그림 9-1).
② 재분극이 시작되어 T wave가 상승한다(tall T wave)(그림 9-2).
③ 그러나 ischemia 부분은 재분극이 좀처럼 끝나지 않으므로 T wave가 높아진다(그림 9-3).

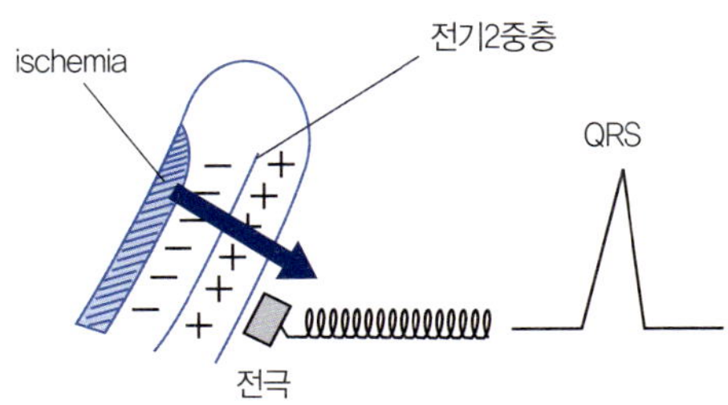

[그림 9-1] 탈분극은 정상으로 일어난다

이상이 ischemia, 특히 심내막/심장속막 ischemia가 발생한 경우에 높은 T wave가 나타나는 기전이다. 한편, ischemia 부분이 심외막측, 또는 전층/관벽성(transmural)으로 나타난 경우, T wave는 역전하여 깊은 T wave가 나타난다(**그림 9-4**).

이와 같이 좌우대칭으로 깊고 뾰족한 음성 T wave를 inverted T wave라고 한다(**그림 9-4**). 일반적인 음성 T wave는 좌우 비대칭성이므로, 이 점이 감별의 포인트가 된다.

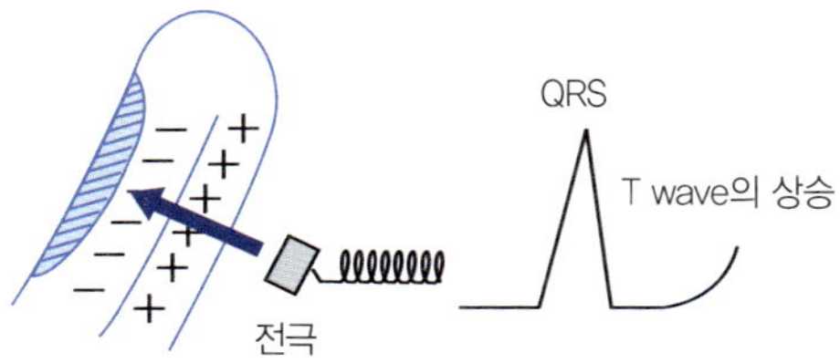

[그림 9-2] **재분극과 T wave의 상승**

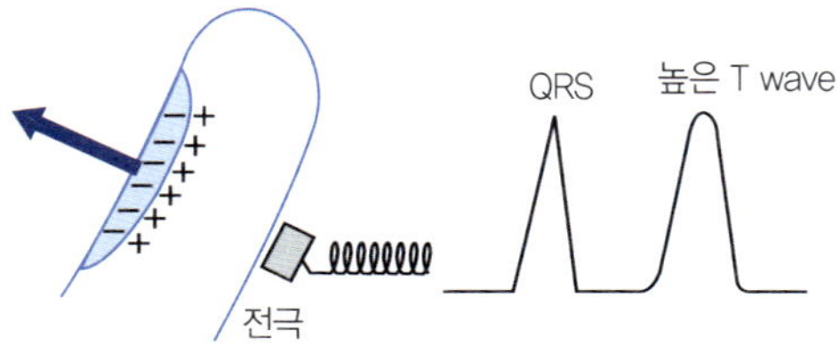

[그림 9-3] **ischemia 부분의 상태와 T wave의 높이 증가**

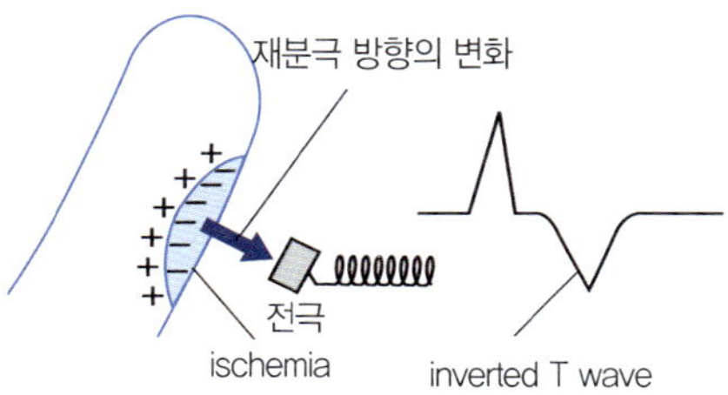

[그림 9-4] **inverted T wave의 출현 기전**

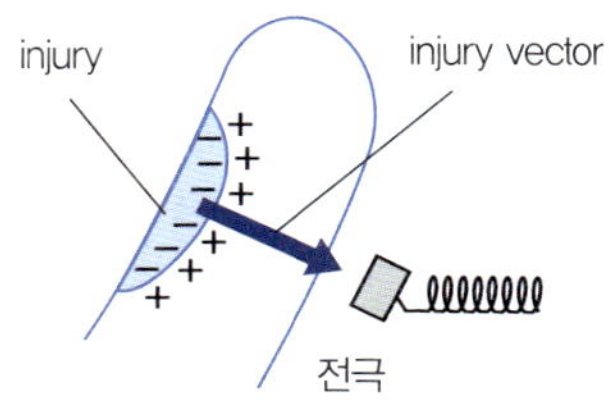

[그림 9-5] **injury vector**

2. Injury에서의 심전도 변화

포인트는, injury 부분이 정상 부분에 대해서 항상 전기적으로 음성이 된다는 점이다. 따라서 심근 전체가 흥분을 하고 있지 않은 경우에도 항상 전기 vector가 발생한다. 그러면, ischemia에서와 같이 심내막하에 injury가 발생한 경우를 살펴보자.

① 심근이 흥분되어 있지 않을 때, 즉 확장기 때도 **그림 9-5**에 나타나듯이 "injury vector"가 발생한다. 전극에서 보면, 이 vector의 방향은 항상 자신에게 향하는 방향이므로, 위쪽으로 향하게 된다.

즉, **그림 9-6**과 같이 되는 것이다. 물론 실제 심전도에서는 injury가 없을 때의 baseline level 등은 표시되지 않으므로 baseline이 상승하고 있는지 실제로는 알 수가 없다.

② 탈분극이 일어난다. 이때, injury 부분과 정상 부분과의 사이에 전위차가 없어지므로 본래의 baseline level로 되돌아온다(**그림 9-7**).

③ 재분극이 시작된다(**그림 9-8**).

④ 수축이 완료되어 확장기가 된다(**그림 9-9**).

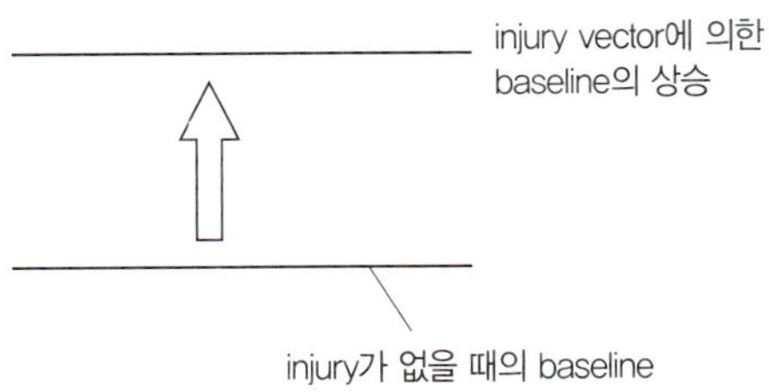

[그림 9-6] injury vector의 방향

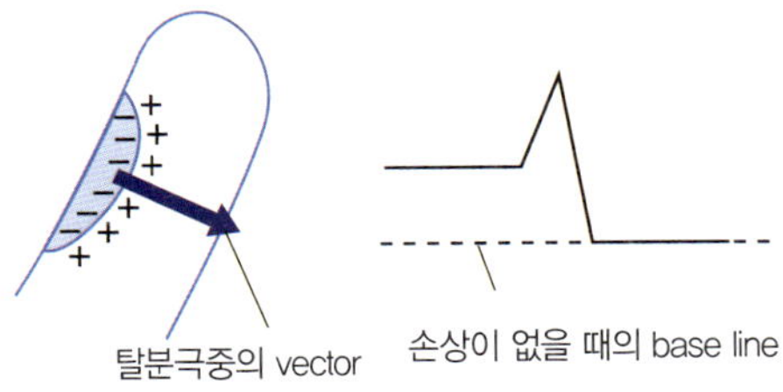

[그림 9-7] 탈분극시의 baseline level

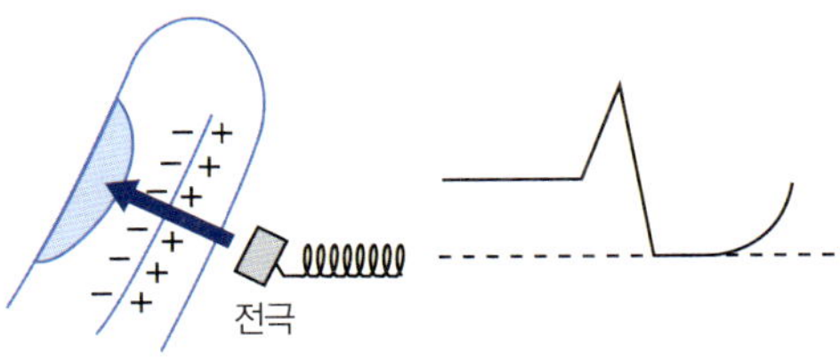

[그림 9-8] 재분극 개시시의 baseline level

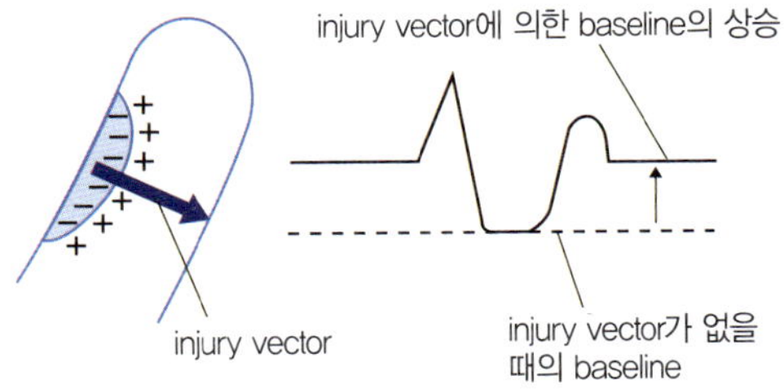

[그림 9-9] 확장기의 baseline level

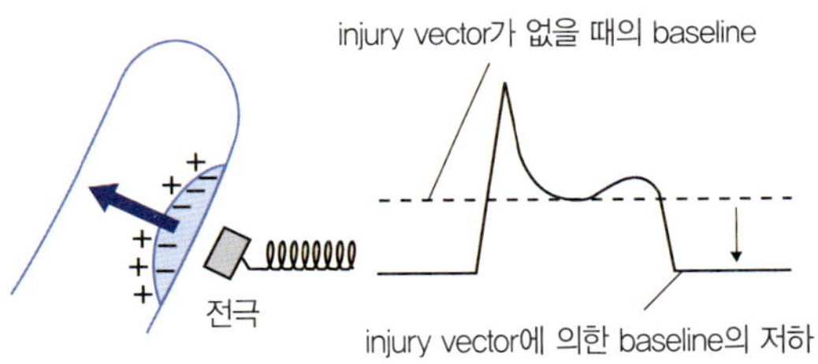

[그림 9-10] ST 상승의 기전

이상의 ①~④와 같이 baseline level의 상승이 항상 존재하는데, 단 1회, 소실하는 경우가 있다. 바로 ST segment의 경우이다. 따라서 실제 심전도에서는 "ST segment depression"으로 나타난다. 한편, 심장바깥막밑의 injury(또는 전층/관벽성(transmural)의 injury)에서는 심외막 쪽에서 심내막/심장속막 쪽으로 향하는 injury vector에 의하여 baseline이 저하하기 때문에 "ST segment elevation"이 나타난다(그림 9-10).

ST segment depression의 기준

ST segment의 개시(J점)로부터 0.08초 후의 점에서 1mm 이상의 ST segment 하강이 있는 경우

3. Infarct에서의 심전도 변화

간단히 생각하면, infarct 부분은 전기적 변화를 일으키지 않으므로 항상 그곳만이 일정한 전위를 유지한다.

이것을 좌심실의 단면도에서 생각해보자(**그림 9-11**). 그림에서 화살표는 탈분극 시의 전기 vector를 나타낸다. 심근 탈분극의 초기 0.04초 시점에서는 아래쪽으로 향하는 vector가 크므로, 평균 vector는 아래쪽으로 향한다고 가정한다. 밑에 붙은 전극에서 이것을 보면, 전극의 방향으로 향하는 것 같이 보이므로 그림에서와 같은 심전도 파형이 된다. 그러나 **그림 9-12**와 같이 infarct이 나타나면, 그 부분은 전기적 변화를 일으키지 않으므로 탈분극의 초기 0.04초에서는 **그림 9-12**와 같이 되어 버린다.

따라서 평균 vector는 위를 향한다고 생각할 수 있다. 그러므로 infarct 영역에 붙은 전극에서 보면, 음성의 흔들림(abnormal Q wave)이 기록되는 것이다.

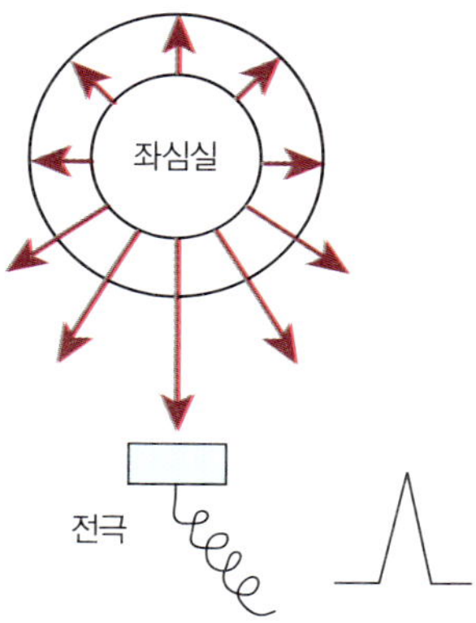

[그림 9-11] 심근 탈분극 초기의 vector

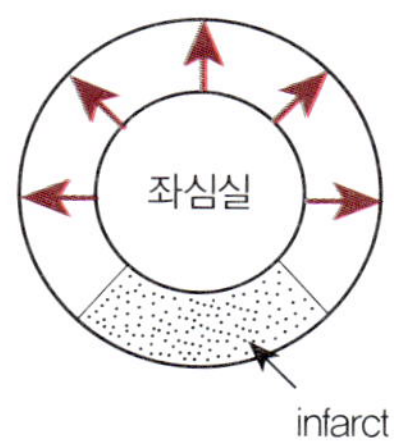

[그림 9-12] infarct 출현시의 vector

B 관상동맥 조영술 Coronary angiography

1 관상동맥의 해부

관상동맥은 좌우 2개가 있다(그림 9-13).

그리고

① 우관상동맥(right coronary a. ; RCA)은

- 좌심실 후벽 위 1/2
- 좌심실 하벽
- 우심실 후벽 위 2/3

② 좌회선지동맥/왼휘돌이가지(left circumflex a.)는

- 좌심실 가쪽벽
- 좌심실 후벽 하 1/2

③ 좌전하행동맥/왼앞내림가지(left anterior descending coronary a. ; LAD)는

- 좌심실 전벽 + 중격
- 우심실 전벽
- 우심실 후벽 아래1/3

지점을 각각 관류한다.

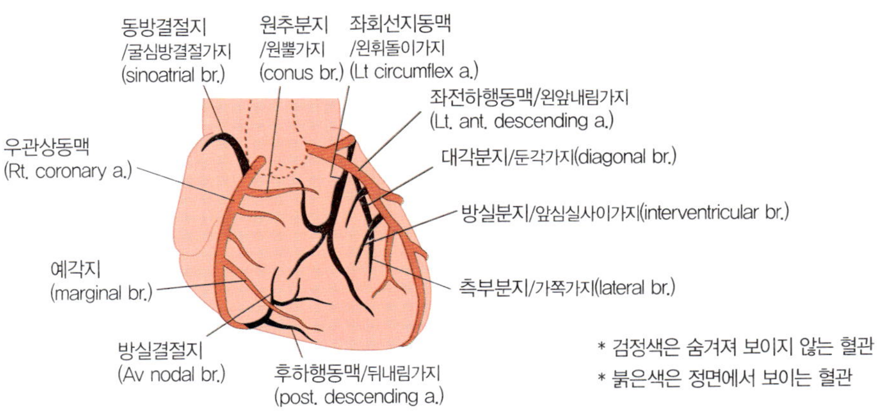

[그림 9-13] 관상동맥의 모식도(정면상)

키 포인트

동방결절(SA node)과 방실결절(AV node)에 혈액을 공급하는 동맥은 우관상동맥에서 나온다.

2 관상동맥 조영의 판독

관상동맥 조영의 사진을 보면, 먼저 오른쪽과 왼쪽을 구분해야 한다. 왼관상동맥은 대동맥에서 나오면 바로 좌회선지동맥/왼휘돌이가지(left circumplex a.)을 나와 좌전하행동맥/왼앞내림가지(LAD)이 된다. 우관상동맥도 기시부 부근에서 분지되는 것이 있는데(예를 들면 원추분지/원뿔가지〈conus br.〉), 그 분지된 것은 짧고, 끝을 따라가면 분지되는 것도 적고, 바로 끝나버리기 때문에 감별은 용이하다.

한편, 좌회선지동맥은 좌회선지동맥 방실분지나 측부분지/가쪽가지(lateral branch) 등 반드시 몇 개로 분지하고 길다.

다음으로 좌관상동맥의 분지 중, 어느 쪽이 좌회선지동맥이고 어느 쪽이 좌전하행동맥인지 그 구별에 대해서 알아보자. 늑골/갈비이 나타나 있으면, 늑골은 앞쪽으로 하행하며 뻗어나가므로, 늑골과 평행으로 뻗어 있는 쪽이 좌전하행동맥이 된다**(그림 9-14)**.

그리고, 좌전하행동맥/왼앞내림가지에서는 대각분지/둔각가지(diagonal br.) 몇 개가 평행으로 나란히 나가고 있으므로, 그것이 하나의 기준이 된다. 또한, 좌전하행동맥 분지쪽이 심첨/심장끝까지 매우 길게 뻗어갈 뿐만 아니라, 그곳에서 우심실 후벽 쪽으로 꺾이어 돌아가기 때문에, 이것도 구별하는 데 포인트가 된다.

한편 좌회선지동맥/왼휘돌이가지는 문자 그대로 휘돌아나간다는 의미인데 사진에서도 잘 나타나 있다. 관상동맥 경화는 호발부위가 어느 정도 알려져 있으므로, 이상의 내용으로 대충 파악이 되었다면, 협착부위를 찾을 수 있다.

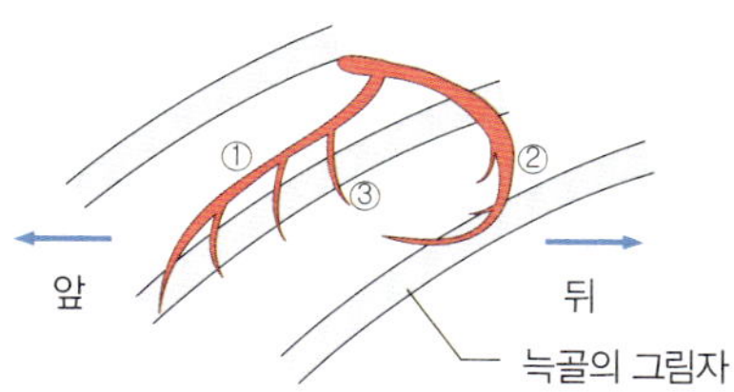

① ant. descending br. ② circumflex br.
③ diagonal br.

[그림 9-14]

C 허혈성 심장병의 증상과 검사

허혈성 심장병의 증상과 검사에 대하여 알아보자. 그전에 다시 한번 허혈성 심장병의 개념에 대하여 확인하고 넘어가도록 하자.

1. 개념

어떤 원인으로 심근에 대한 혈류가 감소하여 산소공급과 수요의 불균형으로 인한 불충분한 관류로 인해 심근 ischemia를 유발시켜, 급성 내지는 만성 심근장애를 나타내는 병태를 총칭하여 허혈성 심장병이라고 한다.

2. 원인

실제로는 허혈성 심장병은 관상동맥의 죽상경화에 의해 생기는 경우가 대부분이므로 관상동맥질환으로 불리는 경우도 있다. 개념에서도 언급한 "어떤 원인"에 대해서 구체적으로 알아보자. 관상동맥의 혈류가 감소 내지는 두절되는 경우의 원인에는 크게 나누어 2가지로 볼 수 있다.

(1) 기질적 협착
(2) 기능적 연축(spasm)

즉, (1)의 기질적 협착은 혈관내에 뭔가가 쌓여서 내강을 좁게 하는 경우이고, (2)의 기능적 연축은 그런 내강협착은 없지만, 관상동맥의 수축으로 관강이 좁아지는 경우이다.
또한, (1)의 기질적 협착에는,

① 관상죽상경화(coronary atherosclerosis)
② 관상동맥 색전증(coronary embolism)
③ 해리성 대동맥류(대동맥류로 인한 관상동맥 입구부의 협착, dissecting aneurysm)
④ 매독성 대동맥염(관상동맥 입구부의 협착)
⑤ 관상동맥염[PN(결절성 동맥주위염), SLE(전신성 erythematosus), RA(만성 관절 류마티스), 카와사키병 등]이 있다.

관상동맥 질환에서는 기질적 협착과 기능적 협착(연축) 양쪽의 기전이 함께 관여하고 있다. 전형적인 안정형 협심증/안정형 가슴조임증의 주역은 기질적 협착인데 비해, 전형적인 이형 협심증의 주체는 기능적 연축인 것이다(**그림 9-15**).

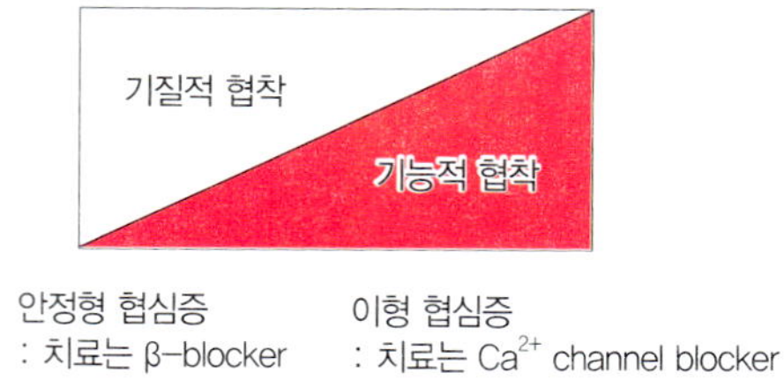

[그림 9-15] 기질적 협착과 기능적 협착

3. 치료 및 간호

그림 9-15에 나타나듯이, 앞의 (1)과 (2)의 2가지는 그 type에 따라 치료방법도 각각 달라진다. 안정형의 경우는 기질적인 관상동맥협착을 약물로 제거할 수 없으므로, 오히려 심근의 산소수요를 감소시킴으로써 협심증/가슴조임증을 일으키기 힘들게 하는 β-blocker를 사용한다.

한편, 이형 협심증은 관상동맥의 연축을 제거하면 협심증의 상태를 벗어날 수도 있다.

또한, 관상동맥의 변화는 가역적이므로 직접 약물로 연축을 억제해주는 것이 가능하므로 Ca-channel blocker를 사용한다.

허혈성 심장병은, 심근괴사의 동반 여부에 따라, 크게 심근경색과 협심증으로 나뉘어진다. 협심증은, 심근경색으로 이행되는 것이 문제가 되므로 이행되는 빈도에 따라 안정 협심증과 불안정 협심증으로 나뉘어진다.

- 허혈성 심장병
  - 심근경색
  - 협심증
    - 안정 협심증
    - 불안정 협심증

각 증상을 감별하기 위한 증상과 검사를 정리하면 **표 9-1**이 된다.

		심근경색	불안정협심증	안정협심증
흉통/가슴통증	유인 강도 지속시간 nitroglycerin	특별히 일정한 요인 없음 심한 경우가 많음 30분 이상이 많다 무효	특별히 일정한 요인 없음 각기 다름 30분 이내가 많다 유효한 경우가 많다	운동, 흥분 비교적 가볍다 수 분인 경우가 많다. 유효
합병증	구토·오심· 발한 호흡곤란	많다	드물다	극히 드물다
검사 소견	심전도	ST segment 상승, abnormal Q wave	STsegment 상승 또는 하강, inverted T wave	ST segment 하강 또는 드물게 상승
	혈압 백혈구 증가	하강이 많다 (+)	상승이 많다 (–)	상승이 많다 (–)
	GOT, CK LDH, 효소활성 myoglobin	상승	정상 또는 경도의 상승	불변
	ESR CRP 발열	촉진 (+) 종종(+)	대개 불변 드물게 (+) (–)	불변 (–) (–)

[표 9-1] **급성 심근경색과 협심증의 감별**

TIP

약물의 작용

β-blocker

베타차단제는 교감신경계의 베타 수용체를 차단하여 심박동수, 심근수축력 및 동맥압을 감소시켜 심근의 산소 요구량을 감소시킨다.

Ca-channel blocker

칼슘채널차단제는 심장의 동방결절 및 방실결절 세포막에서 칼슘채널을 억제하여 칼슘 유입을 억제함으로써 탈분극을 지연시키고, 방실결결과 같이 칼슘이온에 의존적인 조직에서 자극 전도를 느리게 하여 심박수를 느리게 하며, 심근의 산소 소모량을 감소시킨다.

D 안정 협심증 Stable angina pectoris

1. 증상

협심증/가슴조임증(angina pectoris)의 호소는 흔히 'SAVES'라고 하여 다음과 같다.

① S : sudden onset
② A : anterior chest pain
③ V : vague discomfort
④ E : effort, eating & emotion precipitate
⑤ S : short duration

안정 협심증(angina of effort)에서는 운동, 식사, 흥분 등이 요인이 되어, 돌연 흉통과 교액감(zonesthesia) · 압박감을 느끼며, 불쾌감과 불안감을 동반한다.

종종, 왼쪽 어깨, 왼쪽 팔안쪽, 손가락, 경부, 안면, 치아 등으로 통증이 확산된다. 이들의 지속시간은 짧고, 보통 안정하면 3~5분에 소실된다. 그래서 문진을 통하여 이러한 정보를 듣는 것이 중요하다.

외국의 의학서적에서는 암기방법으로, Nitrate SAVES angina pectoris로 소개되어 있다.

발작시에 심박수 증가, 혈압 상승 등을 동반한다. 반대로 발작시의 서맥/느린맥(bradycardia)은 혈압으로 인한 전도장애를, 혈압저하는 좌심실기능의 저하를 의미하는 것으로, 위험한 sign이다.

흉통/가슴통증을 동반하고, 일과성으로 S_4, papillary m.부전으로 인한 심첨부/심장끝부분 수축기 잡음 등이 청취되는 경우도 있다.

그러나 요점은 발작시에는 특이적인 의학적 소견이 부족하고, 있다고 해도 확정진단으로까지 이어지지 않는다고 하는 점이다.

2. 검사소견

1) 심전도 ECG

(1) 발작시와 안정시

흉통 발작시에는 보통 심내막하 심근의 injury를 유발하고, 그 영역에 ST segment 하강을 초래한다. 그러나 안정시의 심전도는, 거의 이상을 나타내지 않기 때문에 Holter 심전계로써 발작시의 심전도를 검사하거나 혹은 운동부하에 의하여 발작을 유발시켜 심전도를 검사할 필요가 있다.

(2) 운동부하시험 Exercise stress test

① 운동부하 시험의 의의

협심 발작의 재현, ischemia 역치값의 결정, 치료 효과의 판정 등에 이용된다.

② 부하량의 정량

부하량의 정량을 위한 지표로써, METs 또는 METS(metabolic equivalent) 표시가 이용된다. 즉, 안정시의 앉은 자세의 기초 산소 소비량(일반적으로, 3.5mlO_2/kg/min)을 1로 하는 경우, 어떤 운동이 그 몇 배의 산소 소비량이 되는가를 나타내는 것이다. 가령, 부하시험 결과, 9METs로 흉통 및 심전도상 허혈성 변화가 보인다고 하면, 이 환자의 안전역치는 8METs까지가 된다. 일반적으로 일상생활 습관의 범위에서 운동량은, 고작 7METs밖에 안 된다(참고로, 성행위는 7METs). 그러므로 이 환자는 협심증이 있어도 일상생활에서 심한 운동제한을 필요로 하지 않는다고 판단할 수 있다. 실제로, 산소 소비량의 기준으로서는 심박수와 혈압이 이용된다.

③ 방법

방법으로서는 다음과 같은 경우를 들 수 있다.

a. Master의 계단 오르기 시험(single은 1분 30초, double은 3분)
b. treadmill(운동부하 측정기-무한 주행 벨트)
c. 자전거 운동력 측정계(ergometer)

위의 a~c와 같은 방법으로 일정량의 운동부하를 걸어주는 것이다. 이때 동시에 심전도를 측정하여 모니터하면, 운동부하 심전도의 허혈반응으로서, ST segment 변화(주로 저하, 드물게 상승), T wave 변화(inversion, 높이 증가), 음성 U wave, 심실성 부정맥 등이 있는데, 가장 중요한 현상은 ST segment 하강이며, 특히 ST segment 하강의 정도와 형태(**그림 9-16)**가 중요하다.

ST segment 하강에 대한 정의는 앞에서도 언급했듯이, ST의 개시점(J점)에서 0.08초 후의 지점에 1mm 이상의 저하가 있는 경우이다. 그러나 이 J점에서 ① ST segment가 더욱 내려간다, ② ST segment가 수평을 유지한다, ③ ST seg-ment가 위로 올라간다'고 하는 3가지 타입으로 나누어보면, **그림 9-16**과 같이 각각의 타입에서 중증도의 차이가 보인다. Downsloping이 가장 특이성이 높고, **그림 9-16**과 같이 병변부위를 제2분지, 제3분지 병변이 차지하는 비율이 큰 것이 특징이다.

다음으로 특이한 사항은 horizontal로, 이것은 위양성률(false positive)이 15% 정도이다. Upsloping은 위양성률이 더욱 높아 slope가 깊지 않는 한, 부하시험 양성이라고 하지는 않는다.

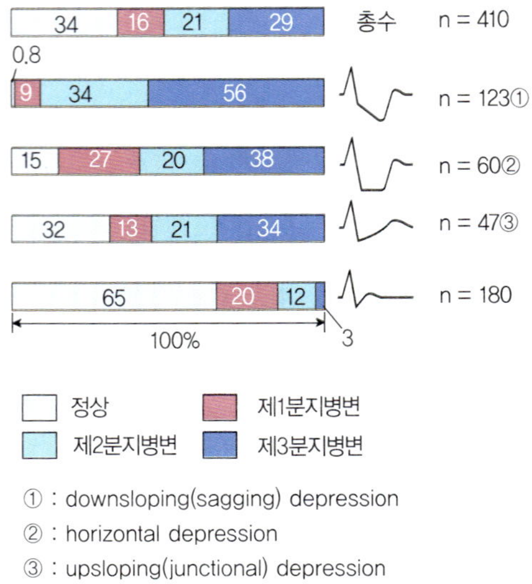

[그림 9-16] ST segment 하강의 파형과 관상동맥 질환의 중증도

2) 심장초음파 검사

정적 부하(static exercise), 가령 hand-grip test에 의하여, ischemia가 생긴 심근의 수축 이상(asynergy)을 검출한다. 검출률은 낮지만, 국소적인 이상수축 부위를 파악하여, 관상동맥 병변과의 관련성 등을 추측할 수 있다는 점에서 뛰어나다.

3) ^{201}Tl(thallium) scintiscan

Thallium은 K^+과 같이 관혈류 분포 및 심근의 섭취상태에 의하여 심근세포내로 흡수된다. 이 scintigram에서 건강한 보통 사람에게 있어서는 심근벽이 두꺼운 좌심실만 찍힌다. 괴사심근, 허혈 심근에는 흡수되지 않기 때문에, 그 부분에 결손을 낳는다(cold spot scintigraphy). 운동부하 중일 때와 2~4시간 후를 비교함으로써 일과성 심근허혈을 알 수가 있다.

4) 관상동맥 조영술

관상동맥 조영술(coronary angiography ; CAG)은 심근허혈의 원인이 되는 관상동맥의 해부학적 병변 유무와 정도 및 측부혈행로 발달의 정도를 알 수 있는 유일하고 확실한 방법이다. 침습을 적게 하기 위하여, DSA(digital subtraction angiogram) 등의 방법이 이용된다.

3. 치료 및 간호

본 질환의 치료는 크게 내과적 치료와 외과적 치료로 나눌 수 있는데 다음과 같이 세분화된다.

1) 내과적 치료

a) life style의 관리
b) 관상동맥 위험 인자의 제거
c) 약물요법

2) 외과적 치료

a) CABG(coronary artery bypass grafting)
b) PTCA(percutaneous transluminal coronary angioplasty)

그러면, 각 항목에 대해서 살펴보기로 하자.

1) 내과적 치료

a) Life style의 관리

정량적인 운동부하에 따라 안정영역을 정량적으로 판정하여 환자에게 운동처방을 한다. 입원의 경우, 사회복귀 후의 노동량에 대해서 검토하는 작업이 필수적이다.

일반적으로 일상생활은 5METs까지이며, double Master 시험(3분간 계단 오르내리기)은 대부분 이에 해당된다. 가능한 안전영역의 75% 정도 운동을 하게 하는 것이 적절하다. 쓸데없는 운동제한은 deconditioning과 비만 등으로 작업능(work capacity)의 저하를 초래할 위험이 있다.

b) 관상동맥 위험인자(coronary risk factor)의 제거

관상동맥경화증 위험인자에는 크게 나누어 7종류가 있다.

- 고지혈증(특히 고콜레스테롤 혈증)
- 고혈압
- 흡연
- 당뇨병
- 비만
- 저LDH 혈증
- A형 성격(적극적, 공격적 성격)

이들이 곧 심근경색의 위험인자라는 사실을 환자에게 충분히 자각시킴과 동시에 의사는 세심한 관리와 조언을 할 필요가 있다.

c) **협심증 발작에 대한 약물 치료**

먼저 치료와 예방에 대해서 간단히 살펴보자.

(1) **급성 협심증 발작의 치료 : nitroglycerin을 혀 밑에 투여**

(2) **협심증 발작의 예방**

① 2% nitroglycerin 연고 혹은 테이프에 의한 경피 투여

② 장시간 지속성 nitrates(질산 isosorbide, tetranitrate) : 간에서 재빨리 대사되므로 소량을 경구투여해서는 효과가 없다(간에 있어서 first pass 효과).

그럼 다음으로 협심증 발작에 대한 치료약 중, 주요한 4가지를 알아보자.

(1) nitrates

(2) β-blocker

(3) Ca-channel blocker

(4) **관상동맥 확장약**

이들 4가지의 작용의 기전에 대해서 도식화하면 **그림 9-23**과 같다. 그러면 이들에 대해서도 조금 더 상세하게 알아보자.

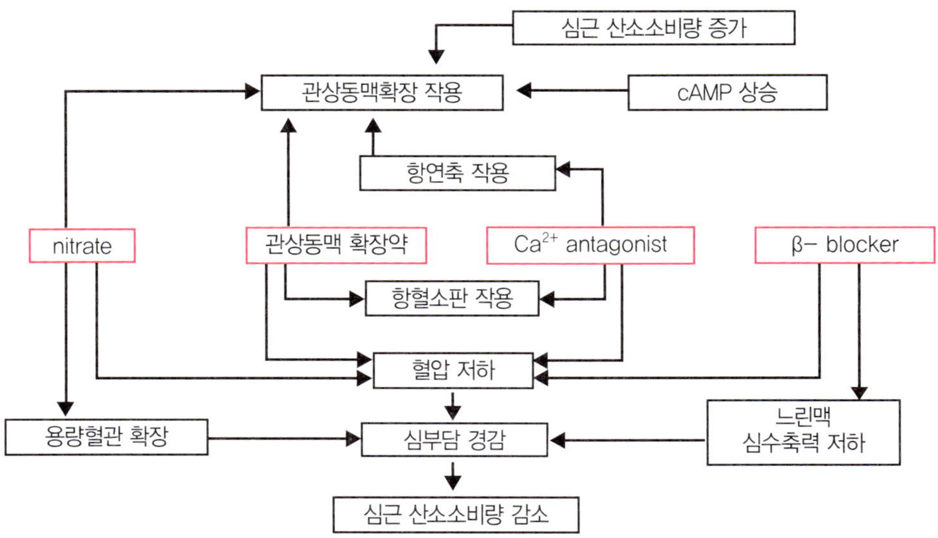

[그림 9-23] **협심증 발작 치료약의 작용기전**

(1) 질산계 Nitrates

흉통/가슴통증을 경감시키는 작용기전은 주로 정맥계의 확장으로 인한 심장의 전부하/예비하중(preload) 경감에 의한 것이라고 알려져 있는데, 비교적 굵은 관상동맥을 포함하여 동맥계도 확장시킨다(**그림 9-24**).

(2) *β*-blocker

β_1 수용체의 차단작용에 의하여 심근 산소 소비량을 감소시키고, ischemia가 일어나지 않게 하는 방향으로 작용한다(**그림 9-24**). 중증의 기질적인 협착이 주가 되는 병태에 대하여 유효하다. 심수축성의 저하, 혈압저하, 심박수 감소라는 작용은 어떤 *β*-blocker라도 차이가 없다. 그러나 막 안정작용, 내인성 교감신경 자극작용, β_1 선택성 등 각 *β*-blocker가 가지는 특색을 적절히 나누어 사용하면 더욱 효과가 있다.

그러면, ① 막 안정화 작용과, ② 내인성 교감신경 자극작용에 대해서 살펴보자.

① 막 안정화 작용(membrane stabilizing activity ; MSA) :

이것은 항부정맥 작용이라고도 생각할 수 있다.

② 내인성 교감신경 자극작용(intrinsic sympathomimetic activity ; ISA) :

β-blocking activity외에 *β*-agonistic activity를 가지고 있는 경우를 말하며, 안정시의 심박수 감소, 혈압저하, 심수축성 저하 효과는 적고, 운동시의 효과가 크다는 특징이 있다. 그리고, *β*-blocker는 협심증 발작 유발기전 중에 관상동맥의 연축에 대해서는 아무런 작용도 하지 않으며, 오히려 혈관을 수축하는 방향으로 작용한다는 점에 주의해야 한다. 그렇다고 *β*-blocker의 투여를 돌연 중지하면, 협심증, 부정맥, 심근경색, 돌연사 등을 일으키는 경우가 있으므로, 이 약을 중지할 때는 반드시 조금씩 감소(tapering)해 가야 한다.

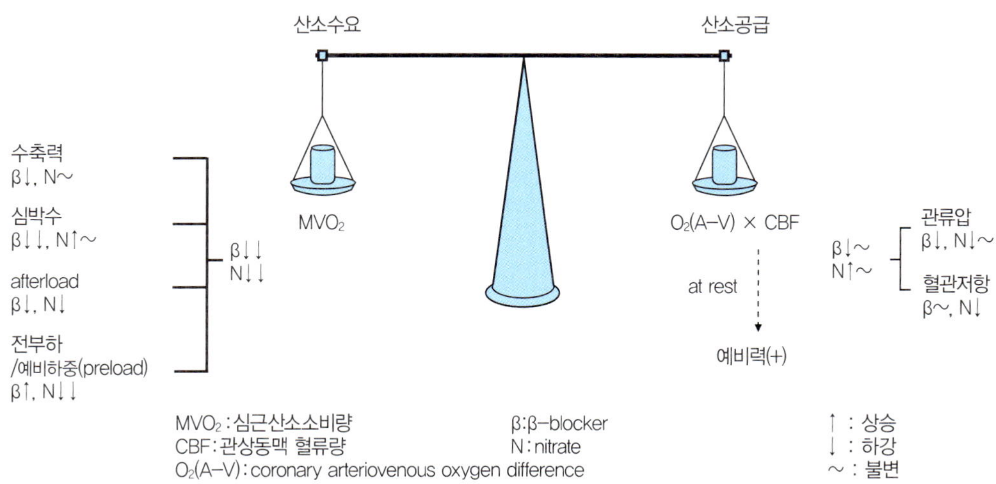

[그림 9-24] *β*-blocker와 nitrates의 흉통에 대한 작용기전

(3) Ca-channel blocker(Ca^{2+}antagonist)

본약의 현저한 강압작용은 주로 동맥 쪽의 확장에 의한 것이다.

심장의 afterload 경감, 관상동맥 확장, 가벼운 심수축력 저하작용(excitation-contraction coupling의 장애)에 의하여 심근 산소소비량을 감소시킬 뿐만 아니라, 관상혈류량도 증가시킨다. 게다가 관상혈관의 연축에는 특효가 있으며, 혈소판에 대해서는 혈소판 속으로의 Ca^{2+} 유입을 감소시킴으로써 항혈소판작용을 보인다.

(4) 관상동맥 확장약

Nitrates가 비교적 굵은 관상혈관을 확대하는 것과는 대조적으로 dipyridamole을 비롯한 소위 관상동맥 확장약은 세동맥을 확장시킨다. 그러나 관상동맥의 협착부에서 말초혈관은 최대한으로 확장되어 있기 때문에 관상동맥 확장약이 작용할 여지가 없어 역으로 비허혈부 혈관이 반응하여 관상 도혈 현상(coronary steal phenomenon)을 일으킨다**(그림 9-25)**. 관상동맥 확장약이 지닌 가벼운 혈압저하 작용, 항혈소판 작용 등이 유효하여, 다른 약물의 보조약으로서 사용되는 경우가 있는데, 흉통/가슴통증이 자주 나타나는 시기에는 투여를 자제해야 한다. 최근에는 협심증/가슴조임증 발작을 유발하려는 목적으로 dipyridamole을 이용하는 경우도 있다.

2) 외과적 치료

협심증의 외과적 치료에는, ① PTCA와 ② CABG가 있다는 것은 앞에서도 언급한 바 있다. 그러면 이들에 대해서 좀더 자세히 살펴보자.

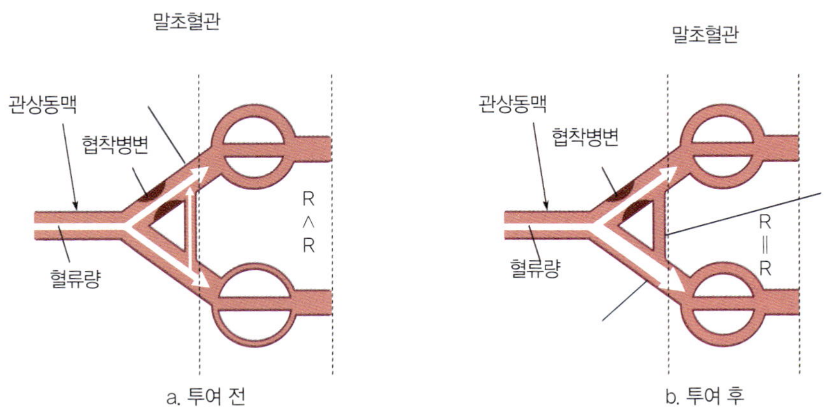

①: 이미 최대로 확장되어 있다.
②: 오히려 비허혈성 혈관이 확장된다.
③: 허혈부를 보충하고 있던 혈류는 감소하여(또는 흐르지 않게 되어), 더욱 불리한 상태로 몰리게 된다.
R은 말초혈관저항을 나타낸다.

[그림 9-25] 관상동맥 확장약의 작용기전

① PTCA

PTCA(경피경관 관상동맥 형성술〈percutaneous transluminal coronary angioplasty〉)는 관상동맥 협착부에 balloon catheter를 삽입 · 확장함으써 협착부를 넓게 여는 치료법이다.

그러나 다시 좁아지는 예가 30% 정도이며, 최근에는 stent(금속제로 된 보강제)를 혈관 협착부위에 삽입하는 형성술도 실시한다. PTCA가 성공했을 때, 효과는 극적이며, 증상은 현저하게 개선되는 경우가 있다. 또한 외과적 치료법 중에서, 가장 침습이 적은 치료법이므로 일단 가장 먼저 선택해야 하지만 적용이 제한되어 있다. 적용은,

- 협십증 발작의 시작으로부터 1년 이내로 약물 저항성이 있는 경우
- 국한성 협착인 경우
- 병변부에 석회화가 보이지 않는 경우
- 한 개의 혈관이 병변인 경우

등인데, 기술의 진보, 기기의 개량에 의하여 적용이 확대되어가고 있으므로 금기의 경우를 기억해두는 것이 중요하다.

PTCA의 금기

① 3부위 이상의 혈관 병변(3vessel-disease)

② 좌관상동맥주간부 병변/왼관상동맥굵은줄기병변(Lt. main disease)

PTCA가 성공하지 못하고 끝났거나 합병증이 생긴 경우에는 CABG 수술을 요한다. 합병증에는 해리, 폐색, 경련, infarct 등이 있다.

② 관상동맥우회로조성술(CABG 수술)

CABG 수술(coronary artery bypass grafting)의 적용은,

a. 협심증이 내과적으로 충분히 control되지 않는 경우

b. 내과적 치료에 비해 환자의 예후를 더 개선해야 할 경우

즉, 좌관상동맥주간부(left proximal coronary a.)의 유의협착(75% 이상), 혹은 우관상동맥(RCA), 좌전하행동맥/왼앞내림가지(LAD), 좌회선지동맥/왼휘돌이가지(left circumplex a.)의 2~3지에 75% 이상의 협착이 있으며, 협착 말초의 run off가 양호하고 좌심기능이 비교적 유지되는(박출률〈ejection fraction〉 20% 이상) 경우이다.

4. 예후

큰 질환에서는 10~15년 후의 사망률이 9%이고, 연간 심근경색 발생률은 1%라는 보고가 있다.

E 불안정 협심증 Unstable angina pectoris

불안정 협심증/불안정 가슴조임증이란, 앞에서도 언급했듯이 심근경색으로의 이행 확률이 높은 협심증에 대한 총칭이다. 구체적으로는,

① 최근 시작된 협심증
② 최근 증상이 악화된 협심증
③ 안정시에도 발작이 일어나는 협심증

등을 일컫는다.

①에 대해서는 막 시작되었을 뿐인데, 심근경색으로 많이 이행하는 이유에 대해서 궁금할 것이다. 새로운 것이기 때문에 판단하기 어려워 방심하고 있으면, 갑자기 위험한 지경에 처하게 되는 경우도 많기 때문이다. 그러므로 치료는, 심근경색에 준하여 실시된다. 당연히 엄중한 관리가 필요하므로 절대안정을 취하여야 한다. 따라서 운동부하 시험은 금기이다.

1. 치료

불안정 협심증(unstable angina)에서는 시시각각 병태가 변화하는 경우도 있으므로 속단해서는 안 된다. 바로 CCU(coronary care unit)에 수용하여 치료를 시작한다**(그림 9-26)**.

불안정 협심증의 환자 대부분은, ni-trates, β-blocker 등의 적극적인 약물요법으로 안정을 시킬 수가 있다. Ca-channel blocker가 유효하며 제1 선택약이 될 수 있다. 그 외, 진단상의 문제점이 있으면 대처하고, 울혈성 심부전을 적극적으로 치료한다. 약물요법에 반응하지 않는 경우에는, 심장카테터 검사를 서둘러 실시하고 수술적용도 고려해야 한다.

2. 예후

본 질환의 예후에 대해서는, 급성기 사망률이 2~40%, 심근경색 발생률은 6~59%라는 보고가 있다.

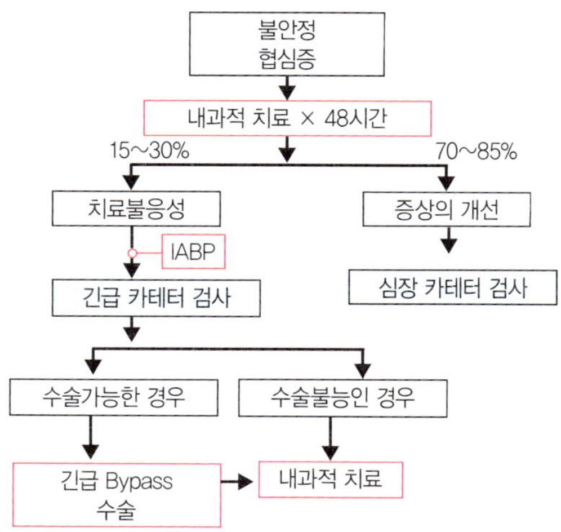

[그림 9-26] 불안정 협심증 치료의 flow chart

F 이형 협심증 Variant(Prizmetal's) angina pectoris

이형 협심증/변형 가슴조임증이란, 관상동맥의 spasm에 의해서 생기는 협심증으로 안정시에도 일어날 수 있다. 따라서 이형 협심증은 불안정 협심증에 포함된다. 이형 협심증의 발작은, 야간에서 이른 아침의 일정한 시각에 일어나는데, 간혹 지속시간이 길어지며, 강한 발작이 보인다. 이에는 nitroglycerin이 유효하다.

1. 검사소견

1) 심전도

흉통/가슴통증 발작시에는 관상동맥의 연축에 의하여 혈류가 완전히 두절되고, 전층/관벽성(transmural)의 손상(transmural injury)이 발생되어, 일과성으로 ST segment 상승을 초래한다. ST 상승은 전측벽(Ⅰ, aV_L, V_2~V_6), 전벽중격(V_1~V_4), 하벽(Ⅱ, Ⅲ, aV_F) 중 어딘가에서 야기된다. 발작중에 부정맥이 나타나기 쉬우며, 전벽에 해당하는 유도의 ST 상승시에는 심실성 조기수축 현상이 많다. 또 하벽유도에 ST 상승이 보이는 예에서는 AV block이 많이 나타난다.

이것은 심근경색의 경우와 비슷하지만, 경색은 일어나지 않는다. 'A. 심전도'의 항목에서 언급했듯이, transmural injury의 경우는 ST가 상승한다.

키 포인트

전형적인 이형 협심증에 대한 심전도 소견은 ST segment의 상승이다.

2) 관상동맥 조영상

변형 협심증의 관상동맥조영에 대한 소견은, 구미의 경우에는 관상동맥에 기질적인 협착이 있는 예가 압도적으로 많은 데 비하여, 한국과 일본 등에서는 연축에 의해서만 발작이 일어나는 증례가 비교적 많다. 연축에 대한 관찰은 관상동맥조영시, 우발적으로 일어난 자연발작 예를 제외하고, 일반적으로 각종 유발시험에 의한 경우가 대부분이다.

유발법으로서는 가장 잘 알려져 있는 것은 과호흡(hyperventilation)과 ergonovine의 정맥주사이다.

2. 치료 및 간호

앞에서도 언급했듯이, nitroglycerin과 Ca-channel blocker를 사용한다. 매우 효과가 좋다.

협심증 핵심정리

병태생리로 보는 협심증

협심증이란 심근허혈에 의해 심근의 산소가 결핍되어 흉부통(협심통)이나 흉부불쾌감, 압박감 등의 증상이 일시적으로 나타나는 질환이다.

병 인	• 정신적 스트레스, 운동습관 • 흡연, 고혈압, 당뇨병 • 가족력, 성격 • 죽상경화증, 심근허혈
병 태	**안정 협심증** • 1~5분 동안 지속되는 통증 • 관상동맥혈류량의 감소 • 관상동맥의 기능적 협착 • 심박출량의 감소 • 심근에의 산소공급량의 감소 및 수요량의 증가 **불안정 협심증** • 병태의 발생 빈도, 강도, 지속시간이 짧은 시간에 악화 • 안정 시 통증이 10분 이상 지속
증 상	• 쥐어짜는 듯한 흉통이 특징 • 심근허혈로 인한 흉부통, 흉부압박감 • 호흡곤란 • 가래의 증가 • 빈맥 • 혈압하강 • 왼쪽 흉부 및 팔 안쪽의 통증(휴식을 취하면 사라짐)

증 상

＊ 협심증의 통증 양상

- 안정형 협심증
  - 흉골 하부의 가슴통증이 왼쪽 팔로 방사된다.
  - 통증의 강도가 심하고 30분 이상 지속된다.
- 불안정성 협심증
  - 작업 시 또는 휴식 시에도 흉통이 발생하여 15분 이상 지속된다.
  - 운동 중 발생한 흉통은 안정을 취해도 완화되지 않는다.
  - 니트로글리세린에 의해서도 완화되지 않는다.

진 단 및 검 사

진단

- 흉통 등의 호소

검사

- 심전도(ST-T 변화)
- 흉부X-선검사
- 심장 초음파검사
- 관상동맥 조영

치 료

- 약물요법 : 혈관확장제, 지속성 질산염제, β-blocker
- 외과치료 : 경피적 관상동맥 중재술
- 안정
- 통증이 예상될 때는 니트로글리세린을 사전 복용

G 심근경색 Mycardial infarction

1. 증상

1) 전구증상

심근경색증 발병 전에 협심증과 같은 흉통 또는 앞가슴 압박감의 발작이 나타나는 경우가 많다(30~70%). 이전부터 협심증이 있고 발작을 반복하는 환자에서는, 발작의 빈도가 증가하여 가벼운 노동이나 안정 중에도 일어나고, 지속시간이 길어진다.

이와 같은 발작이 일어나기 시작하여 수일 이내에 심근경색증이 발병하는 경우가 많은데, 수주 내지는 수개월 후에 발병하는 경우도 있다. 이 기간을 절박 경색 혹은 불안정 협심증이라고 한다.

2) 흉통

흉통/가슴통증은 심근경색의 발병과 함께 일어나는 가장 중요한 증상으로, 급성 심근경색의 70% 이상에서 나타난다. 흉통은 앞가슴의 강한 통증이나 교액감이며, 불안감, 공포감을 동반하는데 지속시간은 15분 이상에서 수 시간에 이르는 경우가 많다.

또한, 흉통은 운동과 관계없이 안정시나 수면 중에도 일어나며, 안정을 취해도 관해되지 않는다.

Nitroglycerin은 효과가 없고, 통증이 자주 어깨, 팔, 전경부, 악부, 견갑간부, 상복부 등으로 퍼지는 경우가 있다. 또한 왼쪽의 팔과 어깨 쪽으로 퍼지는 경우가 많다. 이와 같은 흉통은 경색 발작의 주요 sign이기는 하지만, 항상 있는 증상은 아니다. 그리고, 전혀 동통을 못 느끼는 경우도 있는데, 이를 무통성 심근경색(painless MI)이라고 한다. 노년층 및 당뇨병을 동반한 환자에서는 흉통을 호소하지 않는 경우가 반수 이상에 달하므로 주의가 필요하다.

3) 호흡곤란

정도에 따라 차이가 있지만, 호흡곤란을 동반하는 경우가 적지 않다.

4) 위장증상

발작시에 자주 오심 · 구토 증세가 나타나며, 드물게 설사를 동반하는 경우도 있다.

질환에 대한 소견과 내용 및 소인, 이 3가지 사항을 정리하면, **표 9-2**와 같다. 심근경색증에 대한 특이적인 소견은 오히려 적어서 결정적인 단서가 될만한 사항이 없다.

소 견	내 용	소 인
microsphygmia	수축기에 ejection되는 혈액이 적다	심박출량 저하
경정맥확장	목부분 맥압은 10cmH_2O 이상	우심부전
S_2의 모순 분열	S_2의 분열이 흡기에 좁고, 호기에 넓다	현저한 좌심실부전으로 인한 ejection시간의 연장, 또는 LBBB
S_3 청취	부드럽고 낮은 pitch의 확장기 조기의 음	좌심실의 수축기 부전으로 인한 용적부하의 증대
S_4 청취	부드럽고 낮은 pitch의 수축 전기의 음	좌심실의 확장기 compliance의 저하(심근이 굳어진다)
MR 잡음청취	전체수축기잡음	papillary m.의 ischemia, necrosis
VSD 잡음 청취	전체 수축기 잡음, 왼아래흉골에 국한	심실중격의 파열

[표 9-2] 심근경색의 증상소견

2. 검사소견

1) 심전도

심근경색증에서의 심전도 변화를 시간이 경과함에 따라 관찰해보자.

심근경색증에서는,

- ischemia(T wave의 변화)
- injury(ST의 변화)
- infarct(QRS의 변화)

이 연속적으로 일어난다.

① ischemia가 발생했을 때

a. 극히 초기는 심내막/심장속막 쪽의 ischemia가 원인이 되어 T wave 높이의 증가(즉, hyper acute T, tall T wave)가 나타난다.

b. 다음으로, 전층(transmural)의 ischemia로 인하여 inverted T wave가 나타난다.

c. ischemia의 시기가 지나면 원상태로 돌아온다. 이상을 도식화하면 **그림 9-17**과 같다.

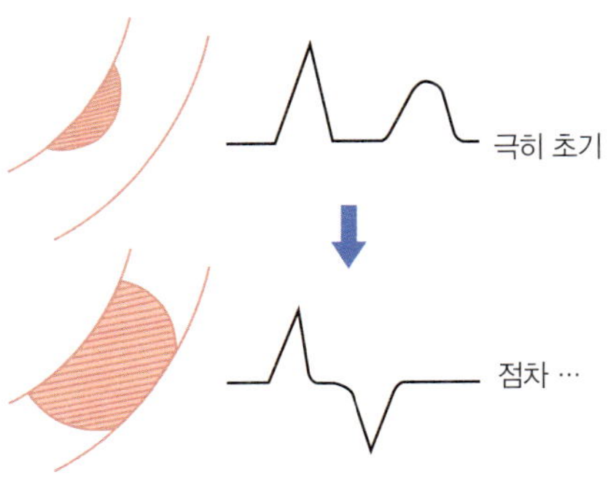

[그림 9-17] 심근경색의 ischemia시 심전도 변화

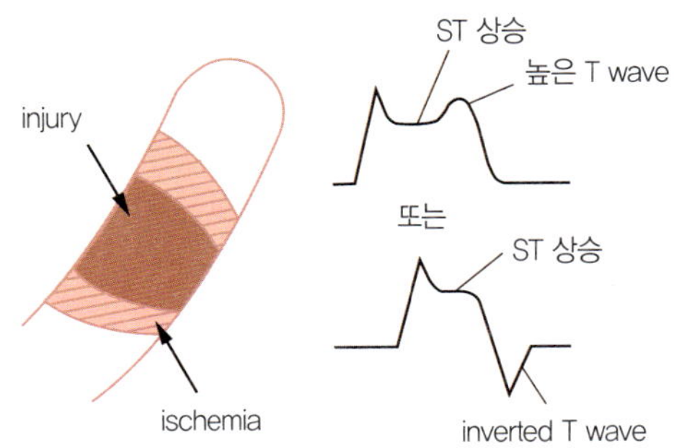

[그림 9-18] 심근경색의 injury 출현시의 심전도 변화

IX

② **injury가 나타났을 때**

ischemia가 진행되면 injury가 나타난다. 심근경색의 경우는 전층/관벽성(transmural) 허혈부가 일시에 injury를 입는 경우가 많아 갑자기 transmural injury, 즉 ST segment 상승이 보인다(**그림 9-18**).

③ **infarct이 발생했을 때**

infarct이 발생하면 abnormal Q wave도 나타난다(**그림 9-19**).

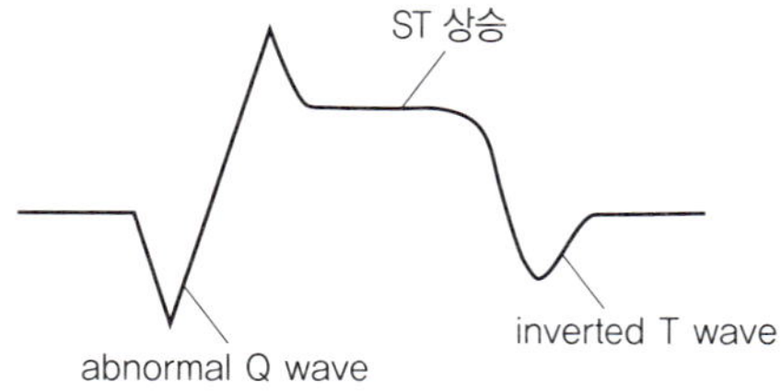

[그림 9-19] 심근경색에서 경색시의 심전도 변화

이상 ①~③을 정리하면, 대강의 기준으로서 **그림 9-20**에서 나타난 것과 같이 시간의 경과에 따른 변화를 파악할 수 있다.

그리고 부위진단도 중요하므로 반드시 암기하기 바란다. Abnormal Q wave를 나타내고 있는 유도전극이 어디인가를 근거로 해서 부위진단을 실시한다. 이상을 **표 9-3**으로 나타내었다.

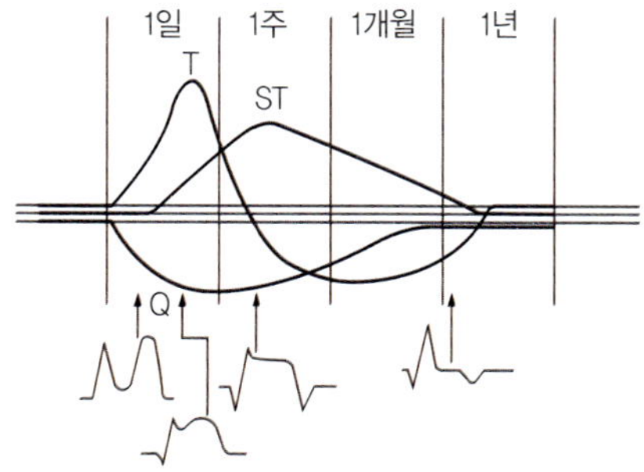

[그림 9-20] 심근경색시 시간경과에 따른 심전도 변화

	I	II	III	aV_R	aV_L	aV_F	V_1	V_2	V_3	V_4	V_5	V_6	V_{4R}	V_{6R}
전벽중격 (anter oseptal)														
측벽(lateral)														
광범위 전벽 (extensive anterior)														
고위 측벽 (high lateral)														
하벽 (interior)														
후벽 측벽 (posterolateral)														
순후벽 (strictly posterior)							높은 R,	T양성						
우심실(하벽에 동반) (right ventricular with inferior)													ST	상승

[표 9-3] 심근경색의 부위 진단

2) 흉부 X-선 사진

좌심실 기능의 저하로 인하여 좌심부전이 되면, 폐울혈, 폐부종/허파부종(pulmonary edema)이 생겨 흉부 X-선 사진 상, Kerley B line과 폐부종, 엽간 흉수저류 등의 소견이 보인다.

3) 혈액 · 혈청생화학 검사

심근경색 직후, 수시간 이내에 백혈구의 증가가 보인다. 그 후 CK, GOT, LDH 등의 혈청효소의 증가가 보인다. CK는 3~4시간에 상승하여 며칠 안에 정상으로 되돌아온다. GOT는 CK에 조금 뒤쳐져 6~12시간 후에 상승하여 1주간 이내에 원래 상태로 되돌아온다.

LDH는 가장 늦어 12~24시간 후부터 서서히 올라가기 시작하여, 2~3일 후에 peak에 달하고, 10일에서 2주간 사이에 원래대로 돌아온다. CRP와 ESR은 며칠 지나면서부터 상승하기 시작한다. 그러면, 이들에 대해서 좀더 상세하게 살펴보자.

암기방법

ABCDE … 알파벳 순서대로 세어 보라.
C는 세 번째, G는 일곱 번째, L은 12번째가 된다. 그러므로 CK는 3시간 후, GOT는 7시간 후, LDH는 12시간 이후를 기준으로 상승하는 것이다.

① CK(creatine kinase)

일탈효소 가운데 가장 빨리 반응하며, 특이성이 크고 또한 예민하기 때문에 조기진단에 도움이 된다. CK-MB isozyme이 가장 신뢰성이 높다고 알려져 있다(CK에는 BB, MM, MB의 3종류의 isozyme가 있으며, BB형은 뇌에, MM형은 골격근에, MB형은 심근 등에 많다).

② GOT(glutamic oxaloacetic transaminase)

가장 범용되는 효소이지만 골격근이나 간, 적혈구 중에도 있으며, 이들의 심외 저장에서 유리될 가능성이 있으므로, CK-MB isozyme, LDH isozyme, GPT 등의 경과도 측정하여 감별 시에 참고로 한다.

③ LDH(lactic dehydrogenase)

조기의 반응성은 다른 것보다 떨어지지만, 상승이 지연되므로 발병후 이미 며칠 경과한 증례에는 유효하다.

LDH는 5종류의 isozyme(LDH_1~ LDH_5)으로 분리되는데, 심근에서 나오는 LDH_1과 LDH_2, 간에서 나오는 LDH_5의 경과를 보면 심장병과 간질환을 감별하는 데 도움이 되는 경우가 있다. 이중에서 심근에 가장 특이성이 높은 isozyme은 LDH_1이다.

④ HBD(α-hydrobutylic dehydrogenase)

LDH와 같은 추이를 보이지만, 특이성은 LDH보다 뛰어나다.

⑤ GPT(glutamic pyruvic transaminase)

간에 많이 포함되어 있으며, 울혈성 심부전 시, 폐울혈 때문에 상승하는 경우가 있다. 정상치는 5~35이다. 위의 CK, GOT, LDH의 심근경색 후의 변화를 그래프로 나타낸 것이 **그림 9-21** 이다.

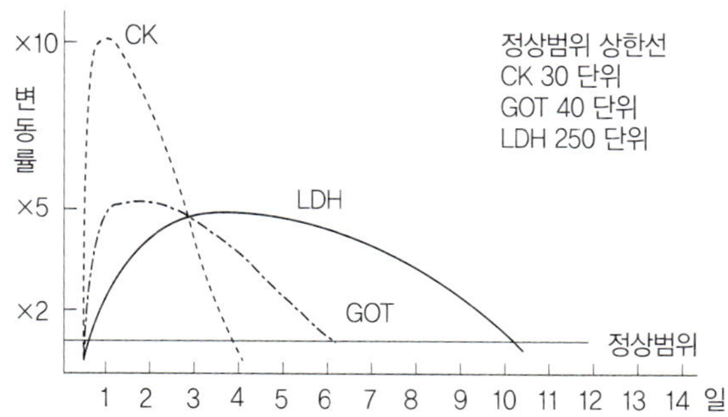

[그림 9-21] 심근경색 후의 CK, GOT, LDH의 변화

4) 심장초음파 검사

Infarct 부분의 수축 이상(asynergy)과 대측부의 과대한 운동(hyperkinesis)이 나타난다.

승모판 에코 패턴의 변화(DDR의 감소, A/E비의 증대, B-B' step 등)도 infarct으로 인한 심기능 저하의 표현으로 인정된다.

5) 핵의학적 검사

본 질환의 핵의학적 검사 소견으로는 다음과 같은 것이 있다.

① Hot spot 섬광조영술(scintigraphy) : ^{99}Tc(technetium 99m) pyrophosphate는 급성 심근경색 부위에 흡수되어, 증상발현 후 12~16시간에서 1~2주간 후까지 양성상으로 나타난다.

② Cold spot scintigraphy : ^{201}Tl(Thallium 201) 정상심근에 흡수되어, infarct 부위는 결손상으로 나타난다. 경색은 「Thallium은 부족하다」고 기억해 두자.

6) 심장카테터 검사

a) 관상동맥 조영술

관상동맥 조영술(coronary angiography ; CAG)은, 심근경색 발병후, 4주간은 금기로 되어 있는데, 최근에는 PTCA(percutaneous transluminal coronary angioplasty)를 하는 경우가 있으므로, 조기에 실시하는 경우도 있다. 대부분의 예에서 관상동맥의 주요 분지에 대한 완전 폐색, 혹은 고도의 협착이 나타난다.

b) **좌심실 조영술**

본 질환의 좌심실 조영술(left ventriculography ; LVG)의 소견으로는 심근의 수축 이상(asynergy)이 인정된다. 이 asynergy는 ① hypokinesis, ② akinesis, ③ dyskinesis로 분류된다 (그림 9-22).

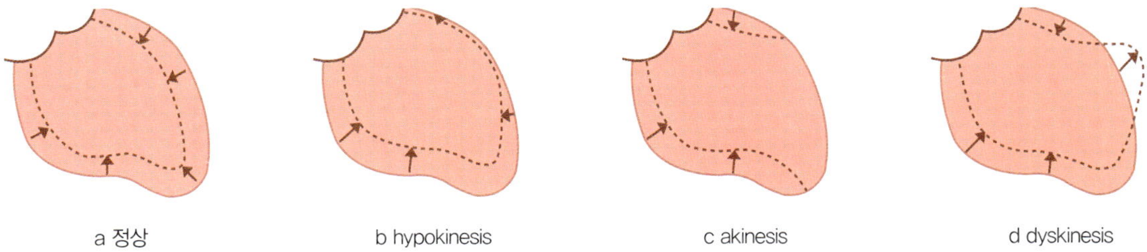

혈관조영의 윤곽을 나타낸 것으로 실선은 확장 말기를, 점선은 수축 말기를 나타낸다

[그림 9-22] 각종 국한성 벽운동장애가 있는 좌심실 asynergy

3. 진단기준

이상의 내용을 토대로, 최종적으로 심근경색의 진단기준을 간략하게 정리해 보면 다음과 같다.

① 10분 이상 계속되는 흉통/가슴통증 발작
② 심전도상, 새로운 Q wave와 그에 수반하는 ST-T의 변화
③ 심근으로부터의 일탈효소(CK, GOT, LDH 등)의 일과성 상승

위의 ①~③ 중에서 2가지 이상이 나타날 때, 급성 심근경색으로 진단한다(Myocardial Infarction Research Unit Program of the National Heart Institute).

앞에서 살펴보았듯이, 심근경색은 환자와의 문진을 통해 얻은 정보, 심전도, 혈청생화학 소견의 3가지로 진단되는 질환이다. 중대한 질환인 데 비해 의외로 간단하다는 생각이 들 것이다.

그러나 중대한 질환이야말로 언제 어디서나 진단할 수 있도록 그 기준이 간단한 편이 더 좋은 것이다. 그러면, 이제 협심증/가슴조임증과 심근경색의 치료와 예후에 대해서 정리해 보자.

4. 심근경색의 치료와 예후

급성 심근경색으로 인한 사망의 50%는 모든 연령군에서 증상발현 후 2시간 이내에 일어난다. 그 원인은 심실세동/심실잔떨림(VF)과 같은 치사성 부정맥이다. 따라서 환자를 병원이나 CCU로 가능한 재빨리 수송하고, 부정맥을 주의깊게 모니터하여 즉시 치료하면 사망률을 감소시킬 수가 있다.

1) 일반적 치료

(1) 절대안정

합병증이 없는 급성 심근경색에서는, 수일 동안 절대안정을 요하고, 발작 당일에는 식사는 금지해도 식수는 허락하는 것이 보통으로, 흉통이 계속 되어도 물의 섭취는 허용된다.

(2) 심전도 모니터 등의 관리

심전도 모니터에 의한 감시 시스템을 확보하고, 적절한 정맥을 확보하도록 한다.

(3) 진통제

흉통/가슴통증의 경감에 의하여, 환자의 불쾌감이나 불안감이 해소될 뿐 아니라, 순환 혈액 중의 catecholamine 농도가 감소하고 심근 산소 소비량도 감소한다(염산 morphine 1~4mg을 천천히 정맥주사하는 것이 좋다).

유산 atropine 0.5mg 정맥주사를 병용하면, 염산 morphine으로 인한 오심 · 구토를 예방할 수 있으며, 특히 느린맥, AV block 등이 나타나는 경우에는, 이를 병용하면 anti-cholinergic 작용에 의해 개선된다.

그리고 근육주사에 의한 CK, GOT, LDH 등의 상승을 피하기 위하여 약물의 투여는 모두 정맥주사로 한다.

(4) 진정제

진정제에는 diazepam을 사용한다. 정신적인 스트레스는 심근 산소소비량을 상승시키고, 또한 부정맥의 원인이 되므로 diazepam 2~5mg, 또는 chlordiazepoxide 5~10mL를 정맥주사한다.

(5) 산소투여

산소흡입은, 코를 통한 cannula로 2~3L/분 실시한다.

(6) 혈전용해요법 Thrombolytic therapy

심근경색의 급성기에는 책임관상동맥에 혈전으로 인해 생기는 폐색이 높은 빈도를 차지한다.

따라서 혈전용해법(thrombolytic therapy)으로서, 혈전용해약(streptokinase, urokinase)의 투여에 의하여 폐색관상동맥의 혈류를 조기에(6시간 이내) 재개시켜 infarct의 범위 축소 및 기능의 회복을 꾀한다.

그러나 이 요법은 이미 진행된 심근경색에는 효과가 없으므로 infarct의 증상발현부터 이 요법 개시까지의 시간이 중요해진다. 일반적으로 24시간 이내이면, 우선 혈전용해법을 시도해 본다. 구체적으로는 다음과 같은 방법이 실시된다.

① PTCR(경피경관 관상동맥 재개술〈percutaneous〉transluminal coronary recanalization) : 카테터를 이용하여 직접 관상동맥내에 혈전용해약을 주입하는 방법이다.

② 혈전용해약의 정맥내 대량투여법 : PTCR과 거의 동등한 효과를 기대할 수 있다는 보고도 있다.

(7) 식사

심근경색의 증상발현 1일째는 염분을 줄인 유동식 식사를 한다.

그 이후는 차츰 소화가 잘 되는 부드러운 음식을 섭취하며, 경과를 보면서 1~2주일 지나면 보통식으로 바꾸도록 한다. 그러나 염분, 콜레스테롤, 동물성 지방은 제한해야 한다.

(8) 배변시 주의

배변시에 “너무 힘을 주면”, Valsalva maneuver를 일으켜 일과성의 혈압상승, 심박출량 감소, 관상동맥 혈류량 감소를 초래하므로 배변을 쉽게 하도록 완화제를 투여한다.

(9) 항응고요법

울혈성 심부전 환자에게 정맥성 혈전증의 빈도가 증가한다는 사실이 알려져 있고, CCU에서는 폐색전에 대한 예방을 위하여 항응고제(anticoagulant)를 사용하는 것이 장려된다. 또한, infarct 부위의 심실내에서 일어나는 혈전에 의한 동맥색전의 빈도는 극히 낮지만, 이미 생겼을 때는 위독하므로, 항응고요법으로 예방한다.

이처럼 이 요법이 동맥성 및 정맥성 혈전색전증과 같이 합병증을 감소시키는 점은 확실하지만, 급성 심근경색 환자에게 이 요법을 지금처럼 의례적으로 사용할 것인가에 대해서는 아직 의료계의 의견이 일치되지 않고 있다.

항응고제로서 heparin 정맥주사를 사용한다.

(10) 항혈소판제요법

아스피린을 즉시 경구투여한다.

(11) 재활

심근경색에서 재활의 목적에 대해 알아보자.

재활의 목적
① 심근경색 합병증의 예방
② 육체와 정신 양면의 일상생활로의 복귀
③ 입원기간의 단축으로 인한 의료비의 절약
④ 심기능의 예비능력 평가
⑤ 심기능의 개선, 부혈행로의 발달, 관상동맥경화 진행에 대한 예방 등

2) 합병증과 치료

심근경색의 합병증으로서 가장 중요한 것은,

① electrical failure(부정맥)과,
② power failure(심부전, 심인성 쇼크 〈cardiogenic shock〉)
의 2가지이다. 부정맥에 대한 유효한 치료법의 진보와 함께, power failure가 심근경색의 가장 치명적인 합병증이다. 그러면, 아래에 부정맥과 심인성 쇼크의 2가지로 나누어 설명해 보기로 한다.

(1) 부정맥

CCU에서 연속적으로 심전도를 모니터하면, 부정맥(arrhythmia)이 80~90%로 나타나는 것을 알 수 있다. 또한, 거의 모든 종류의 부정맥이 나타나는데, 조기수축, 특히 심실성 조기수축(ventricular premature beat ; VPB)이 나타나는 빈도가 가장 높다(40~80%). 그 중에서도 R on T현상, 다원성 심실성 조기수축, 1분간 5~6개 이상 나타나는 경우는 심실성 빈맥(VT)이나 심실세동/심실잔떨림(Vf)의 전조일 가능성이 높다고 알려져 있다. 심실성 빈맥이나 심실세동과 같은 치사성 부정맥은 예방하는 것이 중요하다.

(2) 심인성 쇼크

① 개념

심인성 쇼크(cardiogenic shock)란 중증의 심기능 장애(일반적으로 좌심실심근 40% 이상의 장애)가 원인이 되어 급격하게 일어나는 전신성의 순환부전으로, 전신조직, 특히 주요 장기의 혈액관류가 눈에 띄게 저하되어 대사과정도 장애를 받는다. 이와 같은 쇼크 증후군은 좌심부전/왼심장기능상실의 중증형으로 취급하는 자세가 중요하다.

② **병태생리**

심인성 쇼크의 병태생리를 알기 쉽게 나타내면 **그림 9-27**과 같다.

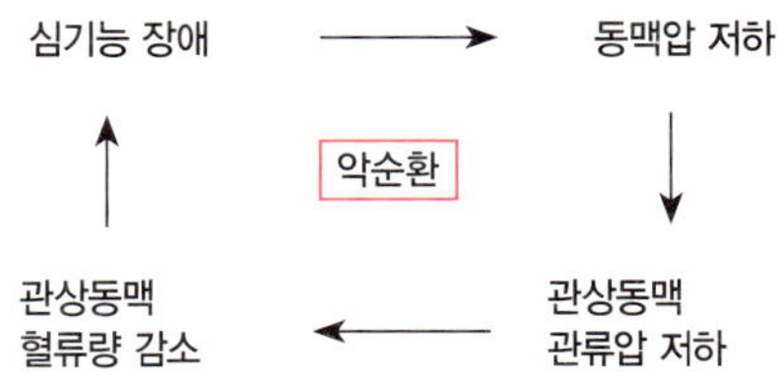

[그림 9-27] **심인성쇼크(cardiogenicshock)의 병태생리**

③ **진단기준**

심인성 쇼크의 진단기준을 MIRU(Myo-cardial Infarction Research Unit)에서 인용하여 기재하니 참고하기 바란다.

a. 수축기 혈압 90mmHg 미만, 또는 이전의 기초 혈압보다 30mmHg 이상 저하

b. organ hypoperfusion
  - 소변량 저하(20ml/시 미만)
  - 정신기능의 저하
  - 차고 습한 피부(cool, clammy skin)

IX

④ **치료 및 간호**

심인성 쇼크의 치료법에는 다음과 같은 것들이 있다.

a. Monitoring : 아래와 같은 것들을 모니터한다.
  - 중심정맥압(CVP)
  - 폐동맥쐐기압(PCWP)
  - 심박출량(CO)
  - systemic arterial pressure
  - 소변량

b. 체위 : 다리를 15°도 올린다.

c. 산소흡입 : $NaHCO_3$(탄산수소나트륨)에 의한 대사성 acidosis의 교정작용

d. 용량확대 : 적당한 좌심실 충만압(18~20mmHg)을 확보할 수 있는 레벨까지 용량보충을 실시한다. 폐영역에 rale(수포음/거품소리(coarse crackles))이 청취된 경우는 극히 중증으로 용량확대를 실시해야 할 단계가 아니다.

e. **수축작용제/승압제**(inotropic drug) : 혈압을 어느 정도 상승시켜 각 장기관류를 유지하기 위해서는 수축작용제가 필요하게 된다. 그러나 수축성이 저하된 심실에 afterload를 증가시키면 심박출량은 저하하므로 metochysamine이나 phenylephrine 등 혈관수축만을 일으키는 약물은 이 경우 유해할 뿐이다(이것은 꼭 기억해 두기 바란다).
따라서 dopamine, dobutamine, norepinephrine 등의 수축진약을 투여해야 한다.

f. 혈관확장약 투여 : nitrates

g. **대동맥내 balloon pumping**(intra-aortic balloon pumping ; IABP → 그림 9-28) : 말초순환을 유지하면서 afterload의 경감과 관상혈류량 증대의 두 가지를 만족시키는데, 심인성 쇼크의 환자에서는 이와 같은 보조 순환을 이용해도 성공 예는 적다고 알려져 있다. 그런데, IABP의 금기에 대해서 기억하고 있는가. 그것은 바로 해리성 대동맥류(dissecting aneurysm)와 AR이다. 그러므로 IABP를 사용할 때는 반드시 초음파 등에서 해리성 대동맥류와 AR이 아님을 확인하는 절차가 필요하다.

(3) 심장파열

심장파열(cardiac rupture)에서는, 심장의 전기적 활동은 지속되고, 심근은 수축을 계속한다. 그렇지만, 혈액을 앞으로 잘 보낼 수 없게 되어, 혈액은 심막강/심장막공간 내로 보내져 심장압전/심장눌림증(cardiac tamponade)을 일으킨다.

임상적으로는 급격한 맥박, 혈압, 의식상실이 보이는 한편 심전도는 동조율을 보이게 된다. 대부분은 돌연사에 이르게 되는데, 신속한 심막천자와 외과적 처치로 효과가 있었던 예가 아주 드물게 있다.

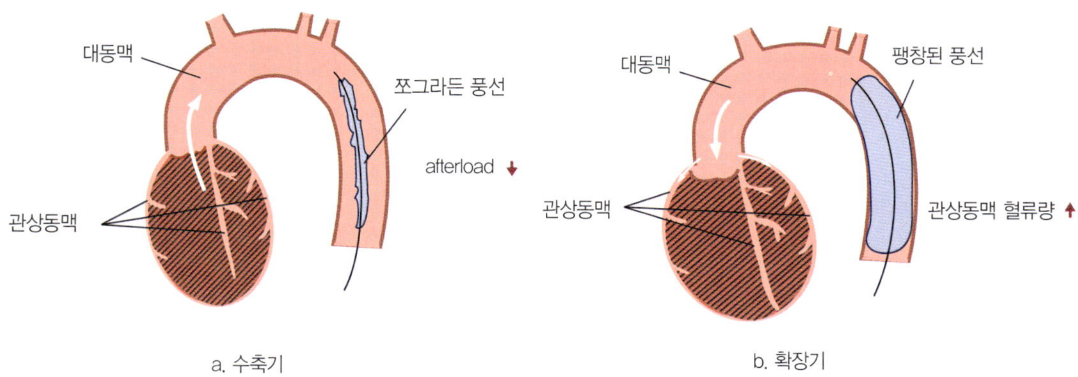

[그림 9-28] 대동맥내 balloon pumping(IABP)

(4) 심실중격천공

심실중격천공/심실사이막뚫림(ventricular septal rupture)은, 전벽중격 infarct에 동반되는 경우가 많으며, 흉골좌연/복장뼈왼모서리 아래에 전수축기 잡음(presystolic murmur)이 들리고, 진전을 느끼며 그와 동시에 위급한 심부전/심장기능상실을 보인다. 진단은, Swan-Ganz catheter를 이용하여 베드 옆에서 실시되는 심장카테터 검사에 의하여, Lt to Rt shunt(우심실 레벨에서의 O_2 상승)를 증명함으로써 확정된다. 혈행동태의 모니터를 실시하여 심기능의 현저한 저하가 있으면, IABP나 혈관확장약에 의한 afterload의 경감을 개시한다. 그 후, 가능하면 외과적인 치료를 시도한다.

(5) 승모판역류

유두근 기능상실(papillary muscle dysfunction), papillary m. 단열, 심실류에 의해 크기나 형태 등이 변화한 결과, 승모판역류(mitral regurgitation ; MR)를 초래하는 경우가 있다.

심첨부 수축기 잡음이 나타나며, 종종 심각한 좌심부전을 띤다.

심실중격천공과의 감별은, 폐동맥쐐기압(PCWP)에서 수축기 양성파(v wave 높이 증가)가 기록되며, 우심실 레벨에서 O_2 분압의 상승이 보이지 않는다는 사실에 주목하여 행한다.

ejection 저항을 감소시켜 혈액의 전방 ejection을 돕기 때문에, IABP나 혈관 확장약에 의한 afterload의 경감이 수술할 때까지의 일시적 치료로써 이용된다.

(6) 혈전색전증

혈전색전증(thromboembolism)도 심근경색의 합병증으로서 나타난다.

(7) 심실류

심실류(ventricular aneurysm)는 심첨부/심장끝부분이나 전벽에 많이 보이며, 전흉벽에 수축기 팽창(systolic bulge)을 느낄 수 있고, X-선 사진상에, 심음영의 비정상적인 모습이나 한정적인 돌출이 보이는 경우도 있다. 심전도에서 ST segment 상승이 지속되고 좌심실 조영에서 dyskinesis가 인정되면 확정진단을 내릴 수 있다.좌심실류의 합병증은 울혈성 심부전, 동맥색전증, 심실성 부정맥이며, 내과적으로 난치일 경우는 외과적 절제수술의 적용이 된다.

(8) 우심실경색

하벽후벽경색 환자의 약 1/3에서는 가벼운 우심실 심근괴사가 나타나는데, 때로는 광범위한 우심실 경색이 나타나는 경우도 있다. 또한 이들의 예에서는 중증의 우심실 부전 징후(경정맥확장, 간비대)가 종종 나타난다.

우심실 카테터 검사소견에서는 수축성 심막염과 비슷한 혈행동태 패턴(W-pattern, dip and plateau)을 나타낸다.

광범위한 우심실경색에 동반하는 심박출량 저하와 저혈압의 치료에는, 용량확대(volume expansion)가 종종 유효하다.

(9) 심막염

심막염(pericarditis) 형태의 증상, 즉 심막마찰음(pericardial friction rub)이나 심막통이 급성 transmural infarct 환자에게서 종종 나타난다. 이에 대한 치료에는 aspirin을 사용한다.

(10) 심근경색 증후군

심근경색후 증후군(postinfarction syndrome[Dressler syndrome])은 비교적 드문(1~3%) 증후군으로, 발작 후 2~14주에, 발열이나 흉통/가슴통증과 함께 심막염, 흉막염, 폐장염(pneu-monitis) 의 병발을 볼 수 있다. 이들은 경색심근을 항원으로 하는 자가면역 기전에 의하여 일어난다.

임상경과는 지연되며, 종종 관해와 악화를 반복한다. 치료는 대증적으로 실시하며 salicylates이나 indomethacin(25~50mg을 1일 2~3회 경구투여)과 같은 항염증약이 사용된다. 증상이 심각한 경우는, 부신피질 스테로이드제(prednisone 1mg/kg을 1일 1회 경구투여)를 사용하는 경우도 있다.

(11) 수견 증후군/어깨손 증후군 Shoulder-hand syndrome

어깨 통증으로 시작되어 손에 통증이 있는 종창, 이어서 수지근과 피부의 위축, 피하조직과 손가락 건의 유착이 일어나고, 손의 굴곡구축까지 생긴다. 좌우 관계없이 발생하고(왼쪽이 조금 많다), 때로는 양측에 생기는 경우도 있다. 이 어깨손 증후군은 치료 초기에 운동을 하지 않아서 발생하였으나, 최근에는 재활(병상에서 조기에 일어남, 운동요법 등)의 영향으로 감소경향을 보이고 있다.

3) 예후

CCU가 도입된 이래, 심근경색의 입원 사망률은 30~40%에서 10~20%로 감소했다. 이것은 주로 치명적인 심실성 부정맥의 조기발견과 치료에 의한 현상이다.

10~20%라는 사망률은 광범위한 심근장애에 의한 power failure(특히 심인성 쇼크)에 의한 현상으로, 이것은 이전과 변함이 없다. 심근경색의 범위는 입원중이나 발병후의 주요한 예후결정인자로서, 좌심실의 40% 이상이 괴사되었을 경우는 사망률이 높다.

심근경색 핵심정리

병태생리로 보는 심근경색

심근경색이란 장시간의 심근허혈에 의해 심근이 괴사되는 것이다. 일반적으로 흉통은 30분 이상 지속되고, 한번 괴사된 심근은 두 번 다시 수축되는 일이 없다. 새롭게 발생한 심근경색을 급성 심근경색, 이전에 심근경색을 일으켜서 기질화된 것을 진구성 심근경색이라고 한다.

병 인

- 노화, 관상동맥 질환의 가족력, 흡연습관, 고혈압, 비만, 당뇨병, 고콜레스테롤혈증

* **유인** : 운동, 한랭, 흥분, 긴장, 입욕

병 태

- 급성 죽상경화반의 파열로 인한 파열부위 혈소판 응집
- 심근산소수요 증가와 공급의 감소
- 협심증 발작

* **심근경색의 합병증**
- 부정맥
- 심인성 쇼크
- 울혈성 심부전(급성 심근경색 환자는 울혈성 심부전으로 진행할 위험이 높다)
- 심실동맥류

증 상

- 30분 이상 지속되는 흉통
- 흉부불결, 압박감, 중압감, 심계항진, 부정맥 등
- 의식장애, 구역질·구토
- 혈압상승 및 저하, 청색증, 말초냉감, 부종, 다한증
- 호흡상태의 변화, 호흡곤란
- 정신증상, 수면장애

IX

진단 및 검사	• 심전도 검사 : ST분절 상승 또는 하강, 이상 Q파 출현, T파 역전 • 트로포닌 상승 : 심근경색 조기 진단에 효과적 • 혈액성 생화학검사 : 심근산소(CK, CK-MB), 심장형 지방산결합단백, 미오글로빈(심근경색 이후 가장 먼저 상승) 등 • 관동맥조영, 좌실조영 • 심장초음파 • 심근 스캔

치료	• 수술요법 : 경피적 관상동맥 성형술(PTCA) 또는 관상동맥 우회술(CABG) 시행 • 산소요법 : 산소공급 • 약물요법 : 아스피린, 니트로글리세린, 모르핀, β-blocker 등 • 재관류요법 : 혈전용해술(정맥 공급)

TIP

심근경색의 합병증

- 부정맥
- 심인성 쇼크
- 울혈성 심부전(급성 심근경색 환자는 울혈성 심부전으로 진행할 위험이 높다)
- 심실동맥류
- 폐색전증

X 심장막병 Pericardial disease

A 심장막병의 3가지 병태

만성 수축성 심막염이나 급성 심막염은, 모두 심막의 염증이다. "급성 심막염이 만성화되면 만성 수축성 심막염이 된다"고 해도 무방하다. 또한, 심장압전/심장눌림증(cardiac tamponade)은 급성 심막염 후에 급속하게 심막액이 저류되어 일어나는 경우도 있으며, 그 밖에도 외상, 동맥류 파열 등으로도 일어난다. 이상의 경위를 그림으로 표현한 것이 **그림 10-1**이다.

급성 심막염은 별도로 하고, 만성 수축성 심막염과 심장압전(cardiac tamponade)은 모두 확장부전/확장기능상실이라는 하나의 공통된 상태로 이해할 수 있다. 즉, "확장부전(diastolic failure)"이란, 심실이 충분히 확장되지 않은 상태이고, 이 때문에 심실충만은 불충분하게 되고 심박출량이 감소하는 것이다. 여기서 다루는 이들 질환의 신체소견이나 심장카테터 검사소견 등은 모두 이러한 확장부전이라는 상태에서 설명할 수 있고 이해할 수 있다.

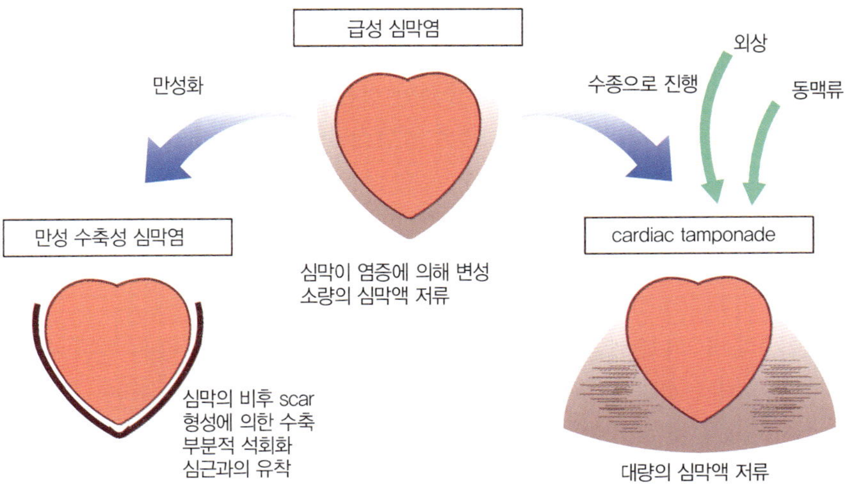

[그림 10-1] 심장막병의 3가지 병태

이상의 내용을 도식화하면 **그림 10-2**와 같다.
그러면, 이 그림을 염두에 두고 각 질환에 대하여 살펴보자.

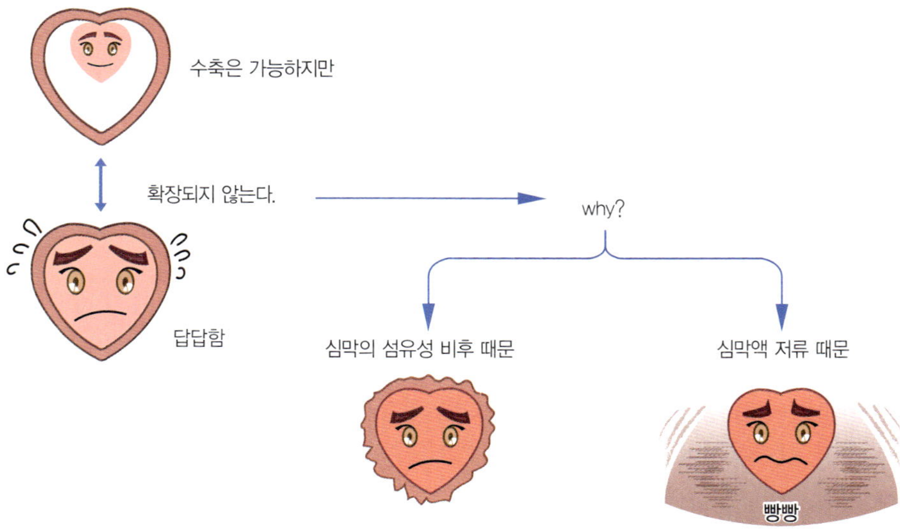

[그림 10-2] **확장부전**/확장기능상실

B 급성 심막염

급성 심막염/급성 심장막염(acute pericarditis)은 심막의 염증이 일어나기 시작하는 것이므로, 만성 수축성 심막염이나 심장압전/심장눌림증(cardiac tamponade)과 같이 확장부전/확장기능상실을 유발하는 경우는 오히려 적다고 할 수 있다. 중요한 것은, 흉통/가슴통증을 유발하고, 심전도에서는 ST segment 상승이 보이므로 심근경색과의 감별진단을 해야 한다는 점이다.

1. 원인

심막염의 원인으로서, 가장 많은 것은 특발성(idiopathic)이고, 그 다음이 일반 세균, 결핵균, 바이러스 등에 의한 감염성 심막염이 많다. 그리고 요독증성 심막염, 류마티스성 심막염, 심근경색후 심막염(Dressler syndrome), 종양침윤으로 인한 심막염, 결합조직질환(SLE, RA, PN, 기타)으로 인한 심막염 등이 있다.

2. 증상

1) 흉통

본 질환에서의 흉통에는 다음과 같은 특징을 볼 수 있다.

① 돌발적이고, 예리하며 강한 통증(때로 압박감)

② 경부/목 · 등쪽 · 왼쪽 어깨로 퍼진다(반수 정도는 퍼지지 않는다).

③ 정도에 따라 다르나, 3~4일간 지속된다. 변동적이다.

④ 체위 등과의 관계에서는, 다음과 같은 현상을 볼 수 있다.

ⓐ 심호흡, 누운 자세에서 증강

ⓑ 전굴위/앞으로 기울인 자세(lean forward)에서 경감

키 포인트

협심증통 70%가 압박감, 교액감을 호소하는데, 심막염에서의 흉통은 찌르는 듯한 날카로운 통증이다.

2) 호흡곤란, 기침

본 질환에서는 호흡곤란이나 기침의 증상을 보인다. 그것은 기관이나 폐가 급성 염증으로 인한 심막액 저류 때문에 비대해져 급격하게 압박되기 때문이다.

X

3. 이학적 검사소견

1) 심막마찰음/심장막마찰음

이 심막마찰음/심장막마찰음은, pericardial friction rub, 일명 locomotive murmur이라고도 한다.

이것은 심장 전면에 국한된 잡음으로, 비교적 얕은 곳에서 나오는 소리이다. 흉벽의 표면에 가깝게 들린다. 음질은 '씨익씨익'하는 뭔가에 긁히거나 스치는 듯한 소리이다. 심막과 심근(심장) 사이는, 정상 상태에서는 마찰저항이 매우 약해서 마치 얼음 위에 물을 뿌리는 것 같은 느낌으로, 매끈매끈하며 반질반질하여 미끄러지기 쉽게 되어 있다.

이것은 심막과 심장 사이에 있는 극히 소량의 심막액이, 엔진으로 말하면 오일과 같은 역할을 해주므로, 믿어지지 않을 정도로 작은 마찰계수를 만들어 내기 때문이라고 생각된다.

그러나 심막에 염증이 생기면, 매끈매끈한 심막면이 염증으로 거칠어져, 까칠까칠한 심막과 심장이 서로 스칠 때 심막마찰음/심장막마찰음이 발생한다. 이 음은 심장이 심하게 움직일 때 발생하므로, 심방수축기, 심실수축기, 급속유입기에 발생하는 경우가 많다. 이 3가지의 잡음이 한꺼번에 발생하면 증기기관차가 달리는 것 같은 소리가 나기 때문에 locomotive murmur라고 불린다. 위의 내용을 그림으로 표현하면 **그림 10-3**과 같다.

[그림 10-3] Locomotive murmur

2) Ewart sign

심막액의 저류량이 많아지면, 심음, 심잡음이 함께 감소되고, 심첨박동/심장끝박동도 감소된다. 더욱이 폐를 압박하게 되면, 좌견갑/왼쪽어깨 아래의 넓은 탁음계와 기관지 호흡음이 나타나게 된다. 이러한 현상을 Ewart sign이라고 한다.

4. 검사소견

1) 흉부 X-선 사진

급성 심막염의 흉부 X-선 사진에는, 뚜렷한 특징적인 현상은 없지만, 심막액의 저류와 함께 심음영의 변화가 보인다. 따라서 심막염 초기는 심막액 저류가 없으므로 사진상으로 눈에 띄는 변화는 발견할 수 없다. 그러나 심막액이 400~500ml가 되면, 심흉곽비가 증가한다. 그 위에 저류가 진행되면, 심음영은 좌우로 돌출하며, 심횡격막각은 둔화하고, 더 진행되면 오히려 반대로 날카로워지기 시작하여 심음영은 물병모양(water-bottle shape)이 된다**(그림 10-4)**.

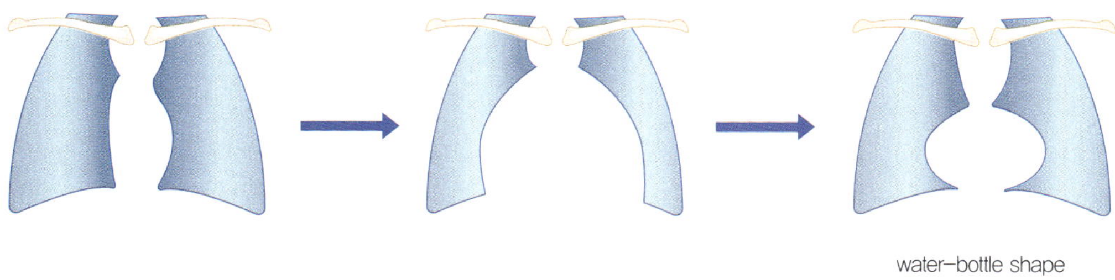

[그림 10-4] water-bottle shape

2) 심전도

앞에서 언급한 바와 같이, 급성 심막염에서의 심전도 변화는, 심근경색에서의 심전도 변화와의 감별이 대단히 중요하다. 양쪽 모두 ST segment 상승이 보이는데, 그 패턴이 다르다**(그림 10-5)**. 직감적으로 느끼기에는 심근경색 쪽이 훨씬 통증이 심하므로, "통증이 밀어닥친다", 따라서 ST segment의 상승도 아래서부터 위로 치받아 올라오게 된다(upward concave)고 하는 것이다**(그림 10-6)**. 한편, 심막염 쪽은 그렇게 강하지 않은 통증이 변동하면서 3~4일 계속되므로, 이러한 "변동"이 심전도에서도 나타난다**(그림 10-7)**.

또한, 급성 심막염도 심근경색과 같이 시간이 지나면, 심전도가 변화한다. 먼저, 급성 심막염의 급성기가 지나면, T wave의 inversion이 나타나게 된다. 그리고 심막액이 대량으로 저류되면, QRS는 저전위가 된다. 경우에 따라서 cardiac tamponade에까지 진행하면, 심장이 심막액 속에 떠 있는 듯한 모양이 되고, QRS 전위는 한 박마다 대소를 나타내므로 이른바 전기적 교대맥(electrical alternans)을 초래한다. 이 교대맥이란 원래 맥의 크기가 대소로 교대로 나타나는 것으로 좌심부전/왼심장기능상실의 sign인데, 이 전기적 교대맥은 맥 그 자체와는 아무런 관계도 없으므로 유의하기 바란다.

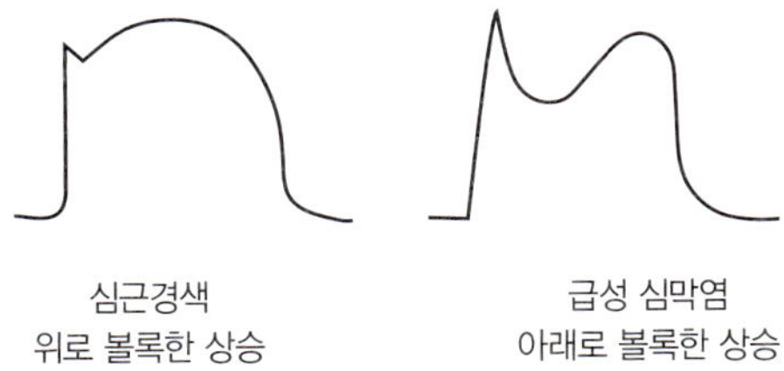

[그림 10-5] 심근경색과 급성 심막염의 ST 상승 패턴

심근경색에서는 통증이 위로 올라와
ST는 위로 볼록하게 상승한다.

[그림 10-6] 심근경색에서는 ST 상승은 위로 볼록

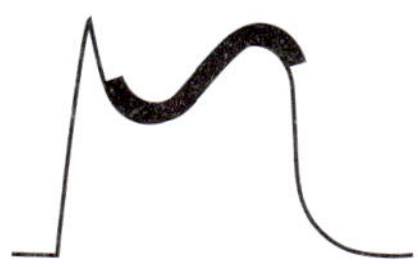

급성 심막염에서는 통증이 오래 계속되므로
ST 상승도 그런 형태가 된다.

[그림 10-7] 급성 심막염에서는 ST 상승이 아래로 볼록

3) 심장초음파 소견

특징적인 소견은 echo-free space**(그림 10-8)**인데, 이것은 정확하게 말하면 심막강/심장막공간에 액체의 저류가 있는 것을 나타내는 소견이므로 심장압전(cardiac tamponade)에서도 보이고, 점액수종의 경우에도 보인다.

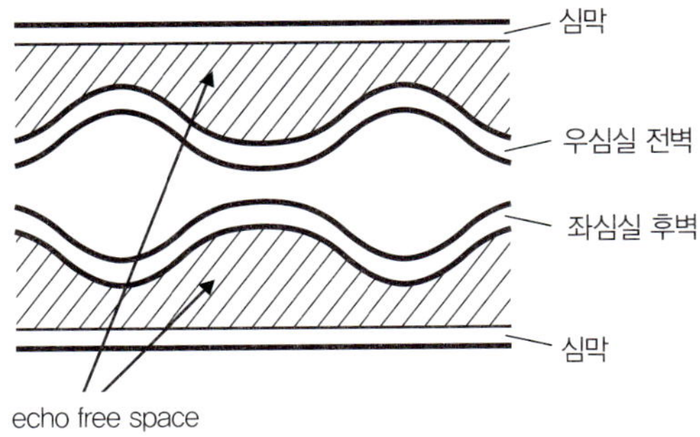

[그림 10-8] 급성 심막염의 심장초음파 소견

4) 심막천자

심막액이 증가했을 때는 심막천자를 하여, 심막액을 채취해서 진단에 참고한다.

치료에 있어서도 그 원인에 따라 치료법도 달라지므로, 심막액에 대해서 세포학적 · 세균학적 검사 및 생화학적 검사가 필요하다. 이상을 그림으로 나타내 보았다(**그림 10-9**).

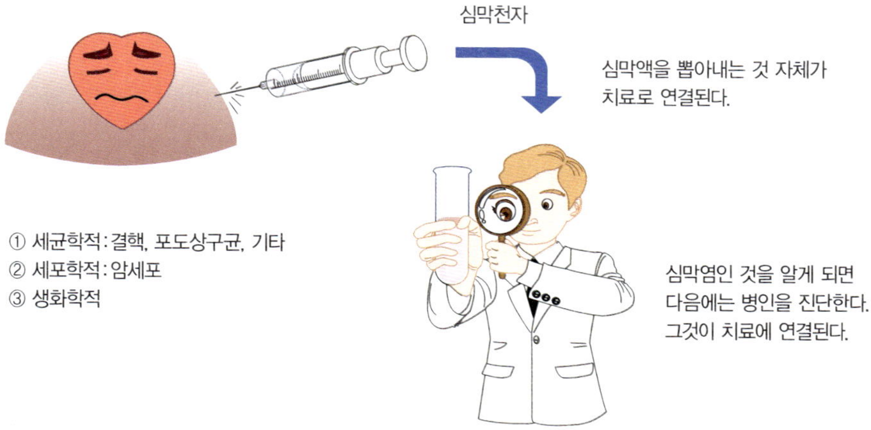

[그림 10-9] 심막천자에서 병인의 진단까지

5. 치료

본 질환의 치료에 대해서는 다음과 같이 각 항목별로 정리해보기로 한다.

① 결핵성 심막염 ← 항결핵약
② 기타 세균성 심막염 ← antibiotics
③ 종양성 심막염 ← 항암제
④ 특발성 심막염 ← 진통제, 이뇨제, 부신피질 steroid

C 만성 수축성 심막염

1. 병태생리

급성 심막염 후, 심막이 섬유성 비후를 유발하고, 때로는 석회침착을 일으키는 경우가 있는데, 이들이 고도로 진행되면 심장의 운동제한을 일으킨다. 이것이 만성 수축성 심막염(chronic constrictive pericarditis)의 병태이다.

2. 증상

본 질환의 증상은 다음과 같이 2가지로 분류할 수 있다.

① 우심부전 증상 : 복부팽만감이나 식욕부진, 호흡곤란은 가벼운 정도임

② 저단백혈증

3. 이학적 검사소견

X

1) 기이맥

기이맥(paradoxical pulse)이란, 혈압의 호흡성 변동이 커진 것으로, 정상의 상태에서도 일어나며 호기/날숨의 수축기압이 흡기/들숨의 수축기압보다 10mmHg 이상 높은 것을 말한다. 기이맥이 생기는 원인을 살펴보기 위하여, 정상인의 경우에서 호흡성으로 일어나는 혈압의 변동에 대해서 생각해 보자.

흡기 → 폐는 팽창한다 → 폐혈관상 확대 → 좌심으로의 폐정맥으로부터의 환류↓→ 좌심박출량↓→ 혈압↓(우심박출량은 흉강내/가슴안 음압 때문에↑) 정상에서는, 이 호흡성 변동은 10mmHg 이내이다. 한편, 만성 수축성 심막염이나 심장압전/심장눌림증(cardiac tamponade)에서는 심실의 확장부전이 있으므로, 환류혈액의 감소가 보이는 흡기에서는 환류가 더욱 더 방해를 받는다. 따라서 좌심박출량도 더욱 ↓↓가 되므로, 혈압도 ↓↓되는 것이다.

2) Kussmaul sign

경정맥/목정맥을 보면, 정상에서는 흡기/들숨에는 흉강내압(thoracic cavity)이 하강하며, 심장으로 향하는 정맥환류가 증가하기 때문에 경정맥의 확장은 감소하고 호기/날숨에는 증가하게 된다. Kussmaul sign은 그 역의 현상이 일어나는 신호를 말한다. 즉, 흡기에 확장되는 것이다. 이것은 주로 우심방의 확장부전이 원인이 되어 흡기에 증가한 정맥환류 전부를 우심방에서 공

급할 수 없기 때문에 일어난다. 즉, 정맥환류가 저해되기 때문에 경정맥이 확장하는 것이다.

Cardiac tamponade나 만성 수축성 심막염, 중증의 우심부전 등으로 나타나는데, SVC syndrome(상대정맥 증후군)에서도 나타난다.

3) 단백누출성 위장증 Protein losingenteropathy 에 의한 소견

우심부전 sign의 하나로, 소화관 울혈을 유발하기 때문에 생긴다. 저단백혈증을 야기하고 복수나 부종의 원인이 된다.

참조

기이맥은 폐종양이나 기관지천식과 같은 폐색성 폐질환에서도 나타난다. 이것은 흉강내압의 변화 그 자체가 크기 때문인 것으로 판단된다.

4) 심막노크음 Pericardial knock

확장 초기에 심막노크음이라는 고조된 과잉 심음이 나타난다. 이것은 확장조기, 심실의 rapid ventricular filling phase에 심실이 확장하려 하면, 수축된 심막 때문에 그 확대가 방해를 받아 급히 중단되기 때문에 생긴다.

4. 검사소견

1) 흉부 X-선 사진

종종 볼 수 있는 사진이므로 잘 기억해 두기 바란다(그림 10-10, 11). 포인트는 단 하나-심막의 석회화(calcification) 음영이다.

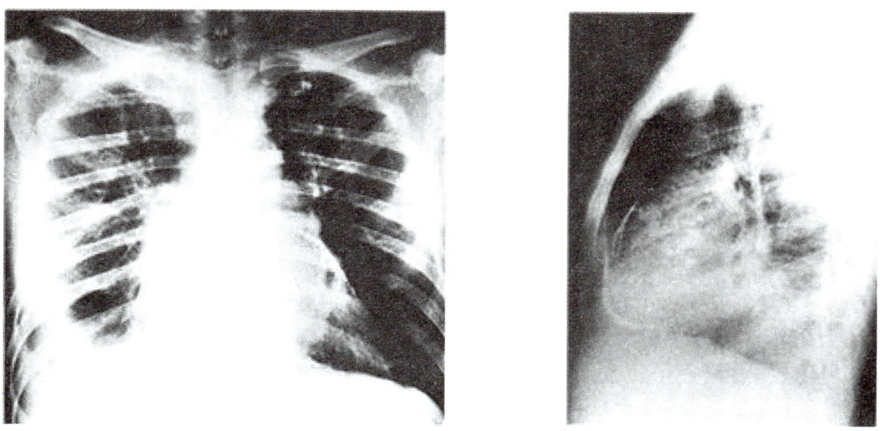

[그림 10-10] 만성 수축성 심막염의 흉부 단순 X-선 사진

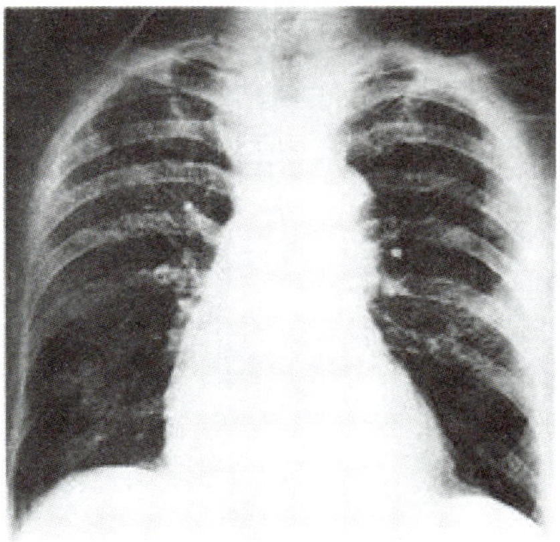

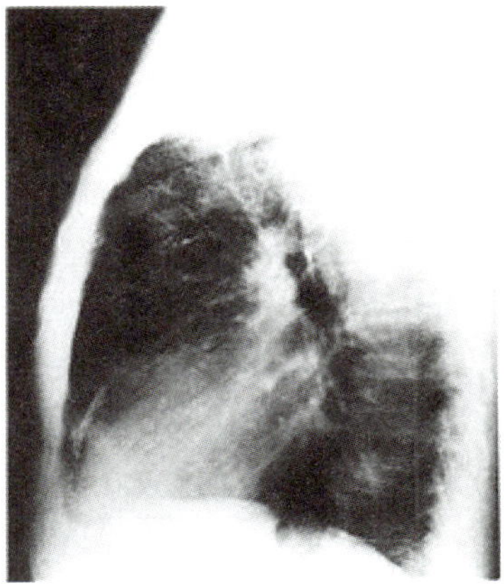

[그림 10-11] **만성 수축성 심막염의 흉부 단순 X-선 사진**

2) 심장초음파 검사

심막의 비후가 보이는 것은 당연하다. 또 하나의 중요한 사항은 확장부전/확장기능상실에 대한 소견이다. 확장기, 좌심실 후벽은 팽창할 수가 없으므로 편평기(plateau)가 된다. 또한, 확장부전으로 심실의 compliance(유순도)가 나빠지기 때문에, DDR의 감소가 나타나는 경우도 있다. 이상을 도식화하여 나타내면 **그림 10-12**와 같다.

X

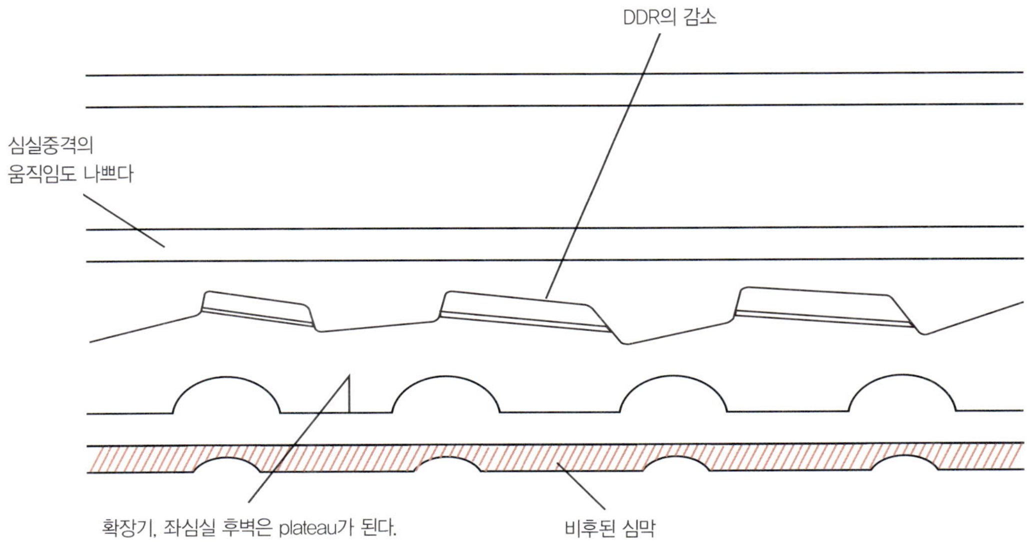

[그림 10-12] **만성 수축성 심막염의 심장초음파 소견**

3) 심장카테터 검사

흔히 dip and plateau라고도 하는데, 병태생리적으로는 "확장부전"이라는 하나의 단어로 설명된다. 그러나 여러 가지 검사에 따라 그 형태를 달리 한 소견을 나타내므로 여기서 확실히 알아두도록 하자. 이 dip and plateau는 우심실압을 측정하였을 때, 확장조기에 한번 움푹 패는 부분(dip)을 만들어 우심실압은 한번 저하하지만, "확장부전"이 있으므로 우심실의 확장이 급격하게 제한되고, 압의 재상승과 지속으로 인해 plateau를 형성하게 된다. 이 상을 도식화하면 **그림 10-13**과 같다.

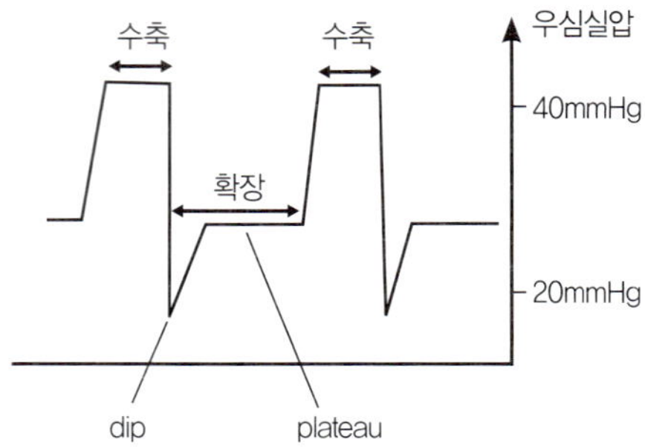

[그림 10-13] **만성 수축성 심막염의 심장 카테터 검사소견**

5. 치료 및 간호

본 질환의 치료는 내과적 치료와 외과적 치료로 나뉘어지는데, 다음과 같다.

① 내과적 치료 : 강심제(inotropic agent), 이뇨제 투여, 그러나 이것은 대증요법에 불과하다.

② 외과적 치료 : 근치요법으로서 심막절제술이 있다.

D 심장압전/심장눌림증 Cardiac tamponade

심막액 저류에 의해 급속하게 일어나는 심장 압박증상을 cardiac tamponade라고 한다.

Cardiac tamponade는 심막액의 저류에 의하여 생기는데, 저류가 급속하게 일어나면 200ml 정도로도 cardiac tamponade가 된다. 그러나 서서히 저류하는 경우에는 1,000ml라도 cardiac tamponade는 되지 않는다.

1. 증상

본 질환의 증상은 다음과 같다.

① 호흡곤란, 협심증/가슴조임증, 불안감 등을 호소한다. 대부분의 경우 진행성이고, 때로는 실신, 쇼크를 일으킨다.

② 압박증상으로서, 기침이나 연하곤란을 초래한다.

2. 신체소견

X

1) Beck's triad

Beck's triad란 다음의 3가지이다.

① 혈압저하(hypotension)

② 심음미약(faint heart sound)

③ 정맥압상승(CVP 상승)

2) Kussmaul sign

앞에서 설명한「만성 수축성 심막염」의 신체소견 항목을 참조하기 바란다. 정상과는 반대로, 흡기/들숨에 경정맥/목정맥이 확장한다.

3) 기이맥

이것도 앞에서 설명한「만성 수축성 심막염」의 신체소견 항목을 참조하기 바란다.

4) 울혈에 의한 소견

울혈에 의한 소견은 다음과 같다.

① 경정맥 확장

② 간비대(hepatomegaly)

③ 부종
④ 복수
⑤ 기타

5) 기타 신체소견

혈압저하, 맥압감소, 심박출량 감소가 나타난다. 따라서 빈맥을 나타낸다.

3. 검사소견

1) 흉부 X-선 사진

본 질환의 흉부 X-선 사진에서는 심음영의 확대, 그리고 폐영역이 밝은 것을 볼 수 있다.

2) 심전도소견

본 질환의 심전도소견은 다음과 같다.

① 저전위
② 전기적 교대맥(electrical alternans)

3) 심장초음파소견

본 질환의 심장초음파소견은 한마디로 'echo free space'로 표현할 수 있다.

4) 심장카테터 검사

본 질환의 심장카테터 검사소견에서는 dip and plateau는 보통 볼 수 없다.

4. 확정진단

심막천자를 실시하여 저류액을 확인함으로써 확정진단을 한다.

5. 치료 및 간호

심막천자로 진단이 내려지면, 바로 이어 배액을 하고, 심막강/심장막공간의 감압에 힘쓴다. 또한, 재발방지를 위하여 이뇨제, 강심제, 부신피질 steroid 등을 투약한다.

심막염 핵심정리

병태생리로 보는 심막염

급성 심막염은 다양한 원인으로 심막(심장막)에 염증이 발생하며, 매우 강한 흉통을 일으킨다. 급성 심근경색과의 감별이나 염증의 영향으로 심막액이 과도하게 저류하여 혈행동태에 영향을 미치는 것이 문제이다. 심막의 염증을 일으키는 원인은 크게 감염성과 비감염성으로 분류된다.

병 인	• 감염성 – Coxsackie virus B군 – 박테리아 – 진균	• 비감염성 – 심근경색 – 심막절제술 후 – 요독증 – 결합조직질환 – 류머티스성 관절염 – 악성 종양

병 태	• 다양한 원인으로 심막에 염증이 발생하여 흉통을 일으킨다. • 수종이 진행되면 심장압전으로, 만성화하면 수축성 심막염으로 경과한다.
증 상	• 지속성 흉통(누우면 심해지고 앞으로 숙이면 감소) • 심막마찰음 • 감기증상, 호흡곤란, 삼킴곤란 • 발열, 오한, 기침, 부종 등
진 단 및 검 사	• 생화학 검사 • 심전도 • 심장초음파

X

치 료	• 원인에 대한 치료 • 안정을 취한다. • 진통제(NSAIDs, 아스피린, 데메롤, 모르핀) 및 항상제 투여 • 해열진통제로 통증과 염증 관리 • 배농(화농성 심막염일 경우)

TIP

심근염

심근염은 심막과 심내막 사이의 심근, 즉 심장근육에 염증이 생긴 것을 말한다.

- 심근염의 증상
  - 피로감, 호흡곤란, 발열
  - 심계항진, 빈맥, 부정맥, 흉통
- 심근염의 치료
  - 안정, 산소공급
  - 항생제, 강심제, 이뇨제, 혈관확장제 등 투여

TIP

급성 심막염과 허혈성 심장질환의 감별

	통증의 특징			
	형태	호흡의 영향	지속시간	체위의 영향
급성 심막염	찌르는 듯한 통증이나 가끔 둔통, 압박감이 왼쪽 승모근에 방사된다.	흡기 시에 통증이 증가된다.	수 시간 ~ 수 일	앉은자세에서 경감되고 누운자세에서 증가한다.
허혈성 심장질환	**협심증에서** • 앞가슴교액감, 압박감, 작열감, 막연한 불안감이 왼쪽 어깨로 방사된다.	없음	**협심증에서** • 안정을 유지하면 보통 1~2분, 길어도 30분 이내에 멈춘다. • 불안정 협심증이나 심근경색에서는 30분 이상 지속되는 경우가 있다.	보통 없음

TIP

수축성 심막염과 심장압전(cardiac tranponade) 및 기타 질환과의 감별 포인트

소견	수축성 심막염	심장압전	제한형 심근병증	우심실경색
임상소견				
모순맥박	대체로 없음	일반적	드묾	드묾
경정맥파				
깊은 y하강	대체로 있음	없음	드묾	드묾
깊은 x하강	대체로 있음	있음	있음	드묾
Kussmaul 징후	있음	없음	없음	없음
3심음	없음	없음	드묾	있을 수 있음
심막 고타음	자주 있음	없음	없음	없음
심전도				
저전위차	있을 수 있음	있을 수 있음	있을 수 있음	없음
교대맥	없음	있을 수 있음	없음	없음
심장초음파				
심막비대	있음	없음	없음	없음
심막석회화	자주 있음	없음	없음	없음
심막액 저류	없음	있음	없음	없음
우심실 직경	대부분은 정상	대부분은 축	대부분은 정상	확대
심실벽 두께	정상	소	대부분은 증가	정상
확장기 우심방 및 우심실 허탈	없음	정상	없음	없음
확장 조기 충만의 증가, 승모판막	있음	있음	있음	있을 수 있음
구멍 혈류속도 증가		없음		
혈류속도의 호흡성 변동 증가	있음		없음	없음
		있음		
CT/MRI				
심막비대, 석회화	있음	없음	없음	없음
심장카테터 검사				
확장기압의 동일화	대체로 있음	대체로 있음	대체로 없음	있음/없음
심근생검의 유용성	없음	없음	가끔 있음	없음

※ 차이에 주의

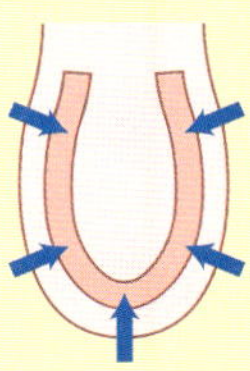

심장압전
(항상 외부에서 전달되는 힘)

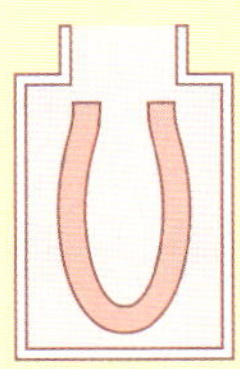

수축성 심막염
(단단한 용기 속에 폐쇄)

찾아보기